Steve Mosby

Wat je niet wilt zien

A.W. Bruna Uitgevers B.V., Utrecht

Oorspronkelijke titel
Still Bleeding
© 2009 Steve Mosby
First published by Orion Books Ltd, London.
Vertaling
Hugo Kuipers
Omslagbeeld
Getty Images/Clay Patrick McBride
Omslagontwerp
Wil Immink Design
© 2010 A.W. Bruna Uitgevers B.V., Utrecht

ISBN 978 90 229 9643 0
NUR 332

Dit boek is gedrukt op papier dat het keurmerk van de Forest Stewardship Council (FSC) mag dragen. Bij dit papier is het zeker dat de productie niet tot bosvernietiging heeft geleid. Een flink deel van de grondstof is afkomstig uit bossen en plantages die worden beheerd volgens de regels van FSC. Van het andere deel van de grondstof is vastgesteld dat hiervoor geen houtkap in de laatste resten waardevol bos heeft plaatsgevonden. Daarom mag dit papier het FSC Mixed Sources label dragen. Voor dit boek is het FSC-gecertificeerde Munkenprint gebruikt. Dit papier is 100% chloor- en zwavelvrij gebleekt en wordt geleverd door Arctic Paper Munkedals AB, Zweden.

Proloog

Ik heb mijn vrouw voor het laatst gezien op een avond in januari, twee-enhalf jaar geleden. Marie was zesentwintig jaar oud, ze droeg een zwart jasje en een donkerblauwe spijkerbroek, en ze ging een fles wijn kopen voor bij het eten waarin ik stond te roeren. Ik hoorde haar autosleutels klikken en rinkelen toen ze door de keuken liep en de voordeur opendeed. Toen bleef ze staan en zei: 'Heb je verder nog iets nodig?'
Ik schudde mijn hoofd. 'Alleen dat je bij me terugkomt.'
Ze gaf geen antwoord, maar ik kon het in de stilte horen: weet je zeker dat je dat nodig hebt?
We hadden een paar moeilijke weken achter de rug. Zolang als ik haar kende, had Marie last van depressies: perioden waarin alles wat ik zei of deed verkeerd was, gevolgd door perioden waarin ze zich alleen maar ver-ontschuldigde, een hekel aan zichzelf had en zich afvroeg wat ik in haar zag en waarom ik bij haar bleef. Ik wist niet welke van die perioden ik het moeilijkst vond, maar we zaten nu net tussen twee fasen in. Het ging veel beter dan in de afgelopen dagen, maar de sfeer was gespannen.
Ik keek haar aan en toen ik haar nietszeggend terug zag kijken, deed dat me intens verdriet. Ik wou dat je kon zien hoe mooi je bent, dacht ik, ik wou dat je dat zag. Maar ik zei het niet, want ik wist dat ze die woorden niet zou accepteren. Ze zouden in de lucht blijven hangen, en dat zou me zo'n gefrustreerd gevoel geven dat ik me beroerd voelde en daar zou zij zich op haar beurt weer slechter door voelen. Soms wilde ze beslist niet dat iemand van haar hield.
'Nee, verder niets,' zei ik.
Ze knikte, haar gezicht nog steeds nietszeggend. 'Een kusje, dan.'
Ik liet de lepel balanceren en liep naar haar toe.
'Zal ik gaan?' bood ik aan.
'Nee, ik ga wel,' zei ze. 'Ik hou van je.'
Nu herinner ik me dat die woorden geforceerd klonken – een beetje te vlug uitgesproken –, maar toen viel me dat niet op.

'Ik hou ook van jou.'

Ze deed de deur achter zich dicht. Even later hoorde ik de auto starten en wegrijden.

Ik was in die tijd introspectief ingesteld. Ik piekerde veel. Ik bedacht altijd wat er allemaal kon gebeuren, liet de ongunstigste scenario's door mijn hoofd gaan en dwong me dan me daarin te verdiepen. Als ik Marie van haar werk terug verwachtte, en ze was er nog niet, dan dacht ik dat haar iets verschrikkelijks was overkomen. Als ze nu eens niet terugkwam? De minutenwijzer van de keukenklok werd dan een sleutel die langzaam draaide in mijn hoofd en de ene na de andere afschuwelijke mogelijkheid ontsloot, zodat ze als muntjes in mijn hoofd vielen. 's Avonds laat lag ik naast haar wakker en vroeg me af hoe het zou zijn als een van ons de ander verloor.

Ik weet niet waarom ik zo was, want eigenlijk was me nooit iets ergs overkomen. Misschien juist daarom.

Op die dag had ze hooguit tien minuten weg moeten zijn. De winkel waar ze heen ging was bij ons in de straat, en om de een of andere reden maakte ik me helemaal geen zorgen. Je wilt graag denken dat je het merkt, maar in werkelijkheid merk je het niet. En dus sudderde het eten in de pan, en bleef ik erin roeren, telkens met de houten lepel tegen de bodem, en was ik onwetend van het feit dat de wereld stilletjes werd verbrijzeld zonder dat ik het merkte.

Ik weet niet meer wanneer ik me grote zorgen begon te maken, maar wel dat ik precies veertig minuten na haar vertrek vond dat het lang genoeg had geduurd en naar haar mobieltje belde.

Er werd opgenomen door een politieman. Op de achtergrond hoorde ik sirenes en druk verkeer, en ik wist meteen dat er ditmaal echt iets was gebeurd. In tijden van crisis neemt een of ander deel van je onderbewustzijn vaak de leiding, en ik was dan ook verrassend kalm toen ik met hem sprak. Pas daarna, toen ik mijn jas pakte, besefte ik dat nauwelijks één woord van wat hij had gezegd tot me was doorgedrongen, en dat het weinige wat wel tot me was doorgedrongen, volstrekt onbegrijpelijk was.

Marie was op de ringweg van de stad door een vrachtwagen geraakt, had hij gezegd. Ik had dat zo opgevat dat er een auto-ongeluk was gebeurd, maar toen besefte ik dat ze niets op de ringweg te zoeken had gehad. En uit een andere frase van hem was af te leiden dat ze niet in haar auto had gezeten toen het gebeurde. Later, op het politiebureau, kreeg ik het precies te horen, en toen begreep ik het. Ze was niet doodgereden door de vrachtwagen. Waarschijnlijk was ze omgekomen door de val van het vijftien meter hoge viaduct waarop ze haar auto hadden gevonden.

De politie noemde het altijd een val, nooit een sprong, maar toch lag dat woord meestal wel besloten in de toon van degene die met me praatte. Ik hoorde het oordeel dat daaraan verbonden was, het idee dat mijn verlies op de een of andere manier niet zo groot was als het verlies dat anderen leden.

In het algemeen praten mensen op twee verschillende manieren over zelfmoord. Of ze leven mee met degene die zichzelf van het leven heeft beroofd en vinden het een tragedie, of ze zien het als het summum van egoïstisch gedrag. Sommige mensen hebben waarschijnlijk een beetje van beide. Ik weet dat allemaal wel en kon me dus enigszins in de houding van de politie verplaatsen. De vrachtwagenchauffeur had wel om het leven kunnen komen, zeiden ze tegen me. Ook nu zou hij misschien nooit helemaal herstellen van wat hij had gezien.

Daar had ik begrip voor, maar ik kon er niet in meegaan. Ik nam het haar niet kwalijk. Ik was nooit boos op haar. En ik heb nooit een hekel aan haar gehad om wat ze ons heeft aangedaan, nog geen seconde.

Want ik herinnerde me haar gezicht toen ze die dag wegging. Daarop had spijt te lezen gestaan, spijt van alles wat ze dacht dat ze mij had aangedaan, en ook die steeds grotere zelfhaat van haar. Ik herinnerde me het laatste wat ze tegen me had gezegd: ik hou van je. En ze konden zeggen wat ze wilden, maar ik wist dat Marie helemaal niet uit egoïsme had gehandeld, in elk geval niet ten opzichte van mij. Wat er ook op haar bedoelingen aan te merken viel, ze deed wat ze dacht dat het beste voor mij was. Ze dacht dat ze mijn leven redde, in plaats van het volkomen te verwoesten.

Dat werd me een halfjaar later duidelijk.

Ik was toen bezig het huis te verkopen en moest daarvoor papieren doornemen. Dat had ik een tijdje uitgesteld, want ik had er geen zin in. En toen ontdekte ik dat Marie een extra levensverzekering had genomen. Die had haar twintig pond per maand gekost. Het was bijna niet te geloven, maar de verzekering was nu goed voor een eenmalige uitkering van bijna een half miljoen pond.

De zelfmoordclausule in de polis werd na twee jaar opgeheven. Marie had twee jaar en acht dagen gewacht. Zo lang had ze rondgelopen met wat ze zou gaan doen, zonder dat ik iets wist of vermoedde.

Zoals ik al zei: ik heb het haar nooit kwalijk genomen. Ik heb altijd gevonden dat ik met verwijten bij een heleboel andere mensen veel meer aan het juiste adres zou zijn.

Nou, dat was dus de laatste keer dat ik mijn vrouw in leven zag.

Maar het was niet de laatste keer dat ik haar zag.

DEEL I

1

Haar vader vertelt haar over de dood.

Voortdurend, met heel ernstige ogen. Die zien eruit alsof iemand de contouren heel zorgvuldig met een rode pen heeft nagetrokken.

Ze wil het begrijpen, maar soms kan ze dat niet en dan worden ze allebei boos. De dood is een monster, zegt haar vader, net als in de dunne sprookjesboeken die ze in haar kamer heeft. Als een draak? vraagt ze, maar hij schudt zijn hoofd. De dood is groter, en veel angstaanjagender. Een draak kan op maar één plaats tegelijk zijn, maar de dood kan overal zijn waar hij wil. Hij ademt geen vuur uit. Hij ademt droefheid uit.

Sarah zit met gekruiste benen op de hoek van de bank en drukt een kussen tegen haar buik. Haar vader hurkt voor haar neer. Het is avond, en de kamer om hen heen is donker en somber. Hij steekt zijn hand uit en knijpt zijn vinger en duim tegen elkaar aan, alsof hij een stofdeeltje van de dood uit de lucht heeft geplukt. Dan haalt hij zijn vingers van elkaar. Hij heeft dit alles zo goed uitgelegd dat Sarah het stofje ziet vallen.

De dood verspreidt rimpelingen, zegt hij.

Ze tuurt naar de ruwe draden in de vloerbedekking en stelt zich voor hoe de rimpelingen van de dood zich verspreiden, zoals wanneer er een steen in water is gegooid. In een van haar boeken op school staat een plaatje van een reddingsboot die scheefhangt op een golf; het water stuift over de zeelieden in gele jassen heen, die hun capuchons vasthouden. Maar ze hoeft niet meer naar school.

De dood is besmettelijk, Sarah. Dat betekent dat hij zich als een ziekte verspreidt.

Het is vooral die wetenschap die haar zo bang maakt. Want de dood heeft al eens geheerst in hun huis, en als je ermee besmet kunt raken, als met een verkoudheid, zou een van hen de volgende kunnen zijn. Of beiden. Haar vader is daar blijkbaar ook bang voor. Mede daardoor kijkt hij haar zo strak aan, denkt ze, en kijkt zij zo strak terug. Alsof ze daarmee een betovering tot stand brengen die het monster op een afstand houdt.

11

...er is altijd de eerste die de betovering verbreekt.

...schuifelt hij bij haar vandaan. Soms kijkt hij gefrustreerd. Ze heeft
...en keer horen huilen, en dat maakte haar nog banger, want vaders
...en niet. Zelf wordt ze net zozeer door de dood in beslag genomen als
..., en ze weet dat hij haar alleen maar wil helpen. Net als toen ze samen
...oeilijke zinnen lazen, woord voor woord, tot ze het begreep. Als ze hem
hoort huilen, neemt ze zich voor de volgende keer meer haar best te
doen.

Het is moeilijk, want zij wil ook huilen en heeft het gevoel dat ze dat niet
zou moeten doen. De vorige week werd ze 's nachts wakker en dacht ze
dat ze haar moeder zo helder als een heilige in de hoek van haar kamer zag
oplichten. Het was maar een droom, maar ze vertelde het de volgende
morgen aan haar vader, omdat ze dacht dat hij het misschien wel wilde
weten en omdat ze wilde dat hij tegen haar zei dat het misschien echt was.
Maar hij zei:

Bloedde ze nog?

Nee, papa, zei Sarah. Ze glimlachte, echt waar.

In plaats van blij te zijn doorzocht hij het huis. Zelfs nu zoekt hij nog
steeds naar haar. Hij hurkt neer bij zijn bed, tilt het dekbed op om eronder te kijken en praat dan tegen de leegte.

De dood is een monster, Sarah.

Ze zegt: Maar hoe kunnen we ertegen vechten?

Nou, dat is blijkbaar belangrijk. Haar vader denkt er even over na en legt
het dan zo goed mogelijk uit. Ze hangt aan zijn lippen.

Er zijn mensen, zegt hij, die zo bang zijn voor het monster dat ze proberen
het tevreden te stellen. Zoals wanneer je een pestkop te vriend wilt houden? vraagt ze. Ja, zegt hij, en de man die je moeder kwaad heeft gedaan,
was ook zo. Anderen keren het monster hun rug toe en rennen weg, te
bang om het in de ogen te kijken.

Zo mogen wij niet zijn.

Haar vader pakt zachtjes haar schouders vast, opdat ze begrijpt hoe belangrijk dit is.

We moeten het in de ogen kijken. We moeten het zien. Begrijp je dat?

Ze knikt. Toch heeft hij haar vraag niet beantwoord, en nu is ze nog banger dan tevoren. Want ze heeft niet het gevoel dat haar vader tegen iets
vecht, en het enige wat hij ooit in de ogen kijkt is zij.

Soms ziet ze hem gehurkt achter de voordeur zitten. Dan praat hij door de brievenbus met mensen en zegt tegen hen dat het goed met hem gaat, en dat ze moeten weggaan en ons met rust moeten laten. Ze weet dat het haar tante is, want haar vader liet haar een keer naar de voordeur komen om te zeggen dat het goed met hen ging. Maar hij doet de deur nooit open.

Elke dag als Sarah wakker wordt, hoort ze hem door de keuken lopen. Het huis ruikt naar zijn sigarettenrook. Die rook ziet ze hangen in kamers waar hij is geweest, als blauwe zijde. 's Morgens, als zij nog in bed ligt, zit hij alleen in de keuken te roken. Ze blijft in bed liggen tot ze het raam open en dicht hoort gaan.

Als ze vandaag wakker wordt, is het stil in het huis.

Het is het soort stilte dat in je oren gonst, alsof je je hoofd hebt gestoten en het nu galmt als een klok. Het is het geluid dat iemand maakt als hij is weggegaan.

Sarah komt zachtjes uit haar bed en loopt door de gang. Haar vader is niet in de keuken. Er hangt geen rook in de lucht. De deur van zijn slaapkamer, recht voor haar, is dicht. Ze loopt erheen en klopt aan. Geen reactie.

Papa?

Niets.

Ze draait aan de kruk en duwt tegen de deur, maar die gaat maar een klein beetje open. Er ligt iets achter wat hem tegenhoudt. Iets wat voorkomt dat hij opengaat.

Even later voelt Sarah zich verpletterd. Ze begrijpt wat er is gebeurd. Terwijl ze sliep, is de dood weer naar haar huis gekomen. Door de kier in de deur ruikt ze de droefheid van zijn adem.

Eerst kan ze geen vin verroeren. Dan wil ze wegrennen.

Maar ze mag niet weggaan. Sarah duwt harder tegen de deur, met al haar kracht, want ze weet dat ze het moet zien.

Ze is negen jaar oud.

En nu was ze dertig.

Het leven was doorgegaan, maar die herinneringen voelden recenter aan dan dingen die de vorige dag gebeurd waren. Alsof ze meer tot het heden behoorden. Maar ja, het verleden was een blauwdruk voor een tekening van de toekomst, nietwaar? In de loop van de tijd voegde je nieuwe lijnen toe – of anders werden ze wel voor je toegevoegd –, maar de oude bleven staan, en soms waren juist die het duidelijkst te zien. Je moest er gewoon vaak genoeg overheen gaan.

En dus had de vastberadenheid die haar vader haar had nagelaten – dat je de dingen altijd in de ogen moest zien, hoe gruwelijk of moeilijk dat ook was – haar nooit verlaten. Die vastberadenheid was gegroeid, tot rijpheid gekomen, en was nu ook nog zichtbaar, zoals de trekken van het kleine meisje ook nog op haar volwassen gezicht aanwezig waren.

Sarah schudde haar hoofd en vouwde de brief van Alex op. Hij had hem twee jaar geleden gestuurd, op de dag dat hij Whitrow verliet, en ze had hem zo vaak gelezen dat het papier versleten was. Ze kende zelfs gedeelten uit haar hoofd. Ik stel alles op prijs wat je voor me hebt gedaan, en dat je me probeerde te helpen. Ik hoop dat je het kunt begrijpen en me dit vergeeft. Evengoed had ze het opnieuw gelezen, want dit leek haar daar de dag voor. Vandaag, twee jaar later, ging zij ook weg.

Zoals altijd had de brief herinneringen bij haar opgeroepen.

Je had gelijk, had hij geschreven. De dood verspreidt rimpelingen.

Ze liet de brief in haar zak glijden.

Dat was tenminste één ding dat ze niet zou vergeten mee te nemen. De rest bleek wat moeilijker te selecteren te zijn, en de tijd drong.

Buiten het raam viel de avond, en de kamer voelde grauw en groezelig aan. Ze keek op haar horloge. Het was bijna zeven uur. Dat betekende dat de taxi die ze had besteld er over een paar minuten zou zijn. Ze was helemaal niet efficiënt.

Zonder dat ze het merkte, beet ze op haar nagel.

Had ze alles wat ze nodig had? De tas die voor haar op het bed stond, was maar halfvol. Ze had genoeg kleren om zich te redden. Ze maakte zich drukker om alle persoonlijke dingen die ze niet wilde missen: de cadeautjes en foto's die op zichzelf van geen betekenis waren, maar waar herinneringen aan vastzaten. Je dacht pas aan zulke dingen als je ze zag of wilde hebben.

Het grootste deel van de middag had ze overal in huis gezocht naar de dingen die ze wilde meenemen. James had zich daar natuurlijk aan gestoord, en ze had gezegd dat het voor hen beiden gemakkelijker zou zijn als hij een tijdje naar buiten ging. Maar dat had hij geweigerd. Hij zat daar maar en negeerde haar. Deed alsof het niet gebeurde. Zijn gezicht was strak als steen, maar er kwamen golven van droefheid van hem af, en omdat ze zich daardoor schuldig voelde, zag ze misschien belangrijke dingen over het hoofd.

Gekletter beneden.

Sarah luisterde, nog steeds bijtend op haar nagel. James deed de afwas, veronderstelde ze. Of beter gezegd, hij gooide borden in de gootsteen, met opzet zo hard dat ze het hoorde. Dat was zijn manier van doen. Hij was nooit goed geweest met woorden, maar als hij wilde, kon hij zijn gevoelens wel tot uiting brengen. Je moest de juiste gradatie van woede inschatten en interpreteren, maar ze was eraan gewend geraakt. Nu zei hij met die geluiden:

Laat me niet alleen.

James had zijn eigen blauwdruk; zijn eigen lijnen waar te vaak andere lijnen overheen waren gegaan. Zijn oudste herinnering, had hij haar verteld, was zijn vader die wegging. De man stapte in zijn auto om weg te rijden, en James had naast die auto staan huilen en hem gesmeekt niet weg te gaan. Zijn vader had hem zachtjes achteruitgeduwd om het portier te kunnen sluiten.

Weer gekletter.

Het spijt me, James.

De vorige avond had hij gevraagd of ze van hem hield, en ze had gezegd van wel. Dat was waar. Toen hij vroeg waarom dat niet genoeg was, had ze niet geweten wat ze moest zeggen. De vraag had dagenlang in de lucht gehangen voordat hij hem uiteindelijk had gesteld, en was daar blijven hangen. Ze durfde bijna niet naar beneden te gaan, omdat hij daar was. Maar ze had alles en iedereen altijd recht in de ogen gekeken.

Buiten was een claxon te horen: de taxi was er.

Het geluid werd meteen gevolgd door een klap beneden. James had een glas gebroken. Hij had het laten vallen of, wat waarschijnlijker was, door de keuken gegooid.

Sarah haalde diep adem om moed te vatten, pakte toen de tas op en liep de slaapkamer uit. De deur van de logeerkamer stond open. Al haar spullen zaten daar in dozen die op de plank stonden. Moest ze die ook meenemen? Maar dan bleef je aan de gang.

Ze hees de tas op haar schouder en liep voorzichtig de smalle trap af.

James had al gedronken. Waarschijnlijk was hij al dronken. Dat gebeurde wel vaker, maar vandaag zat het haar dwars, want hij werd er onvoorspelbaar en driftig van. Er was nog geen scène geweest – tenzij je de stiltes meetelde –, maar ze vermoedde dat er een zou komen. Misschien zou hij haar smeken niet weg te gaan. Jezus, ze hoopte van niet. Het zou haar niet op andere gedachten brengen, maar het zou de dingen moeilijker maken voor hen beiden, vooral voor hem.

Diep in zijn hart begreep hij het wel, dacht Sarah. Hij hield gewoon zielsveel van haar en wilde niet zonder haar leven. Daarom was het moeilijk voor hem, en daarom zou hij haar uiteindelijk niet in de weg staan.

Het komt wel goed, zei ze tegen zichzelf.

Dronken of niet, hij zou niet proberen haar tegen te houden.

2

Het klonk als een geweerschot.

Het geluid kwam van ergens boven me en galmde over het lege plein.

Ik keek op. Het was natuurlijk geen geweerschot; het was een oude vrouw, drie verdiepingen boven me. Haar gezicht was als een verschrompelde vuist waar een zakdoek omheen was geslagen, en ze hield een verbleekte rode deken in de namiddagzon; een wolk van stof kwam naar me omlaag. Ze wapperde er nog eens flink mee, keek toen kwaad naar mij en riep iets in het Italiaans.

Ik had geen idee wat ze zei, maar blijkbaar was ze niet onder de indruk. Misschien vroeg ze zich af waarom ik niet op het San Marco was, zoals iedereen, en in plaats daarvan op haar pleintje in de weg liep. Toeristen. Het was twee jaar geleden dat ik uit Engeland vertrok en ik had al die tijd gereisd. Inmiddels was ik diepgebruind en had ik lang, door de zon gebleekt haar, maar waar ik ook kwam, iedereen zag meteen dat ik een Engelsman was. Al voordat ik mijn mond opendeed.

'*Dispiace*,' zei ik.

Ze reageerde niet op de verontschuldiging. Ik stond op en liep weg over het plein. Even later keek ik achterom en zag dat de oude vrouw het luik met een verontwaardigde klap dichttrok.

En toen was het weer heerlijk stil.

Ik was nu bijna een week in Venetië. Het grootste deel van die tijd had ik in mijn eentje rondgelopen, op zoek naar plaatsen als dit plein. Overal waar ik ging, was het hetzelfde: ik deed altijd mijn best de gebruikelijke attracties te mijden. Ik genoot er vooral van om de achtergrond te verkennen: de kleinere straatjes, weg van de toeristenstromen. Ik was niet op vakantie, maakte geen foto's, verzamelde geen souvenirs. Het ging mij erom dat ik op nieuwe, andere plaatsen kwam. Ik liep daar dan maar wat rond tot ik verdwaalde.

Als ik ergens een paar dagen was, als ik de mensen en straten herkende, werd de drang om weg te gaan steeds sterker. Het was of ik het vreemde aan een stad had opgebruikt en op zoek moest gaan naar een nieuwe. Deed ik dat niet, dan kreeg ik het vage gevoel dat er langzaam een schaduw over me heen viel, geworpen door iets enorms wat vanuit de verte naderde. Telkens wanneer dat gebeurde, dacht ik nauwelijks na, maar pakte ik mijn kleine rugzak en ging ik zo gauw mogelijk weg. In die gevallen reisde ik meestal het verst, al wist ik wel dat ik niet door iets fysieks werd achtervolgd.

Ik liep nu bij de piazza vandaan en ademde de warme lucht in.

Venetië was een van de eerste plaatsen die me dreigden vast te houden. Het was een stad naar mijn hart: schaduwrijke straatjes en droge, verborgen pleinen; stoffige zuilengangen en geheime doorgangen. Meer dan honderd afzonderlijke eilanden, van elkaar gescheiden door water en door de bruggen aaneengeregen tot een labyrint als een lappendeken. Als je erdoorheen liep, leek het een samenhangend geheel, maar dat was het niet. Als je te hard stampte, kraakte de stad als het dek van een oud schip.

Ik had mijn intrek genomen in een hostel in het noorden van de stad. Eigenlijk had ik meer geld dan ik zou kunnen uitgeven, maar in elke stad waar ik kwam zocht ik dit soort onderdak. Er was iets eenvoudigs en spartaans aan hostels, en meer had ik niet nodig. Bovendien waren ze tegelijk anoniem en vertrouwd, als stoelen in een bus. Overal waar ik was geweest, had ik geleerd hetzelfde ruwe beddengoed te verwachten, dezelfde douches, hetzelfde klikken van biljartballen uit nauwelijks verschillende lounges. Je deelde een kamer met iemand die steeds een ander, maar op de een of andere manier ook steeds dezelfde was, ongeveer zo variabel als het behang.

Op dit moment deelde ik mijn kamer met een Amerikaan die Dean heette. Hij was op reis met een groep vrienden en was de pechvogel die was overgebleven bij het toewijzen van de kamers. Hij was een beetje erg spraakzaam, maar ik mocht hem wel. Het hele stel was die zomer aan het backpacken in Europa. Ze wilden eindigen in Pamplona om voor de stieren uit te rennen. Voor mij zouden stieren die door een straat op me af renden juist een duidelijk teken zijn dat ik ergens anders zou moeten zijn, en vond ik juist het feit dat het een wereldberoemd evenement was, voldoende reden om het te mijden.

Maar hij was nog maar negentien, en tien jaar maakt veel verschil. Misschien hoort het bij jong zijn: je sterfelijkheid uitdagen; de dood besluipen en hem wat klappen in zijn gezicht geven, en dan hard weglopen en je onoverwinnelijk voelen omdat hij je negeerde. De werkelijkheid is anders: als het de sterfelijkheid menens is, walst ze gewoon over je heen, hoe hard je ook weg wilt rennen. Toch mocht ik Dean graag, en ik hoopte dat hij aan dit alles de existentiële bevestiging overhield die hij nodig dacht te hebben.

Hij was er niet toen ik terugkwam. Het raam stond een beetje open, en de wind van zee voerde de kreten van meeuwen mee. Ik rook lucht die de geur van het water had overgenomen.

Ik trok mijn T-shirt uit, sprayde deodorant en pakte een schoon shirt van het stapeltje dat ik onder het bed had liggen.

Voordat ik het aantrok, bekeek ik mezelf in de smalle spiegel op de deur van de kleerkast. Ik zag een dertigjarige man met lang blond haar, een stoppelbaard en een gebruinde huid. Het eenvoudige leven had mijn lichaam van veel overtollig gewicht bevrijd, zodat het nu sterk en functioneel leek, als een stuk touw dat bestemd was dag in dag uit iets te dragen. Iemand die ooit een jongeman had gekend die Alex Connor heette, zou hem nauwelijks hebben herkend zoals hij daar stond. Ook ikzelf had het gevoel dat ik naar een vreemde keek, of naar het spiegelbeeld van iemand die er niet echt was.

Ik trok het T-shirt aan en ging naar beneden om iets te drinken.

De lounge van dit hostel was zoals ik me een recreatieruimte in een gevangenis voorstelde: een hoog plafond en vaalgekleurde muren, met veel versleten, oude fauteuils die her en der verspreid stonden. Er stond een biljarttafel aan het ene eind, en aan het andere eind stond een klein televisietoestel op een standaard die aan de muur was bevestigd. Halverwege waren glazen deuren opengezet die op een patio uitkwamen. Die bood uitzicht op een snelstromend kanaal. Ik kocht een flesje bier bij de receptie en ging naar binnen.

Een paar groepjes jonge reizigers zaten te praten. Een meisje hield haar haar uit haar stralende roodbruine gezicht en maakte er met haar handen een staart van. Iedereen zag er opgewonden, enthousiast, gretig uit. Dat gold voor de meeste jonge reizigers die ik in de afgelopen twee jaar had ontmoet. Als ze van een gebouw af stapten, verwachtten ze dat er de vorige nacht een vangnet was opgehangen. Deans potentiële zelfmoord-door-vee had me misschien moeten ergeren, maar dat was niet zo. Ik herinnerde me dat ik me zelf ook zo had gevoeld, en dat miste ik. Ik wilde beslist niet het plezier van een ander bederven, als een verbitterde oude opa die aan de rand van de speelplaats scheldwoorden staat te roepen.

Ik liep de patio op, liet mijn ellebogen op de afbladderende verf rusten en keek naar het water dat zacht tegen de zijkant van het kanaal kabbelde. De avondzon streek eroverheen en liet het troebele water glanzen. Alles was stil en vredig en ik deed mijn ogen even dicht om de atmosfeer op me in te laten werken. Toen ik ze opendeed, liep er over het voetpad aan de overkant een onberispelijk geklede vrouw met een zonnebril voorbij. Ze had een grote vierkante tas en haar hoge hakken klakten van doelbewustheid. Achter me, binnen, hoorde ik mensen lachen.

'Wie ben jij?'

Het was een mannenstem van rechts, en hij klonk een beetje chagrijnig Ik draaide me om, maar er was niemand.

Ik nam een slok bier en zag de vrouw een trap op gaan en om een hoek uit het zicht verdwijnen; het leek wel of ze in een heel andere wereld was overgegaan. Achter me klonk het gelach veel verder weg dan tevoren, alsof ik niet alleen door afstand of leeftijd van de mensen daarbinnen werd gescheiden, maar ook door iets wat nog dieper zat. De droefheid was als een grijze sluier die snel in mij omlaag kwam zakken.

Het was tijd om verder te gaan. Morgen.

Ik ging de lounge weer in, van plan het flesje mee te nemen naar mijn kamer. Misschien ging ik de deur nog uit om een hapje te eten, en dan ging ik naar bed en probeerde ik door de cyclus van de nieuwste hits heen te slapen die dof door de muren stampten. Morgen vroeg op...

In plaats daarvan bleef ik midden in de lounge staan.

Eerst wist ik niet eens waarom. Er was iets op tv. Dat wist ik wel. Maar het duurde even voor ik het herkende en een referentiekader vond.

Sarah was op tv.

De linkerkant van het scherm werd in beslag genomen door een foto van haar. Het was een oude foto, die ik half herkende. Ze was ergens buiten en tuurde in de zon, met haar felrode haar en een enigszins scheve glimlach. Haar gezicht nam het grootste deel van de foto in beslag, maar ik zag gras in een hoek, en ze leunde met haar rug tegen de schouder van iemand die links achter haar stond.

Op de rode banner aan de onderkant van het scherm stond:

POLITIE GRAAFT IN VELD NA VIJF DAGEN ZOEKEN

Op de rechterhelft van het scherm zag je een luchtopname van een veld. Het moesten livebeelden zijn, genomen vanuit een helikopter die boven het veld cirkelde. Op de grond was een grote tent opgebouwd naast een heg, en daar liepen witte figuurtjes omheen. Sommigen zochten een eindje verderop in het gras. Er was geen geluid.

Ik ging tussen twee fauteuils bij de televisie staan en keek het meisje aan dat het dichtstbij zat.

'Kan het geluid ook harder?'

'Wat?'

'Het geluid?'

Ik probeerde de zijkant van het toestel. Het goedkope plastic kraakte, maar ik kon geen knoppen vinden. Het gaf me een absurd gevoel van machteloosheid.

'Hé,' zei het meisje, 'ken je haar?'

Ik wilde antwoord geven, maar toen veranderde het beeld.

Op de rechterkant van het scherm praatte nu een verslaggever in een microfoon. Achter hem zag ik een landweg, en een hek met een politieman ervoor. En aan de linkerkant had Sarahs foto nu plaatsgemaakt voor een andere.

Een foto van mijn broer James.

3

Tweeënhalf jaar geleden, op de dag van Maries begrafenis, gebeurde er iets vreemds. Ik werd wakker en er was helemaal niets aan de hand. Dat duurde een paar seconden. Toen zag ik het lege bed naast me, besefte dat het stil was in het huis om me heen en herinnerde me wat mijn vrouw had gedaan.

Op dat moment stapte ik uit bed en vluchtte weg van alles. Toen al leerde ik op die manier met dingen om te gaan: door me te verstoppen of weg te lopen. Ik was nooit als Sarah geweest, nooit iemand die problemen onder ogen zag. In plaats daarvan bleef ik in beweging. Het was of de schok van wat er was gebeurd echt fysiek was, of het een vuistslag was die ik kon ontwijken als ik maar snel genoeg wegdook. Een vuistslag die me tegen de vlakte zou slaan als hij me recht trof.

Ik nam een douche, ging naar beneden, nam een kop koffie met een scheutje wodka en trok mijn pak aan. Vanaf elf uur deed ik wat er van me verwacht werd. Ik opende de deur om vrienden te verwelkomen en onderging de goedbedoelde woorden en aarzelende schouderklopjes.

Op een gegeven moment liep ik door de keuken en de achtertuin in, zogenaamd om een sigaret te roken. En ik liep weg.

Het was gemakkelijker dan het had moeten zijn, maar in feite stelde het natuurlijk ook niet veel voor en ik deed het bijna op de automatische piloot. Ik liep gewoon: eerst langzaam, toen vlugger, tot ik aan het eind van de straat al rende, met bonzend hart.

Ik had een uitbundig gevoel.

Om twee uur, toen de dienst begon, zat ik in de biertuin van een cafeetje dat The Cockerel heette. Het was een primitieve, oude kroeg aan de rafelrand van de wijk Grindlea. De winterdag was helder en fris, maar het weer kon elk moment omslaan. De afgelopen nacht had de regen met volle kracht tegen het raam van mijn slaapkamer geslagen, als handen vol stenen, en er lagen nog steeds vuile regenplassen in de goot. De lucht bleef er vochtig van, en het was of de wereld zelf zachtjes huiverde, alsof alles doornat was geworden en daarna in de kou was blijven hangen.

Ik zat aan een oude houten picknicktafel, dronk het ene na het andere glas bier, de ene na de andere wodka, en keek met bijna professionele afstandelijkheid naar de minutenwijzer van mijn horloge.

De dominee zou hun nu vertellen hoe geweldig Marie was.

En dat was ze.

Een minuut later: nu zou hij het woord 'tragedie' gebruiken.

Al die tijd keek ik naar een huis aan de overkant. Auto's reden snel door mijn blikveld. Op het eerste gezicht was het een doodgewoon huis dat zich in niets van de andere huizen onderscheidde. Een halfvrijstaand huis met de gordijnen allemaal dicht en afbladderende verf op de oude voordeur. De kleine voortuin was onverzorgd en rommelig, als het haar van iemand die het niet meer nodig vindt het te kammen.

Uiteindelijk was mijn glas weer leeg en was het tijd om een nieuw te halen. Toen ik had betaald en naar buiten was gegaan, zag ik Sarah aan mijn tafel zitten.

Ze had lang rood haar, een mooi gezicht met sproeten, en ze droeg een zwart jasje met daaronder een zwarte blouse en broek. Ik bleef staan, liep toen naar haar toe en ging zitten. Ik zette mijn bier en wodka op de tafel tussen ons in.

'Ik wist niet dat je zou komen,' zei ik. 'Dan had ik iets te drinken voor je meegenomen.'

Ze pakte het glas wodka op.

'Dit is goed. Het idee dat ik jou hier zie.'

'Ja,' zei ik. 'Stel je voor.'

'Nou, cheers.'

Sarah hief het glas en huiverde toen ze een slokje nam.

'Puur. Nou, eerlijk gezegd kostte het me wel moeite je te vinden. Ik heb een tijdje rondgereden. Op de gebruikelijke plaatsen gekeken.'

'Het zou geen zin hebben me daar te verstoppen.'

Toen keek ze me tenminste met een grimmig glimlachje aan. 'Enige reden waarom je voor dit hier hebt gekozen?'

'Ik wilde verandering van omgeving.'

'Mooie omgeving.' Ze keek aarzelend om zich heen en toen weer naar mij. 'Ze maken zich zorgen over je. Dat zul je wel beseffen.'

'Het gaat ze niets aan.'

'Oké. Dus je vrienden en familie zijn niet belangrijk.'

Ik nam een slokje van mijn bier en zei niets. Mijn vrienden en familie betekenden op dat moment helemaal niets voor me. Dat was de harde waarheid, maar ik was nog niet zover dat ik dat hardop kon uitspreken. Per slot van rekening was Sarah naar me op zoek gegaan. Ik had geweten dat ze dat zou doen. Dat was altijd haar aard geweest: op zoek naar mensen gaan en hen oprapen als ze vielen. Hoe beroerd ik me ook voelde, ik wilde haar dat niet voor de voeten werpen en vond het dus maar veiliger helemaal niets te zeggen.

Sarah tikte op de picknicktafel.

'J. is kwaad op je omdat je bent weggelopen.'

Dat verdiende niet eens een antwoord. Toen ik mijn broer die ochtend in het huis zag, was dat een pijnlijk moment geweest, nog pijnlijker dan dit. Het was dom en onredelijk, maar ik dacht dat James diep in zijn hart misschien wel heimelijk blij was dat Marie dood was. Per slot van rekening had zijn kleine broertje altijd de hoge cijfers, de goede baan, de vriendinnen gehad, terwijl James alleen maar veroordelingen voor kleine vergrijpen – vooral vechten – en een reeks van kortstondige banen en verbroken relaties op zijn naam had gebracht. Vanuit zijn perspectief gezien had het leven hem slecht behandeld, terwijl ik alleen maar geluk had gehad. Eindelijk, dacht hij waarschijnlijk. Jouw beurt.

'Maar hij heeft gelijk,' zei Sarah. 'Je kunt niet zomaar... weglopen van wat er gebeurd is, weet je. Je moet het onder ogen zien.'

Opnieuw zei ik niets.

'Ik wou dat je met me praatte, Alex.'

'Wat moet ik zeggen?'

'Dat weet ik niet. Het is voor mij ook moeilijk. Ze was mijn vriendin.'

Ik knikte en voelde me nu nog beroerder.

Sarah kende Marie langer dan ik, en ze hadden een hechte band gehad. Ik kon me wel voorstellen dat ze het er heel moeilijk mee had, voor een deel om dezelfde redenen als ik, en ook omdat Sarah altijd een vreemde relatie met de dood had gehad. Ik leerde haar kennen toen ze bij haar tante in Whitrow kwam wonen, na de zelfmoord van haar vader. We waren allebei tien. Zelfs nu ze volwassen was, zag ik in haar gezicht nog steeds dat kleine meisje. Ze had altijd die vreemde mengeling van droefheid en vastberadenheid gehad, alsof het leven haar voor een pijnlijk probleem stelde dat ze absoluut wilde oplossen.

Ik wist nooit of het goed of slecht was: zo jong zijn en je roeping al hebben gevonden. Sarah werkte tegenwoordig als misdaadverslaggeefster bij de

Evening Paper, en die baan was haar op het lijf geschreven. Ze had er altijd naar gestreefd de confrontatie met de dood aan te gaan en er inzicht in te krijgen. Je kon niet met iets omgaan, vond ze, door je ervan af te wenden. Ongetwijfeld dacht ze nu aan alle dingen die ik niet in mijn hoofd durfde te laten opkomen.

Tot op zekere hoogte zat het me dwars dat ik me zo egoïstisch gedroeg, maar in feite liet het me koud. Mijn vrouw was dood. Konden ze me verdomme niet met rust laten?

'En je bent ook mijn vriend,' zei Sarah. 'Dus praat tegen me.'

'Ik weet niet wat ik moet zeggen.'

'Vertel me wat je denkt.'

Ik haalde mijn schouders op. Het grootste deel van de tijd durfde ik niets te denken. Want als ik nadacht, voelde dat gevaarlijk aan. Dan zag ik me midden op straat staan en zo hard schreeuwen dat alles met de grond gelijk werd gemaakt. Het geluid dat ik maakte, rukte de bladeren van de bomen. Het liet huizen tot puin, scherven en stof vervallen, tot kilometers in de omtrek. Het verbrijzelde straatlantaarns en gooide vogels uit de lucht. En het zou allemaal niets uithalen, want uiteindelijk, als ik mijn mond dichtdeed, zou ik daar nog steeds zijn.

'Ik mis haar,' zei ik.

Toen sloeg ik mijn ogen neer en kreeg ik mijn tranen in bedwang. Wat was ik toch kwetsbaar: ik hoefde het maar hardop uit te spreken en er bleef niets van mijn besluitvaardigheid over. Ik walgde van mezelf. In die tijd wist ik nog niet van de verzekeringspolis, maar het schuldgevoel was al ondraaglijk. Hoe had ik haar zo verschrikkelijk kunnen teleurstellen? Waarom had ik het niet geweten?

Sarah legde haar hand zachtjes op de mijne.

'Ik ook,' zei ze.

'Ik mis haar zo erg.'

'Maar je moet vasthouden aan de goede herinneringen, Alex. Daarin kun je Marie terugvinden. Je moet haar voor je zien zoals ze was als ze glimlachte. Ik weet dat het momenteel onmogelijk lijkt, maar je moet geloven dat daar verandering in komt...'

Ze keek me aan en zuchtte.

'Zullen we hier weggaan?' zei ze. 'Ergens anders heen.'

'Ik wil niemand zien.'

'Dat hoeft ook niet. We gaan gewoon samen. Jij en ik. Ik laat de auto ergens staan, we gaan ergens heen, en we worden stomdronken. Praten over van alles. En als jij niet wilt praten, praat ik tegen jou en kun je doen alsof je luistert.'

Ik glimlachte bijna.

'Maar ik laat je niet alleen, Alex.'

Dat stond vast. Ik kende haar te goed om te denken dat ik nu nog van haar af zou komen. Voor Sarah werkten tragedie en verlies aanstekelijk, en ze wilde mij niet ook verliezen.

Ik knikte. 'Goed. Dank je.'

'Je hoeft me niet te bedanken,' zei ze. 'Wij hebben altijd voor elkaar klaargestaan, nietwaar? Altijd. En dat zal ook zo blijven.'

'Ja.'

'En als het andersom was geweest,' zei ze, 'zou jij ook voor mij hebben klaargestaan.'

Ik weet niet precies wat ik die dag van plan was, maar het is best mogelijk dat Sarah me heeft gered. Niet op een dramatische manier, maar in de alledaagse zin van het woord: door me op te zoeken toen ik struikelde, een arm om me heen te slaan en ervoor te zorgen dat ik niet viel. En dat bleef ze doen. Ze was er goed in om tussen mijn regels door te lezen en te weten wanneer ik haar nodig had, en bij die gelegenheden kwam ze naar me toe en stond ze voor me klaar.

Achteraf was het net zoiets als wanneer iemand ernstig gewond is. Een vriend zit bij hem en doet zijn best om hem wakker te houden tot er hulp komt. Kom op, zegt die vriend dan, blijf bij me. Als je nu wegglipt, kom je misschien niet meer terug.

Maar uiteindelijk is dat toch gebeurd. Hoe ze haar best ook deed, ze kon me niet eeuwig redden.

Zes maanden na de begrafenis zag ik Sarah voor het laatst, kort nadat ik had ontdekt dat Marie die verzekering had. Het was midden in de nacht en ik kwam stomdronken bij haar huis, met alleen een T-shirt en spijkerbroek aan, al goot het van de regen. Op dat moment wist ik gewoon niet waar ik anders heen moest.

Nog maar een paar weken daarna zat ik in een hotelkamer en schreef ik haar een brief. Ik vertelde haar dat ze altijd gelijk had gehad: je moest de dood onder ogen zien, anders breidde hij zich uit en verwoestte hij je leven. Ik zei tegen haar dat ik niet tegen het leven kon dat ik was gaan leiden en dat ik daarvan weg moest. Ik moest een nieuwe Alex Connor vinden. Ik schreef haar dat het me speet en dat ik hoopte dat ze me kon vergeven.

De volgende morgen ging ik naar het vliegveld.

Je kunt die zes maanden samenvatten in één beeld: de vingertoppen van mijn vriendin die over de mijne streken terwijl ik koppig weigerde haar hand vast te pakken. We raakten langzaam en bedroefd van elkaar verwijderd, tot ik haar niet meer aanraakte. Tot ik niets meer aanraakte.

4

De man bij de receptie haalde zijn schouders op toen ik hem naar de geluidsknop van de televisie vroeg. Het kon alleen met de afstandsbediening, zei hij, en hij wist niet waar die was gebleven.

'Iemand heeft hem misschien...?'

Hij maakte een wegwerpgebaar en ik nam me voor in het vervolg minder consideratie te hebben met de jonge, zorgeloze mensen in de lounge.

Ik liep naar het station om de hoek. Daar wemelde het van de gefrustreerde internationale reizigers: mannen met zonnebrillen die in mobieltjes praatten en meisjes die met hun knieën tegen elkaar op bagage zaten en troosteloos voor zich uit keken. Er was een kiosk aan het andere eind van het station, en ik kocht een Engelse krant, liep ermee naar buiten en ging boven aan de trap zitten.

Mijn hand beefde toen ik de pagina's een voor een omsloeg. Ik zocht naar berichten over wat er gebeurd was. Nu al twijfelde ik aan wat ik zojuist op de televisie had gezien. Er waren nog maar enkele minuten verstreken, maar dat was lang genoeg om het surrealistisch te maken.

Het kon toch niet dat...

Maar op pagina vijf zag ik het staan.

Man beschuldigd: politie vraagt om hulp bij zoeken naar lichaam vrouw

door Barry Jenkins

De vriend van een vrouw die hij volgens zijn bekentenis heeft vermoord, is gisteren voor de rechtbank verschenen en in staat van beschuldiging gesteld wegens de moord.

James Connor, tweeëndertig jaar oud, blijft in hechtenis. Hij wordt beschuldigd van de moord op zijn vriendin Sarah Pepper, dertig jaar oud, die ten tijde van haar dood met hem samenwoonde in Whitrow.

Buiten de rechtbank bleef de politie het publiek om hulp vragen bij het zoeken naar mevrouw Peppers lijk.

Det Geoff Hunter, die de leiding van het moordonderzoek heeft, vraagt boeren en wandelaars de politie te bellen wanneer ze iets ongewoons in veld of bos zien.

Hij zei: 'Dit is uiteraard een heel moeilijke tijd voor Sarahs vrienden en familie, en we hebben de hulp van het publiek nodig om haar stoffelijk overschot zo snel mogelijk te vinden.'

Sinds Connor op de ochtend van 2 juni contact opnam met de politie is er uitgebreid gezocht in de omgeving van Whitrow. De werkloze man zei dat het stel ruzie had gehad over zijn drinkgewoonten en dat Sarah Pepper van plan was hem te verlaten. Hij bekende dat hij haar op 1 juni thuis had vermoord, maar wist niet meer waar hij haar stoffelijk overschot had verborgen.

Een taxichauffeur verklaarde dat hij mevrouw Pepper op het adres van het stel zou ophalen, maar dat hem bij aankomst door haar vriend werd verteld dat ze al vertrokken was.

Aangenomen wordt dat Sarah Peppers lijk in het bos is achtergelaten en wellicht deels schuilgaat onder takken en bladeren.

Det Hunter zei: 'We vragen het publiek uit te kijken naar een houten hek in een droog gemetseld muurtje. Op grond van onze informatie nemen we aan dat er twee lege wodkaflessen in de buurt liggen.'

Connor is onder politiebewaking voor de rechter verschenen. Hij noemde zijn naam en geboortedatum en bevestigde de juistheid van zijn adres. Er is niet om vrijlating op borgtocht gevraagd.

Ik keek op. De bovenkant van de trap lag in de schaduw van het stationsgebouw, en een lichte bries bracht de krant aan het ritselen. Beneden strekte zich een groot zonovergoten plein uit, met overal mensen. Toen ik naar dat alles keek, was het of ik mijn hartslag voor me zag: een rood kloppen, zacht als zijde, aan de randen van mijn gezichtsveld.

Met hem samenwoonde, dacht ik.

De krant had de datum van gisteren. Dit was dus een bericht van de dag daarvoor, toen Sarah nog vermist werd. Volgens de televisie in het hostel was ze zojuist gevonden. Dat zou ik hier pas overmorgen in de kranten lezen.

Haar lichaam was zojuist gevonden, zei ik tegen mezelf.

Niet Sarah. Sarah was weg.

Ik wist niet wat ik voelde. Het was niet echt verdriet. Er was datzelfde eerste gevoel van ongeloof – de klap die je uit het lood slaat –, maar het leek nog steeds niet echt en ik kon de feiten niet verwerken. Sarah was dood en mijn broer had haar vermoord.

Belachelijk. Dat kon niet.

Toen dacht ik er nog wat meer over na. Een van de eerste dingen die ik me herinnerde had met mijn broer te maken. James heeft een rood gezicht en schreeuwt. Hij gooit een kussen naar onze moeder en de pezen steken af tegen zijn hals.

Als je het zo zegt, klinkt het niet zo erg. Per slot van rekening was het maar een kussen. Maar ze was een kleine vrouw, en het zou niet hebben uitgemaakt wat hij voorhanden had. Dat was het angstaanjagende. Het kussen was gewoon het dichtstbijzijnde voorwerp geweest. Als hij een mes te pakken had kunnen krijgen, had hij daarmee gegooid.

Ik was toen drie of vier jaar oud. Ik weet nog dat ik de muizen van mijn handen tegen mijn ogen drukte en hard schreeuwde om het weg te laten gaan. Mijn moeder zei iets, James schreeuwde terug, en toen werd er een deur dichtgegooid. Ik voelde de arm van mijn moeder om me heen; ze hield me dicht tegen zich aan. Daarna was ze boven in James' kamer en praatte zachtjes. Ik hoorde hem huilen, en misschien deed zij dat ook.

Dat was altijd de manier van doen van mijn broer geweest, ook nog toen hij volwassen was. Hij werd kwaad, kon zich niet meer beheersen en haalde uit naar de wereld. Hij handelde zonder na te denken en zei na afloop dat hij spijt had.

Ik stelde het me voor: James die bij Sarahs lijk gehurkt zat en wodka achteroversloeg om de paniek en wroeging te verdoven. Waarschijnlijk had hij eerst de schuld aan haar gegeven. Daarna zou hij in paniek zijn geraakt, terwijl hij meer en meer dronk en het geleidelijk tot hem doordrong dat hij deze keer te ver was gegaan om met een spijtbetuiging te kunnen volstaan. Hij had een stomme poging gedaan om zijn daad verborgen te houden, maar toen hij de volgende morgen wakker werd, wist hij dat hij het nooit verborgen kon houden.

Gruwelijk genoeg was dat misschien toch mogelijk geweest.

Vijf dagen.

Ik voelde het in mijn binnenste. Zo lang werd Sarah al vermist; de dagen knipten aan en uit en zij lag daar maar, weggegooid en vergeten. Ik had mijn leven geleid zonder zelfs maar een flauw idee te hebben van wat haar was overkomen. En in het hostel had ik naar livebeelden van de plaats des onheils gekeken. *Breaking news.* Dat betekende dat honderden kilometers bij mij vandaan het lichaam van mijn vriendin onder de witte tent lag die ik daarnet op het scherm had gezien.

Ik had het tenminste gezien. Ik was van plan geweest om vanuit Venetië in zuidelijke richting naar Rimini te gaan en daar misschien de veerboot te nemen. Als ik dat bericht vandaag niet had gezien, zou het al niet meer in het nieuws zijn geweest als ik weer eens een internationaal journaal zag, en dan had ik het nooit geweten.

En dat zou beter zijn geweest.

Die gedachte kwam opzetten uit het niets.

Eerst deed ik niets. Ik hoorde de meeuwen boven me, en het ratelen van koffers op wieltjes, voortgetrokken door toeristen. Normale mensen die hun normale leven leidden. De warme lucht rook naar de zee.

Het was niet echt een stem in mijn hoofd, eerder een gevoel in mijn binnenste, een gevoel dat samenhing met de lichte paniek die dicht bij mijn hart was opgekomen. Maar als het een stem was, dan een met de nuchtere toon van iemand die een praktische houding aanneemt ten opzichte van iets wat onaangenaam is maar toch in orde gemaakt moet worden. Het soort stem dat zei: laat mij deze delicate zaak afhandelen. Ga jij maar rustig zitten. Als je terug bent, heb ik gedaan wat moet worden gedaan en hoef jij er niet meer aan te denken.

Deze mensen maken geen deel meer uit van jouw leven.

En nee. Ze maakten er geen deel meer van uit.

In de brief die ik Sarah stuurde voordat ik wegging, schreef ik: op dit moment weet ik niet waar ik heen ga. Ik weet alleen dat ik weg moet. Dat was waar geweest, maar in de tijd daarna had ik het contact met mijn vroegere leven geleidelijk helemaal verloren. De bezoeken aan internetcafés waren onderweg in de versukkeling geraakt. Als dat schuldgevoelens bij me opriep, had ik die ook van me afgeschud. Ik had in geen weken aan Sarah gedacht, misschien wel langer. Er hoeft maar weinig verschil te zitten tussen contact verliezen en je van alles afsnijden, tenminste als het zo geleidelijk gebeurt dat je er niet bij stil hoeft te staan.

Je wilt je niet herinneren hoe erg het was.

De paniek pulseerde zachtjes in mij. In zekere zin wist ik dat die paniek gerechtvaardigd was, want na twee jaar was het gemakkelijk om te vergeten hoe moeilijk het was. De weken voordat ik wegging waren zo moeilijk geweest dat het me nog steeds moeite kostte eraan terug te denken, maar ik wist dat mijn vertrek had voorkomen dat ik eraan onderdoor ging, en door te blijven reizen was ik de ondergang steeds een stap voor geweest. Als ik me van mijn oude leven had afgesneden, had ik dat gedaan om mezelf te redden.

Maar ik besefte nu ook dat het me niet was gelukt helemaal weg te gaan. Kon ik eeuwig zo doorgaan? Overal waar ik kwam, voelde ik niets dan een leegte die gevuld wilde worden. Steeds weer pakte ik na een paar dagen mijn spullen bij elkaar en trok ik verder. Het was of ik een adres zou krijgen als ik ergens lang achtereen bleef en dat er dan post naar me zou worden doorgezonden. Hoe pijnlijk het ook was geweest, ik was niet aan die gevoelens ontkomen. Ze waren me overal gevolgd.

Misschien had ik al het andere verloren.

Ik sloeg de krant weer open. Naast het artikel stond de foto die ze ook op tv hadden gebruikt, maar nu in zwart-wit. Sarah leek op die foto zo argeloos, bijna alsof ze volkomen verrast was. De schuine stand van haar hoofd, haar glimlach: het kwam me allemaal meteen bekend voor, precies zoals ze me voor ogen stond.

En ik wist nu ook weer waar die foto was gemaakt.

Hij was gemaakt toen we jaren geleden met zijn allen naar het Lake District gingen: met zijn zessen in een campertje dat we een week hadden gehuurd. Marie en ik, Julie en Mike. En Sarah had die keer een tijdelijk vriendje meegenomen; Damian heette hij. We waren de eerste dag in Coniston aangekomen, en daar was die foto gemaakt. Mijn vrouw had de camera in handen gehad. De schouder waar Sarah tegen leunde, in dat geruite overhemd, was van mij.

Die herinnering riep een golf van schuldgevoelens bij me op. Hoe kon ik dat zijn vergeten? Zelfs Marie – ik weet nog dat ze mijn hand vastpakte toen we een eindje achter de anderen aan liepen. Haar greep had aarzelend aangevoeld, maar ze had me vastgepakt en het had iets vastbeslotens gehad: een kleine uiting van hoop. Wat er daarna ook was gebeurd, op dat moment had ik haar gelukkig gemaakt.

Ik zat daar een tijdje naar die foto te kijken. Ik tastte de herinnering voorzichtig af, ging na of het pijn deed. Het deed geen pijn. Er kwam alleen een verschrikkelijke droefheid over me, niet alleen om de dingen die me waren afgenomen, maar om alles wat ik daarna had weggegeven. Alle dingen waarvan ik nu besefte dat ik ze heel erg miste.

Sarah...

En ik herinnerde me vooral dat ze alles op alles had gezet om mij in de maanden na Maries dood te helpen. Ze was steeds weer naar me toe gekomen, vastbesloten mij niet ook te laten ontglippen. Maar toen zij mij nodig had, had ik opzettelijk de andere kant op gekeken.

We staan altijd klaar voor elkaar.

Ik deed mijn ogen dicht.

 Als het andersom was geweest, zou jij ook voor mij hebben klaargestaan.

5

Rebecca Wingate stond vlak voor hem.

Ze droeg het zwarte broekpak dat hij herkende van de foto, en dat stak scherp af tegen de mist die in slierten om hen beiden heen hing. Een haarlok zat los en hing als een lint naast haar oor. Hij zag haar nerveus naar links en rechts kijken, alsof ze zich niet goed kon herinneren wat er de afgelopen uren was gebeurd en niet wist waar ze was.

Kearney kwam een stap naar voren.

Hij had haar gevonden.

'Rebecca,' zei hij. 'Je hoeft niet bang meer te zijn.'

Ze draaide zich om toen ze zijn stem hoorde. Op dat moment dook de man uit de mist achter haar op. Hij was uitgemergeld en zijn huid was geel en wazig van het pluishaar, als de onderarmen van iemand die aan anorexia lijdt. Maar hij bewoog zich snel, sloeg zijn arm om Rebecca Wingates hals en trok haar naar achteren. Ze gilde.

Kearney rende naar hen toe, maar de man was ontzettend sterk. Rebecca verdween in de mist; ze stak nog één hand naar hem uit. Hij zette zijn tanden op elkaar en concentreerde zich op die hand. Toen hij op de plaats kwam waar die hand was geweest, werd alles om hem heen gewoon grijs en kon hij alleen nog maar iemand horen gillen, zo ver weg dat het misschien niets dan een echo in zijn hoofd was.

En toen was hij half uit bed en stampte nutteloos met een van zijn voeten op de ruwe vloerbedekking, alsof hij een motor probeerde te kickstarten.

Jezus christus.

Zijn hart bonkte.

Het was maar een droom. Diep...

Maar zijn adem stokte toen hij de gele man gehurkt aan het eind van het bed zag zitten, als een knokig wezen aan de rand van een zwembad. De knokkels van zijn wervelkolom staken uit. Een fractie van een seconde later loste de gele man helemaal op in de contouren van een wasmand vol oude kleren.

Kearney keek ernaar. Hij was een volwassen man en hij beefde. Pas na enkele seconden kon hij vaag en zonder enige vreugde lachen om zichzelf. De details van de nachtmerrie trokken al weg, zoals ze altijd deden. Ze lieten alleen de wetenschap achter dat ze afschuwelijk waren geweest.

Hij wreef over zijn gezicht. Dat was vochtig van zweet.

Een wig van vaalblauw ochtendlicht kwam tussen de gordijnen door. Zoals elke ochtend waren de buizen in de muren om hem heen al aan het kraken en klikken. De wekker naast het bed gaf geen geluid; de rode cijfers lichtten op in het halfduister. Het was bijna halfzes. Dat was te laat om nog wat te slapen, vooropgesteld dat hem dat zou lukken, maar evengoed beefde hij een beetje, en dus bleef hij daar gewoon zitten.

Aan de andere kant van de slaapkamer balanceerde zijn computermonitor – oud, grijs en momenteel levenloos – op een goedkoop bureau van multiplex. De boekenkast ernaast zat vol met zijn mappen, uitdraaien en zorgvuldige notities. Hij had daar tot laat op de avond gewerkt, badend in het zachte licht van het computerscherm, en was pas twee of drie uur geleden in bed gaan liggen. Zoals altijd was het geen wonder dat de akelige dromen hem zo gemakkelijk konden vinden. Ze hoefden hem alleen maar door de kamer te volgen.

Nooit meer.

Maar dat dacht hij elke dag, en het werkte nooit. Elke avond zat hij daar weer en zocht hij online naar antwoorden. En elke morgen werd hij wakker met hetzelfde gevoel dat het allemaal vergeefs was. En nam hij zich voor ermee te stoppen. Hij stelde zich voor dat een alcoholist zich zo voelde na een lange avond in zijn eentje in een kroeg.

En daartussendoor had hij de nachtmerries. Hij had er altijd al last van gehad, maar dit jaar waren ze veel erger geworden: gruwelijk, huiveringwekkend en steeds weer verrassend. Soms droomde hij dat hij omringd werd door geesten. Ze keken naar hem en hun trekken waren zo streng en verstijfd als de gezichten op sepiafoto's. Er waren schaduwen die flakkerend voortkropen, telkens een stukje verder. En natuurlijk was er de gele man.

Hij keek nog steeds naar de computer en was kwaad op zichzelf.

Je maakt jezelf ziek. Dat weet je.

Dat was waar. Maar dat gevoel had hij elke morgen, en het was niet genoeg om hem te laten ophouden.

Kearney stond er in het korps om bekend dat hij zich dingen te veel aantrok: dat hij antwoorden wilde op vragen waarvan collega's allang wisten dat het verstandiger was ze uit de weg te gaan. Ze wilden alleen weten 'wie' en misschien ook 'hoe', maar Kearney ging altijd op zoek naar het 'waarom'. Hij verdiepte zich altijd in iets tot het logisch was. Tot hij het kon begrijpen.

Dat was precies het probleem.

Todd Dennis, met wie Kearney een koppel vormde, had hem eens verteld dat politiewerk gevaarlijk was zoals de zee dat ook was. Als je er van grote hoogte naar keek, zag alles er kalm en vredig uit. Maar hoezeer je ook in de verleiding kwam, het was altijd onverstandig om naar beneden te gaan en er van dichterbij naar te kijken. Want de golven interesseerden zich niet voor jou, en ze gingen gewoon door; je kon geen antwoorden vinden om er iets van te begrijpen. Daarbeneden vond je alleen een miljoen identieke plaatsen om te verdrinken.

Kearney stond op en liep naar de douche.

Toen trok hij zijn pak aan en at langzaam zijn ontbijt. Hij dacht aan het onderzoek dat op hem wachtte. Het onderzoek dat hem op een indirecte manier op het hellend pad had gebracht.

Operatie Butterfly draaide al vier jaar met uiteenlopende snelheden. De mankracht die ervoor werd ingezet nam toe en weer af als een onregelmatige hartslag. De toppen hadden zich voorgedaan bij ieder van de drie vrouwen die waren vermoord en de twee vrouwen die waren verdwenen en vermoedelijk ook vermoord.

In alle vijf gevallen was de ontvoering bijna hetzelfde verlopen. De vrouwen waren laat op de avond ontvoerd als ze op weg naar huis waren, en hun auto's waren op afgelegen wegen teruggevonden, het portier aan de passagierskant open en het interieur verlicht. Het leek alsof de vrouwen om de een of andere reden waren gestopt, waarna de moordenaar uit de struiken was gekomen en hen uit de auto had getrokken.

Als het om dit soort seriemisdrijven ging, dacht Kearney onwillekeurig het meest aan het eerste en laatste slachtoffer. De anderen telden net zo goed, maar de eerste en laatste bakenden het onderzoek af. Ze hielden het op zijn plaats als boekensteunen.

Linda Holloway was de eerste geweest. Bij haar leven was ze advocate geweest, getrouwd, succesvol en gelukkig. Na haar dood had haar moordenaar haar lijk in een bebost dal gegooid, ergens ten noorden van de stad.

Toen ze haar vonden, was ze spierwit en lag ze met haar gezicht omhoog in de rottende herfstbladeren, met muntjes van natte modder op haar huid. Er was daar geen bloed aangetroffen en er had ook geen bloed meer in haar lichaam gezeten; bij de sectie bleek dat er gaatjes in haar rechterarm zaten. Op grond van de dikte en de kneuzing werd aangenomen dat de gaatjes met een professionele injectiespuit waren gemaakt. Ze was doodgebloed. Om onbekende redenen had Linda Holloways ontvoerder haar dagenlang laten bloeden, totdat ze er uiteindelijk aan gestorven was.

Zes maanden daarna was Melissa Noble ontvoerd. Voor zover bekend was zij het tweede slachtoffer. Haar lijk was niet gevonden. Daarna kwam Kerekes, en toen Slater aan het eind van vorig jaar. Beiden werden uiteindelijk op rivieroevers gevonden. Price, ontvoerd in januari, werd nog steeds vermist.

Vijf slachtoffers. Drie lijken.

En aan het andere eind van het onderzoek zat Rebecca Wingate. In de afgelopen dagen had Kearney veel naar een bepaalde foto van Rebecca gekeken. Ze was jong en aantrekkelijk, met haar dat naar achteren getrokken en samengebonden was, en ze droeg een zwart pakje waarin ze er een beetje nerveus en onzeker uitzag. Telkens wanneer Kearney ernaar keek, voelde hij een hevige aandrang om in de foto te reiken en haar hand vast te pakken.

Rebecca Wingates auto was vier dagen geleden langs de kant van een weg teruggevonden. Het ene portier hing open, en de richtingaanwijzer knipperde nog, alsof hij nog niet van de schok bekomen was.

Ergens, zei Kearney tegen zichzelf, leefde ze nog.

Niet alleen in zijn dromen.

Halfnegen.

Hij had zich nu volledig in de hand en parkeerde zijn auto. Het nieuwe hoofdbureau van politie doemde hoog en imposant voor hem op: een blok van glanzend staal en glas, glinsterend in de zon. Het was tien verdiepingen hoog. De onderste drie waren breder dan de rest, en het dak spitste zich toe tot een punt in een hoek. Het leek net een zwaard dat in de hemel was gestoken. Kearney had het vage idee dat daar opzet achter zat.

Hij trommelde een snelle solo op zijn knieën.

Alles op zijn tijd.

Eerst moest hij met Simon Wingate gaan praten, die op de receptie zat. Wingate droeg een zwart pak en zat naar de vloer te kijken, zijn ellebogen op zijn knieën, zijn handen voor zich gevouwen. De afgelopen vier dagen, sinds zijn vrouw was verdwenen, had hij steeds precies diezelfde aanblik geboden, met precies dezelfde houding. Hij bewoog bijna niet.

Kearney had vaak verkeersongelukken afgehandeld. Hij had om twee uur 's nachts met familieleden van slachtoffers in wachtkamers van ziekenhuizen gezeten, die daar op nieuws zaten te wachten en nerveus hun vingers bewogen, en herkende iets daarvan in Wingate. Er was wel een verschil: mensen in een ziekenhuis konden tenminste verwachten dat ze enig nieuws te horen kregen, maar niemand kon Simon Wingate iets garanderen.

Wingate moest dat hebben geweten, maar toch bleef hij komen, en dat maakte andere politiemensen nerveus. Ze begrepen niet wat hij wilde. Todd nam tegenwoordig zelfs de zijdeur om niet langs hem te hoeven lopen.

Hij is net een... engel des doods, of zoiets.

Ik denk dat je de engel des oordeels bedoelt.

Voor mijn part.

Elke dag keek Wingate met de kruin van zijn gebogen hoofd de wereld in. Hij was dertig, maar leek ouder. Rebecca Wingate was iets jonger: nog maar zevenentwintig. Kearney zag haar gezicht weer voor zich en ging bedroefd naast haar man zitten.

'Goedemorgen, Simon. Hoe gaat het vanmorgen?'

Wingate schudde alleen zijn hoofd. Hij keek bijna nooit op, zei zelden meer dan een paar woorden. Evengoed ging Kearney elke morgen bij hem zitten. Hij kon hem niet in de steek laten.

'Kan ik iets voor je halen?' vroeg hij.

'Nee.' Wingate schudde weer zijn hoofd. 'Sorry. Ik wil niemand tot last zijn.'

'Dat ben je niet. Echt niet.'

'Ik weet gewoon niet wat ik anders moet doen.'

'Dat weet ik.'

'Waar ik anders zou moeten zijn.'

Kearney knikte. Hij begreep het. Het had geen zin dat Wingate ergens was, want zijn vrouw zou niet bij hem zijn. Hier was hij – gruwelijk genoeg – zo dicht bij haar als het maar kon, totdat ze werd gevonden.

'Je mag hier de hele dag zitten, Simon. Zodra we nieuws hebben, laat ik het je weten.'

Wingate knikte. 'Kan ik iets doen?'

Elke morgen stelde hij die vraag. De man was autodidact en had een klein maar succesvol beveiligingsbedrijf van de grond af opgebouwd. Dit was onmogelijk terrein voor hem. Hij was het gewend om de leiding te hebben – problemen op te lossen waarmee hij te maken kreeg – en nu was hij opeens machteloos.

Als het maar enigszins mogelijk was, deed Kearney zijn best om steeds even bij de nabestaanden van slachtoffers te zijn, en hij had deze reactie al vaak meegemaakt. Er was altijd verdriet. Er was altijd angst. Uiteindelijk was er altijd leed. Al die emoties waren om beurten ondraaglijk, maar het gevoel van machteloosheid was voortdurend aanwezig en vaak het moeilijkst. En dus voelde Kearney met Wingate mee, maar hij kon hem alleen maar het antwoord geven dat hij altijd gaf.

'Je moet sterk blijven.' Hij wreef zijn handen langzaam over elkaar. 'Je mag niet bezwijken. En je moet blijven geloven dat we Rebecca zullen vinden. Want we zullen haar vinden. Kijk me aan, Simon.'

Wingate keek hem aan. Hij keek langzaam op, en zijn ogen waren roze en vermoeid. Verstoken van hoop. Zelfs van leven. Kearney hield zijn eigen gezicht strak en keek vastbesloten.

'We zullen haar vinden,' herhaalde hij. 'Dat beloof ik je.'

Wingate keek terug. Kearney was een tengere man die er jonger uitzag dan hij was, maar zijn ogen waren ernstig en doordringend. Kearneys ex-vrouw Anna had tegen hem gezegd dat er iets geruststellends van hem uitging. Mensen geloven je, en ze vertrouwen erop dat je hen helpt. Ze zei dat hij er capabel en betrouwbaar uitzag. En dat was waar. Hoe woelig het binnen in hem ook was, naar buiten toe bleef hij kalm.

Wingate knikte zorgvuldig. Een delicaat gebaar, alsof hij bang was dat het zou breken. Toen sloeg hij zijn blik weer neer.

'Dank je, rechercheur.'

Kearney stond op. 'Sterkte, Simon. Tot gauw.'

Omdat Wingate geen antwoord gaf, zei Kearney niets meer. Hij gebruikte zijn sleutel om langs de balie te komen en wachtte op de lift.

Dat was een stomme opmerking.

Dat was ook iets wat zijn collega's zouden zeggen. Rechercheur Paul Kearney – altijd maar stomme beloften doen die hij niet kon nakomen.

Hij wist heel goed dat het absurd was wat hij zojuist tegen Simon Wingate had gezegd. Het was niet gegarandeerd dat ze Rebecca zouden vinden, laat staan levend. En omdat hij het gevoel had dat hijzelf uit elkaar viel, kon Kearney er niet eens zeker van zijn dat hij er nog bij zou zijn als ze haar vonden.

Toch had hij die belofte gedaan. Omdat de man er behoefte aan had dat te horen. Omdat er niets anders te zeggen viel.

De liftdeuren gingen sissend open. Hij kwam in een open kantoorruimte, met werknissen en mensen die in headsets praatten. De lucht gonsde van het gedempte murmelen van telefoongesprekken, en hij rook de schone vloerbedekking en boenwas. Aan de andere kant van de ruimte keken grote ramen uit over de stad. De ringweg in de verte, met al zijn bruggen en viaducten, zag eruit als een reeks grijze, groezelige linten, losjes samengebonden met strikken.

Kearney liep erheen en nam toen de gang naar de kamer die hij deelde met Todd.

Hij dacht weer aan Anna.

Ja, ze had altijd gezegd dat ze op hem kon rekenen, maar haar kijk daarop was veranderd. Er was vorig jaar een eind aan het huwelijk gekomen omdat Kearney – een beetje hulpeloos – in een kortstondige verhouding verzeild was geraakt. Het was een pijnlijke herinnering, maar als hij aan Simon Wingate of aan zijn eigen nachtmerries dacht, ontkwam hij er niet aan.

Toen Anna had ontdekt wat hij had gedaan, had ze tegen hem gezegd dat de verhouding zelf niet het ergste was, maar elke keer dat hij valselijk 'Ik hou van je' tegen haar had gezegd terwijl die verhouding nog aan de gang was. Na afloop had ze die keren door haar hoofd laten gaan en telkens weer een steek van bedrog gevoeld. Beloften waarvan hij had geweten dat hij zich er niet aan kon houden, maar die hij had gedaan om hen beiden voor de gek te houden.

Dat was het ergste, had ze gezegd, veel erger dan wat hij had gedaan. Dat bedrog deed haar het meest pijn.

6

Ik verwachtte geen trompetgeschal toen het vliegtuig landde en kreeg dat ook niet. Toch voelde ik iets toen ik uit het vliegtuig stapte. Het was niet precies elektriciteit, alleen een tinteling die zich vanuit mijn voetzolen door mijn benen voortplantte tot in mijn borst – en toen leek weg te waaien in de lichte bries. Alsof het gevoel had gecontroleerd of ik het wel was en nu vlug was weggegaan om iemand te vertellen dat ik was aangekomen.

Het was een warme dag. Het was lang niet zo benauwd heet als in het Italië dat ik had achtergelaten, maar de hemel was helderblauw, met een zwerm vogels die erdoorheen trok, een formatie die rimpelde als een vingerafdruk op water. Op de grond strekte zich een enorm platform met gele lijnen uit, met een lage, platte terminal in de verte.

Ik was thuis.

Even later kwam er een bus die zacht piepte. Ik stapte in en hield me vast aan een rubberen lus die aan het plafond hing. De bus kwam met een schok in beweging en reed snel weg, en door het achterraam zag ik het vliegtuig steeds kleiner worden. Op de bagageafdeling stond ik met mijn armen over elkaar en tikkend met mijn voeten bij de lopende band te kijken naar wat er voorbijkwam. Zoals altijd had ik weinig bij me. Toen mijn kleine rugzak eraan kwam, pakte ik hem op en liep vlug weg.

Twee minuten later stond ik in de drukte van het vliegveld, hulpeloos als een rots in een rivier. Voor het eerst in twee jaar hoorde ik overal om me heen Engels spreken. Het was bijna overstelpend. Het was of ik een hele tijd in stilte had gezeten en iemand net twintig televisies had aangezet.

Nadat ik een geldautomaat had gevonden en een krant had gekocht, ging ik naar buiten en vond de taxirij.

'Waar wilt u heen, meneer?'

'Het centrum van de stad.' Ik deed het portier dicht.

Terwijl hij reed, keek ik in de krant. Omdat het misdrijf hier in de buurt was gepleegd, had ik verwacht dat Sarah voorpaginanieuws was, maar dat was ze niet. In plaats daarvan stond er een foto van een ander meisje, onder de kop:

STEEDS MEER ZORGEN OM VERDWENEN REBECCA

Ik keek het artikel vlug door, sloeg toen de krant open en zag dat het bericht over Sarah pas op de derde pagina stond:

POLITIE ZOEKT IN VELD NAAR LIJK

Ik las het door, maar het bevestigde min of meer alleen wat ik de vorige dag te weten was gekomen. Een wandelaar had de weggegooide wodka-flessen bij een hek zien liggen en de politie gebeld. Forensische teams waren al sinds de vorige middag ter plaatse. Enzovoort.

Toch zat iets aan de bewoordingen me dwars. Het hele artikel leek me een beetje vrijblijvender dan het bericht dat ik de vorige dag had gezien. Zo was er geen officiële bevestiging gekomen. Geen nieuw commentaar van rechercheur Hunter. En dan was er die kop. De politie zocht in het veld. Ze was dus nog niet gevonden.

Ik boog me naar voren.

'Hebt u die moordzaak gevolgd?' vroeg ik. Toen zag ik de voorpagina van de krant en voegde ik eraan toe: 'Het meisje in het veld, bedoel ik.'

'Iedereen heeft dat gevolgd.' De taxichauffeur schudde zijn hoofd. 'Ver-schrikkelijk.'

'Ze hebben haar toch gevonden? Ze moet het zijn.'

'Ja. Ze hebben het niet gezegd, maar wat kan het anders zijn?'

Ik leunde achterover, nog steeds niet tevreden. Maar hij had natuurlijk gelijk. Het hek, de flessen: ze kwamen overeen met de beschrijving die James had gegeven. Dus wat kon het anders zijn? De politie had het mis-schien nog niet bevestigd, maar met dit soort dingen namen ze natuurlijk de tijd. Misschien was de krantenkop alleen maar voorzichtig geformu-leerd.

'Weet u wat ik vooral zo erg vind?' zei de chauffeur.

Een van zijn handen lag loom op het stuur, en aan zijn toon was te horen dat hij dit al tegen meer mensen had gezegd.

'Wat?'

'Dat ze daar al die tijd heeft gelegen.' Hij schudde weer zijn hoofd. 'Dat is toch triest.'

Dat ze daar vijf dagen had gelegen. Ja, dat was triest, en dat schuldgevoel kwam weer bij me op. Het was irrationeel, want zelfs als ik er was geweest, had ik waarschijnlijk niets kunnen doen. Toch had ik het gevoel dat ik haar in de steek had gelaten. Misschien kwam dat alleen doordat het zo triest was. Als er zoiets gebeurt, denk je automatisch aan alles wat je had kunnen doen om het te voorkomen. Verdriet legt een waas over dingen, net als tranen dat doen, en algauw verandert 'had kunnen' in 'had moeten'.

'Nou, iemand heeft haar nu tenminste gevonden,' zei ik.

De chauffeur knikte.

'Ja,' zei hij. 'Daar ziet het naar uit.'

Het is altijd vreemd om twee jaar lang niet in een stad te zijn geweest.

Toen we het centrum naderden, herkende ik de delen van de stad waar we doorheen reden, en dat was een vreemde ervaring. Ik had verwacht dat de straten vervuld zouden zijn van oude herinneringen, bijna alsof ze op me hadden gewacht, maar het tegenovergestelde was het geval. In de tijd dat ik weg was geweest, was de stad minder vertrouwd geworden. Ik keek er van een afstand naar, zag de veranderingen en wist niet of ze echt waren of dat ik alleen maar was vergeten hoe het altijd was geweest.

In elk geval was er geen duidelijke rechtvaardiging voor het gevoel van afgrijzen dat ik had gehad. Het was lang niet zo pijnlijk om terug te keren als ik had gevreesd.

Zie je wel? zei ik tegen mezelf. Het is niet zo erg.

Misschien was het zelfs goed.

Ik liet me bij het station afzetten en ging naar een enigszins vervallen hotel daarachter, het Everton. Afgezien van het verticale neonbord leek het meer op een nietszeggend, grauw kantoorpand dan op een plaats om te slapen. Ik wist niet of het een probleem zou zijn dat ik geen vast adres had, al kon ik desnoods het adres geven van het opslagbedrijf waar ik een unit had gehuurd. Maar als ik ergens in de stad een kamer kon huren zonder dat er vragen werden gesteld, was het waarschijnlijk daar.

De receptionist knipperde niet eens met zijn ogen.

'Hoe lang blijft u?' vroeg hij. Aan zijn toon te horen kon je daar al voor een uur terecht.

'Een week,' schatte ik. 'En dan zie ik wel verder.'

Hij trok zijn wenkbrauwen op.

'Graag vooruitbetalen.'

Ik gooide mijn creditcard op de balie.

Bovenste verdieping. Ik keek in mijn kamer om me heen. Hij was klein en bevatte weinig meer dan een eenpersoonsbed aan het ene eind, een wastafel aan het andere eind en een dunne plank op ongeveer een meter hoogte die blijkbaar als tafel was bedoeld. Ik maakte een deur open – vond een hokje met wc en douche – en deed hem weer dicht. Een klein raam kwam uit op een brandtrap, maar er was daar niets te zien, afgezien van een zaagtandsilhouet van fabrieksdaken.

Ik zette mijn tas op het bed en ging douchen.

Een halfuur later had ik me gewassen en aangekleed en was ik met een andere taxi op weg naar het eerste adres op mijn lijstje. Ik kende Mike al sinds de universiteit, en als ik, nu Sarah er niet meer was, nog een vriend in de stad had wonen, was hij dat. Onder normale omstandigheden zou ik waarschijnlijk meteen naar hem toe zijn gegaan. Dat doen vrienden als ze zwaar door iets getroffen worden: ze komen bij elkaar. Maar toen de taxichauffeur me voor de deur afzette, besefte ik dat dit waarschijnlijk mijn eerste fout was geweest.

Het huis zag er aan de buitenkant bijna hetzelfde uit – een bakstenen, halfvrijstaand huis met een kleine voortuin, een bruine houten carport op het pad –, maar ik zag ook een paar veelzeggende verschillen. De grote witte gezinsauto op het pad bijvoorbeeld. Die was beslist niet snel genoeg voor Mike. En het strakgeschoren gazon zou hem zonder enige twijfel veel te veel moeite zijn.

En ik had het huis altijd vooral herkend aan de stickers op het raam aan de voorkant: DayGlo-roze en -gele sterren die aan de binnenkant van het glas waren geplakt. Hij had ze op de universiteit al gehad en een nieuw setje bemachtigd toen hij kort daarna dit huis kocht. Ze waren er niet meer. Die sterren waren zo onuitwisbaar met hem verbonden dat als zij weg waren, hij ook weg moest zijn.

Ik bleef aarzelend op het trottoir staan terwijl de taxi wegreed. Toen bedacht ik dat ik in elk geval kon aankloppen. Degene die hier woonde, zou op zijn minst een adres van Mike hebben waarnaar post kon worden doorgestuurd.

Toen hij de deur opendeed, duurde het voor ons allebei even voor we elkaar herkenden.

Ik herkende hem het eerst. Mike had zijn haar laten knippen en droeg een overhemd los over een broek van een pak, maar verder was hij niet veel veranderd, want dat had hij ook niet geprobeerd. Daarentegen mag God weten wat hij voor zich zag. Ik was gebruind en ongeschoren, mijn haar was ongekamd, en ik droeg kleren waar waarschijnlijk nog een patina-laagje van buitenlands stof op zat. Blijkbaar was het waar wat ik in het hostel had gedacht. Mensen die de oude Alex Connor hadden gekend, zouden hem niet meer herkennen.

'Mike,' zei ik.

Zijn ogen gingen wijd open.

'Alex? Jezus christus, man.'

Hij keek achterom het huis in, keek toen mij weer aan en schudde zijn hoofd. Hij kon niet geloven dat hij mij voor zich had staan. Enkele ogen-blikken wisten we geen van beiden wat we moesten doen.

Toen kwam hij naar buiten en sloeg zijn armen om me heen.

Het fysieke contact was een schok. Mijn handen bleven even in de lucht hangen en toen omhelsde ik hem ook, zij het een beetje onzeker. Hij ging een stap achteruit, maar hield zijn handen op de zijkanten van mijn armen en keek aandachtig naar mijn gezicht, alsof dat een goocheltruc had uit-gehaald die hij probeerde te doorzien.

Ik voelde me hulpeloos. 'Hoe gaat het met je?'

'Hoe het met mij gaat? Hou op, man. Hoe gaat het met jóú?'

Ik deed mijn mond open om antwoord te geven – welk antwoord dan ook –, maar hij had de vraag in de lucht laten hangen en trok me al naar binnen. Tegelijk riep hij naar de overloop boven.

'Julie! Kom eens beneden!'

Ik had tijd om in de gang te kijken en te denken: nou, hij heeft de boel ingericht. Toen hoorde ik Julie de trap af komen.

'Ssst,' zei ze zachtjes. 'Er is geen... O, mijn god.'

Ze bleef onder aan de trap staan en staarde me alleen maar aan.

'Julie,' zei ik.

'Alex.'

Haar haar was korter en blonder dan het vroeger was. Het was nu een jongenskopje, en ze droeg een lichte blouse en donkere rok. Net als bij Mike waren er kleine veranderingen te zien, maar toch was zij blijkbaar veel meer verrast door de aanblik die ik bood. Ze keek zelfs alsof ze een spook zag, en ik was bang dat ze de baby zou laten vallen die ze in haar armen had.

Mike liep naar haar toe en nam het kind van haar over, en toen keek hij ernaar met een uitdrukking die ik nooit eerder op zijn gezicht had gezien.

'En dit is Josh,' zei hij. Hij draaide zich met het kind naar me toe.
'Wauw,' zei ik.

Josh was zo te zien nog maar een paar maanden oud, en hij lag nu vredig te slapen. Ik keek van Mike naar Julie en toen weer naar de baby. Ik besefte dat ik er geen flauw idee van had wat er nu van me werd verwacht.

'Gefeliciteerd,' zei ik.

7

Een halfuur later zat ik in mijn eentje in hun voorkamer, met mijn handen om een lege koffiemok. Ik wist niet goed wat ik moest doen. Ik beefde een beetje.

Ik was vooral geschrokken van mijn eigen reactie op Mikes omhelzing. Al op de universiteit was hij iemand geweest die anderen veel aanraakte, en dat had me nooit dwarsgezeten, maar nu was het als een schok door me heen gegaan. Het was vreemd om te beseffen hoe ik de afgelopen twee jaar was verstijfd. Nu ik erover nadacht kon ik me niet herinneren wanneer ik voor het laatst fysiek zo dicht bij iemand was geweest, een enkele handdruk daargelaten. Ik wilde bijna dat hij het opnieuw deed, dan kon ik het nog eens proberen. Jammer genoeg geloofde ik niet dat ik dan beter zou reageren.

En toen ik in de voorkamer om me heen keek, kwam dat de zaak ook al niet ten goede.

In mijn herinnering was Mikes huis een ravage. Hij was al een tijdje bij Julie toen ik wegging, maar evengoed... Dit huis was van hem geweest en had zich hardnekkig verzet tegen haar herhaaldelijke poging het te beschaven, ongetwijfeld tot haar grote ergernis. Maar nu was het netjes en volwassen. Ik zag nieuwe vloerbedekking, nieuwe verf, nieuwe meubelen die bij elkaar pasten. Zelfs de banken waren luxe en smetteloos. Ze stonden zorgvuldig op hun plaats, gericht op het glanzend zwarte plasmascherm aan de muur.

Ik had moeten weten dat er dingen veranderd waren. Ik had daarop voorbereid moeten zijn. De levens van mensen veranderen voortdurend, en pas wanneer je een tijdje uit de running bent, merk je dat ze in beweging zijn. Ik had de vrienden die ik had achtergelaten een hele tijd niet gezien, en in mijn hoofd waren ze statisch gebleven: verstard als de mensen die ik me herinnerde, als gezichten op een foto. Natuurlijk waren ze in werkelijkheid gewoon doorgegaan, zonder mij. Ze waren andere mensen geworden, precies zoals de stad was veranderd. Dat je iets niet ziet, wil niet zeggen dat het er niet is.

Op dit moment was Mike in de keuken bezig en was Julie boven om Josh naar bed te brengen. Na die korte ontmoeting bij de deur was duidelijk dat ze geen idee had wat ze tegen me moest zeggen en zich net zomin raad wist met de situatie als ik. Het was typerend voor Mike dat hij zich erdoorheen sloeg door te doen alsof ik helemaal niet weg was geweest en het de gewoonste zaak van de wereld was dat ik bij hem op de stoep stond. Toch kon ik merken dat zelfs hij er moeite mee had. Het leek er sterk op dat hij bezigheden zocht om niet met mij te hoeven praten. Dat maakte de cirkel rond; ik voelde me weer ellendig.

Wat had je dan verwacht?

Even later hoorde ik Julie naar beneden komen. Mike had haar blijkbaar ook gehoord, want hij kwam de keuken uit en gaf me een glas wijn.

'Dank je.'

'Graag gedaan, jongen.'

Hij ging vlug weer weg. Toen Julie de kamer binnenliep, kwam hij met nog twee glazen terug.

'Dank je, schat.' Ze nam het aan en hield toen de bovenkant van haar arm even tegen haar voorhoofd.

'Was het moeilijk?' vroeg Mike.

'Mmm. Hij wilde vanavond niet slapen.'

'Hij slaapt als een os.' Mike glimlachte naar me. 'Nou ja, in elk geval na een beetje overreding.'

Julie trok haar wenkbrauwen op: een understatement.

'Net als zijn pa,' zei ze.

Toen ging ze op de kruk bij het haardvuur zitten, zette haar glas op de haard en vouwde haar handen tussen haar knieën, alsof ze ze wilde warmen. Mike ging languit aan het andere eind van de bank zitten, zijn arm tot op de helft van de rugleuning, en keek me toen aan alsof hij nog steeds niet helemaal kon geloven wat hij zag.

'Ik ben blij je te zien, Alex.' Hij knikte. 'Heel blij.'

'Ik ook om jou te zien,' zei ik.

Toch voelde ik me niet op mijn gemak. Ik voelde me een beetje alsof ik in het donker voor een huis stond en in een helder verlichte kamer vol mensen keek die ik vroeger had gekend. Het deed me goed hen te zien, maar er zat iets in de weg waardoor ik geen deel van hen kon uitmaken. Iets wat ik wilde weghalen, al wist ik niet hoe.

'Hoe oud is Josh nu?'

'Bijna zes maanden,' zei Julie.

Ik vroeg me even af waar ik zes maanden geleden was geweest.

'Nou, ik ben heel blij voor jullie beiden.'

Ze knikte. 'Dank je.'

Nu ze van de schok was bekomen, klonk ze veel formeler dan tevoren: zakelijk en beleefd, maar niet vriendelijk. De ondertoon was duidelijk genoeg. Ze gaf ons de gelegenheid een slokje wijn te nemen en zei toen: 'Nou. Waar heb je al die tijd gezeten?'

'Gewoon op reis geweest.' Toen ze niets zeiden, keek ik tussen hen heen en weer. 'Dat wisten jullie toch?'

'Ja.' Julie fronste haar wenkbrauwen. 'Dat wisten we, maar dat bedoelde ik ook niet precies. Ik wilde zeggen dat we zo lang niets van je hebben gehoord. Niemand van ons.'

Ik zei niets.

'Je beantwoordde geen e-mails,' zei ze. 'En je liet ons niet weten hoe het met je ging. Of wat dan ook.'

Ze spreidde haar handen. Leg me dat eens uit.

'Ik weet het,' zei ik. 'Het spijt me.'

'En nu ben je plotseling terug. Dat voelt heel vreemd aan.'

'Het voelt voor mij ook vreemd aan.'

Ze trok een strak gezicht. Het was duidelijk dat alle vreemdheid van mijn kant kwam en ze niet van plan was met me mee te voelen. We voeren niet in dezelfde boot door de woelige baren van dit gesprek.

'Wat is er gebeurd?' vroeg ze.

Mijn vrouw is doodgegaan, dacht ik. Wilden de mensen me dan nooit met rust laten? En misschien trok mijn eigen gezicht toen ook strak, want Julie verschoof enigszins op de kruk.

'Nou, ik weet wat er is gebeurd. Ik bedoel: waarom heb je nooit iets van je laten horen? Niemand van ons wist waar je was. Je was gewoon verdwenen.'

'Sorry,' zei ik.

'Het was net of wij niets voor je betekenden. Sarah voelde zich diep gekwetst.'

'O, Julie,' zei Mike.

'Nee,' zei ze scherp. 'En jij ook.'

Mijn glas ratelde een beetje toen ik het op de salontafel zette. Dit was een fout, Alex. En dat stemmetje had gelijk: het was dom geweest om hierheen te komen. Maar in tegenstelling tot al mijn andere fouten kon ik deze tenminste gemakkelijk rechtzetten.

Ik wilde al opstaan en weggaan, maar hield me in. Wilde ik dat echt? Ik had geweten dat het niet gemakkelijk zou zijn hier terug te komen. Julie kon niet begrijpen hoe ik eraan toe was geweest toen ik wegging, en ik hoopte dat ze het nooit zou begrijpen, maar tegelijk had ze het volste recht om boos te zijn. En misschien was het niet zo handig om opnieuw weg te lopen zodra ik eraan werd herinnerd dat ik iets verkeerds had gedaan. Tot nu toe was ik er toch ook niet veel mee opgeschoten?

Ik leunde achterover. 'Goed.'

En toen wachtte ik tot ze iets zeiden. Ik was me ervan bewust dat Julie naar me keek. Blijkbaar deed ze er een hele tijd over om een besluit te nemen, maar uiteindelijk slaakte ze een zucht.

'Nou,' zei ze zachtjes. 'Je bent er nu.'

Mike was nooit een groot liefhebber van pijnlijke stiltes geweest, en hij liet deze nog maar een paar seconden voortduren.

'Wel,' zei hij. 'Waar ben je geweest?'

'Vooral in Europa.'

'O ja? Nog op leuke plaatsen?'

Ik glimlachte. Zoals hij het zei, klonk het net of het weken in plaats van jaren waren geweest. Ik pakte mijn glas wijn op.

'Ik heb gewoon wat rondgereisd: van plaats naar plaats. Ik was nergens in het bijzonder.'

Ik somde wat plaatsen op en merkte dat ik me ze al moeilijk kon herinneren. Maar ik had dan ook geen toeristische foto's gemaakt, tenminste niet opzettelijk. In gedachten had ik er een paar gemaakt, maar die waren niet in een bepaalde volgorde opgeslagen. Het waren eerder willekeurige opnamen, gemaakt door iemand die alleen maar wilde nagaan of de camera het nog deed.

Mike zat evengoed te knikken.

'Heb je een plek om te slapen?' vroeg hij.

'Eh... Ja, ik heb iets.'

'Want we hebben de bank. Het is niet veel, maar je kunt hem gebruiken, als je wilt.'

Ik glimlachte weer. Het aanbod was net iets voor hem, en ik was echt ontroerd. Natuurlijk zou ik er nooit op in zijn gegaan, zelfs wanneer ik niet al een hotelkamer had genomen. Als ik zijn aanbod accepteerde, zou Josh vermoedelijk opgroeien met gescheiden ouders.

'Dank je, maar ik heb een kamer in de stad.'

'Maar blijf je?'

'Dat weet ik nog niet. Ik hoorde op het nieuws over Sarah. Verder heb ik nog niet veel nagedacht.'

'Ben je daarom teruggekomen?'

'Voor een deel. Ik weet het niet. Ik blijf in elk geval tot de begrafenis.'

'Dat kan nog wel even duren.'

'Misschien.'

'Wat heb je op het nieuws gezien?'

'Niet veel. Alleen dat er iets gebeurd is tussen James en Sarah...' Mijn stem stierf weg. Doordat ik het hardop uitsprak, werd het opeens echter. 'Ik zag dat ze haar lijk hadden gevonden.'

'Maar dat hebben ze niet.'

'Mike.' Julie keek hem fel aan.

Ik fronste mijn wenkbrauwen. 'Ik dacht toch van wel.'

'Nee. Ze hebben het veld gevonden, maar niet haarzelf.' Dat leverde Mike weer een felle blik op, en hij hief zijn handen naar Julie. 'Wat is er? Hij heeft het recht het te weten.'

'Heeft hij dat?'

'We hebben het over zijn broer. En over een heel goede vriendin van hem.'

'Wacht eens even,' zei ik. Mike had me een beetje van mijn stuk gebracht, zozeer dat zelfs het feit dat hij opeens in de derde persoon over me sprak, hoe kwetsend dat ook was, me niet zoveel deed als onder normale omstandigheden. 'Ik zag het op het nieuws. En las het in de krant. Het hek, de flessen...'

Ze zeiden geen van beiden iets.

'Wat is er?'

Julie keek Mike nog steeds aan. Ten slotte wendde ze zich tot mij.

'We hebben contact gehad met Barry Jenkins,' zei ze.

Die naam kende ik. Ik had hem in de krant gezien.

'De schrijver van dat artikel?'

'Ja,' zei ze. 'Sarahs hoofdredacteur.'

'Ja.'

'De pers weet meer, maar dat maken ze nog niet openbaar. De politie heeft hun gevraagd het niet af te drukken tot ze zeker weten wat er gebeurd is. Maar Barry houdt ons op de hoogte.' Ze keek Mike even aan. 'In vertrouwen.'

'En wat is er gebeurd?'

'Ze weten dat ze het veld hebben gevonden waar James haar heeft achtergelaten. Het is de plaats. Er zijn sporen gevonden. Ze weten dus dat Sarahs lichaam daar is geweest.'

'Ik begrijp het niet.'

Ze haalde diep adem.

'Alex, het is dagen geleden dat ze het publiek over het hek en de flessen hebben verteld. Daarna keken mensen ernaar uit. Een wandelaar vond de plaats, maar ging blijkbaar niet op onderzoek uit. En toen de politie kwam...'

Julie zweeg plotseling en keek naar het plafond. Ik dacht eerst dat ze een geluid van Josh had gehoord, maar toen besefte ik dat ze haar best deed om niet te huilen.

Ik wierp Mike een zijdelingse blik toe.

'En toen de politie kwam... wat toen?'

Mike keek me even aan. Niet dat hij geen antwoord wilde geven, maar ik zag aan zijn gezicht dat hij niet goed wist hoe hij het moest zeggen. Alsof het niet genoeg zou zijn als hij het uiteindelijk onder woorden kon brengen.

'Mike?'

'Sarahs lijk was er niet meer,' zei hij. 'De politie denkt dat iemand anders... het eerst heeft gevonden.'

Om de een of andere reden kwamen de woorden van de taxichauffeur weer bij me op. Weet u wat ik vooral zo erg vind? Dat ze daar al die tijd heeft gelegen. De politie had het publiek iets over de plaats verteld en de verkeerde persoon had die instructies opgevolgd en het lijk gevonden voordat de politie het vond. Haar lijk was daar geweest, maar het was er niet meer.

Ze had daar al die tijd gelegen, en...

'Heeft iemand haar lijk verplaatst?'

Mike zei niets.

En ik schudde mijn hoofd, want plotseling begreep ik wat die stilte betekende. Het was bijna onbegrijpelijk, maar het stond op zijn gezicht te lezen. Hij was gewoon niet in staat het woord hardop uit te spreken.

Niet gevonden, zei hij. Niet verplaatst.

Meegenomen.

DEEL II

8

Eerst wist verkeersagent Carl Webster niet waar het gillen vandaan kwam. Zijn nekhaartjes gingen ervan overeind staan. Hoewel hij wist dat het van een mens moest komen, had het iets primitiefs, alsof hij geen mens hoorde die pijn leed, maar een dier in doodsnood.

Hij had zijn auto bij het kruispunt gezet waar het ongeluk was gebeurd. Op het eerste gezicht leek het hem niet ernstig genoeg voor zo'n geluid. Misschien zat dat hem dwars. Al toen hij uit de politiewagen stapte, had hij het gevoel dat er iets niet klopte, dat hier iets bijzonders aan de hand was. Al zijn zenuwen waren tot het uiterste gespannen.

Er stonden drie auto's op het kruispunt. De achterste, die met de voorkant naar hem toe stond, helde over. De motorkap was verkreukeld als een prop papier en de voorruit was verbrijzeld. De auto het dichtst bij hem stond met de voorkant naar die andere auto toe, met knipperende rode alarmlichten op zijn zware achtereind. Van beide auto's waren de portieren aan de bestuurders- en passagierskant open, en er stonden een paar mensen aarzelend in de buurt.

Twee van hen keken in de derde auto, een zwarte stationcar die zijdelings gedraaid midden op het kruispunt stond. De voorkant was een beetje omhooggekomen en de achterklep was opengesprongen.

Carl zag meteen wat er gebeurd was. De bestuurder van de zwarte auto had de macht over het stuur verloren en was op de andere rijbaan terechtgekomen, waar hij de auto had geraakt die nu het verst bij hem vandaan stond. De auto daarachter was erop geklapt en rondgetold. Toch leek de schade aan de drie auto's hem niet zo groot.

Dat maakte het zo vreemd dat iemand zo hard gilde.

Wat was er toch aan de hand?

Gelukkig hoorde hij sirenes in de verte.

'Alstublieft,' zei Carl. 'Gaat u bij die auto vandaan.'

Hij prentte de gezichten van de mensen in zijn geheugen, voor het geval iemand ervandoor ging. Dat was niet waarschijnlijk. Juist door dat gillen waren ze verstijfd, als konijnen in het schijnsel van koplampen. Ze keken hem allemaal hulpeloos aan.

Carl liep tussen de mensen door om wat beter naar de zwarte stationcar te kunnen kijken. Hij ging er niet helemaal naartoe.

'Wie zijn hier de bestuurders?'

Hij kon niet goed naar binnen kijken – de ramen waren verduisterd. Een gangstermobiel. Maar dan wel een goedkope met een oude, roestige carrosserie. De auto deed hem aan een lijkwagen denken.

Hij keek de mensen weer aan.

'Wie zijn de bestuurders?' herhaalde hij. 'Wat is er gebeurd?'

Een man in een pak met een asgrauw gezicht stak zijn vinger op.

'U bent hier niet op school,' zei Carl. 'Wat is er gebeurd?'

'Ik vind het zo erg. Hij slingerde... Hij was opeens vlak voor me. Ik weet niet waarom. Misschien had hij een wesp in zijn auto of zoiets.'

Een jonge vrouw sloeg haar armen om zichzelf heen. 'Ik had geen tijd om te stoppen.'

Dat had hij ook al gedacht. 'Een wesp?'

'Hij zwaaide naar iets.'

Carl keek weer naar de stationcar. Het gillen was afschuwelijk. Hij was bij meer ongelukken geweest dan hij zich wilde herinneren, maar zoiets had hij nog nooit gehoord. Hoe vreemd het ook klonk, het was zijn ervaring dat mensen minder geluid maakten naarmate ze ernstiger gewond waren. Alsof de dood een rondcirkelende gier was en mensen zich instinctief stilhielden, opdat de dood niet wist dat ze beschikbaar waren. Of misschien raakten ze in een shocktoestand, zoals een oude collega hem had verteld toen hij het ter sprake had gebracht. Hoe het ook zij: misschien ging het hier ook op.

Het klonk niet alsof deze persoon gewond was. Het klonk alsof zijn of haar ziel in brand stond.

'Wilt u op het trottoir wachten?'

De mensen trokken zich naar weerskanten terug, en Carl liep dichter naar de stationcar toe. Bij een ander ongeluk zou hij daar al zijn geweest, maar nu was hij nerveus. Het gegil zakte af tot een ellendig, onmenselijk gesnik, en hij kon het gevoel niet van zich afzetten dat er helemaal geen mens in die auto zat, maar een gewond dier dat hem zou bijten als hij het probeerde te helpen.

'Meneer?'

Hij probeerde naar binnen te kijken. Aan de voorkant was dat mogelijk. De ramen bleken helemaal niet van verduisterd glas te zijn. De voorruit zelf was getint, maar de zijramen waren aan de binnenkant afgedekt met een zwarte stof. De bestuurder had vreemde, zelfgemaakte gordijnen in het hele interieur van de auto aangebracht. Ze waren als vleermuisvleugels over de ruit gespannen. Aan de passagierskant was dat gordijn weggevallen, zodat Carl naar binnen kon kijken.

Er was daar niemand.

Hij hoorde het geluid nog steeds; blijkbaar was de bestuurder naar achteren gekropen. Nu Carl dichterbij was, hoorde hij de man in zichzelf praten. Hij herhaalde iets, maar niet in een taal die Carl ooit eerder had gehoord.

'Meneer?'

Hij trok het achterportier van de stationcar open. De man lag in foetushouding op de achterbank. Toen het licht op hem viel, gilde hij weer en maakte hij een nog kleiner balletje van zichzelf. Hij drukte zich tegen het andere portier.

'Meneer, bent u gewond? Kunt u me vertellen of u gewond bent?'

Het klonk als een domme vraag, maar de man maakte niet de indruk dat hij gewond was. Omdat hij een zwarte broek en een donkerblauwe regenjas droeg, was het moeilijk om het met zekerheid te zeggen, maar hij kon zich goed bewegen. Zo te zien was er niets gebroken. Carl keek voor in de auto. Alles leek hem intact. Wat was er toch met die man aan de hand?

'Meneer...'

Toen keek Carl naar de grond en zag het bloed waar hij in stond. Het was een grote plas die ergens bij de achterband van de stationcar begon en zich nog uitbreidde.

Onwillekeurig ging hij een stap achteruit.

Toen hurkte hij neer. Hij kon niet veel details onder de auto zien, maar de plas was zwart en breed. Hij zag een sliert langzaam over de licht hellende weg omlaagkomen. Het bloed bereikte een kiezelsteentje, splitste zich en ging er toen overheen.

Wat was dat nou?

Hij bracht het gillen met het bloed in verband. Dat was te begrijpen. Anderzijds zat de man in de auto en was hij ondanks al het lawaai dat hij maakte niet gewond. Carl boog zich naar hem toe om het beter te kunnen zien. De automobilist was stil geworden; hij kermde alleen nog zachtjes in zichzelf. Maar er was geen bloed te zien op de achterbank. Er droop niets op de vloer.

En er was te veel.

Alles in hem trilde bij die gedachte.

Er was echt... veel te veel bloed.

Carl liep naar de achterkant van de auto, waar de klep in tweeën was gebogen en als een gekromde metalen klauw omhoogstak.

Niets aanraken.

Dat deed hij niet. Hij keek alleen. En dat was genoeg. Niet alleen begreep hij direct wat hij zag, maar het gevoel dat hij al had gehad sinds hij was gestopt, werd bevestigd. Er was hier iets verschrikkelijk mis; zoveel begreep hij er tenminste van.

De binnenkant van de bagageruimte was rood van het bloed. Het metaal was hier onbedekt, en de onderkant was doorgeroest, zodat het bloed op het wegdek onder de auto kon vallen. Er lag daar gebroken glas, en hij herkende de bovenkant van wat voor het ongeluk een grote mandfles kon zijn geweest. En nog een. Achterin zag hij een schotelvormig stuk glas dat rood aangekoekt was. Splinters glinsterden als kleine mesjes in het zonlicht.

De automobilist had flessen bloed vervoerd.

De man maakte nu geen geluid meer. Zelfs het kermen was opgehouden. Behalve de sirenes in de verte was er niets te horen.

Carl tuurde door de straat. Hij keek ongeduldig uit naar de reservetroepen.

9

Het huis van mijn broer stond aan de andere kant van de stad, aan het eind van een doodlopend zijstraatje van een drukke weg. Het huis mocht nu dan zijn eigendom zijn, dat was het niet altijd geweest. Wij tweeën waren hier opgegroeid.

Toen mijn moeder stierf, liet ze het huis aan James na. Ze had een lange strijd tegen kanker gevoerd, en dat had ze gedaan met de kalme waardigheid waarmee ze andere gevechten tot een goed eind had gebracht. Tegen het eind had ze met mij gepraat, alleen wij tweeën, en me verteld wat ze wilde dat er na haar dood met haar bezittingen gebeurde. Ik zou een klein deel van haar spaargeld krijgen, maar het merendeel van haar bezit, inclusief het huis, zou naar James gaan. Het leek of ze dat alleen maar uiteenzette, maar ik wist dat ze wilde nagaan of ik het begreep. En dat ze misschien van gedachten zou veranderen als ik kwaad of gekwetst reageerde.

Misschien was ik allebei een beetje, maar ik liet daar niets van blijken. Op dat moment leek geld me een van de minst belangrijke dingen op de wereld, en trouwens, ze had eigenlijk wel gelijk. Ik had die dingen niet nodig. Ik had mijn leven met Marie, en we hadden samen al een huis. Ik had een vaste baan. Terwijl mijn broer van de hand in de tand leefde, zoals hij altijd had gedaan, en er moeite mee had zich erdoorheen te slaan. Hij veranderde steeds van baan, adres en partner, of anders raakte hij ze tegen zijn zin wel kwijt.

Je zou denken dat hij met het klimmen van de jaren capabeler, volwassener zou worden, maar het betekende ook dat hij zich het vertrek van onze vader herinnerde. Zolang als ik me kon herinneren, had hij een zekere rancune gehad, alsof hij geloofde dat hij recht op dingen had en er niet voor hoefde te werken, ze niet hoefde te verdienen. Als hij iets niet kreeg, was het de schuld van dat iets. Mijn moeder gaf meer aan die houding toe dan ik, misschien omdat zij zich ook het vertrek van mijn vader herinnerde.

En dus zei ik tegen haar dat het goed was. Maar later ergerde het me hoe gemakkelijk James alles accepteerde, zoals hij altijd had gedaan, zonder er zelfs nog maar over te praten.

Achteraf weet ik dat het ook dom van me was. Wat had hij moeten zeggen? Toch was het een van de dingen waardoor ik in de loop van de jaren een hekel aan hem had gekregen. Misschien was het nog het ergste dat ik, zelf ook volwassener geworden en daardoor beter in staat afstand te nemen, inzag dat diezelfde dingen hem waarschijnlijk ook tegen mij innamen.

De politie mocht dan niet weten waar Sarahs lijk op dat moment was, de agenten waren blijkbaar wel overtuigd van de omstandigheden van haar dood. Ze was in James' keuken vermoord. De plaats delict was de afgelopen week afgezet, maar de politie had hem eerder vanmorgen met instemming van mijn broer aan Mike vrijgegeven. En om negen uur pikte Mike me op bij het station.

Hij had een opgeluchte indruk gemaakt toen ik zei dat ik wel met hem mee wilde gaan. Ik begreep ook waarom: de politie had hem niet alleen de sleutels gegeven, maar ook het kaartje van een gespecialiseerd schoonmaakbedrijf. Als ik vroeger berichten over misdrijven las, had ik nooit aan die kant van de zaak gedacht, maar het was natuurlijk wel begrijpelijk. De politie ging de boel niet zelf opruimen. Mike kon er dus niet omheen om dat onder ogen te zien en er iets aan te doen, en verder dacht ik dat hij niet precies wist wat hij met het huis moest doen: wat er van hem werd verwacht en wat niet. Ik voor mij was blij dat ik iets kon doen.

De afgelopen nacht had ik een hele tijd wakker gelegen. Omdat er geen airconditioning was, had ik het raam op een kier gezet en naar het voortdurende geluid van het binnenstadsverkeer diep beneden me geluisterd. Ik had naar de schaduwen op het plafond gekeken en mijn best gedaan de gruwelijke beelden zo lang uit mijn hoofd te verdrijven tot ik kon slapen. Want waarom zou iemand het lijk van een meisje stelen? Mijn geest kon verschillende antwoorden op die vraag bedenken en liet ze me een voor een in geuren en kleuren zien.

Ik had hier moeten zijn.

En nu voelde ik een sterke aandrang om op de een of andere manier te helpen, al was het te laat en kon ik maar weinig doen.

Toen we vertrokken, zei Mike: 'Sorry van Julie van gisteravond.'

'Het geeft niet.'

'Ik denk dat ze gewoon verrast was.'

Maar ik wist nog wat ze tegen me had gezegd.

'Julie dacht aan jou,' zei ik.

Hij trok een gezicht. 'Aan mij? Ik had niet eens gemerkt dat je weg was.'

Ik moest onwillekeurig glimlachen.

'Dan is het niet erg,' zei ik. 'Maar als je het had gemerkt, had ik moeten zeggen dat het me spijt.'

'En dan had ik geërgerd moeten reageren en moeten snauwen dat er niets aan de hand was.'

Ik knikte. 'Het is dus maar goed dat je het niet hebt gemerkt.'

'Wát gemerkt?'

We reden een tijdje in stilte, en ik voelde me iets beter. Mike was altijd vergevingsgezind geweest. Hij was zo iemand tegen wie je maar één keer hoefde te zeggen dat het je speet. En dat is een zeldzame, waardevolle eigenschap van een vriend, om een heleboel redenen, maar vooral omdat het ons allemaal moeite kost zo schappelijk te zijn. Daarom onderscheiden mensen die fundamenteel goed zijn zich zo sterk van anderen. Ze bieden hoop aan ons normale mensen, die maar wat aanmodderen.

'Nou, wat is er gebeurd, Mike?'

'Tussen J en Sarah?'

'Ja.' Ik dacht aan mijn broer, die altijd kwaad op de hele wereld was. 'Hij was altijd al driftig, maar ik heb nooit gedacht dat hij zoiets zou doen.'

'Ik weet het niet.' Mike dacht er goed over na en schudde toen zijn hoofd. 'Toen ze pas bij elkaar waren, leek er niets aan de hand. Dat was niet lang nadat jij was weggegaan.'

'En daarna?'

'Ik denk dat het geleidelijk ging. Ze maakten ruzie als ze 's avonds ergens waren. Dat merkten we. En ze zagen er allebei heel moe uit. Het was duidelijk dat er spanning tussen hen in hing, maar we wisten niet hoe erg het was.'

Hij haalde hulpeloos zijn schouders op.

'En we raakten het contact een beetje kwijt. Ze gingen niet meer zo vaak ergens heen, en toen kwamen ze helemaal niet meer. De afgelopen maanden hebben we ze bijna niet gezien. Ik weet dat Julie zich schuldig voelt, omdat we meer hadden moeten doen of zoiets. Waarschijnlijk deed ze daarom zo onvriendelijk tegen jou.'

Ik keek hem even aan en dacht daarover na.

En toen wendde ik mijn ogen af. 'Niemand van ons had het kunnen voorkomen.'

'Misschien niet. Ik weet het niet.'

Ik keek naar de huizen die aan ons voorbijtrokken. We waren er bijna. 'Toen ik hem zag...'

Ik keek hem meteen weer aan. 'Wat?'

'Ja. Hij zit in voorarrest. Hij mag bezoek ontvangen.' Mike schakelde en trok een grimas. 'Je moet van tevoren bellen, maar verder is het geen probleem.'

Alsof ik dat zou willen.

Mijn broer en ik hadden nooit veel van elkaar moeten hebben, en nu zeker niet. Het verbaasde me bijna dat ik hem niet haatte om wat hij had gedaan, zoals toch volkomen begrijpelijk zou zijn, maar ik had er ook geen enkele behoefte aan hem te zien.

'Hoe gaat het met hem?' vroeg ik.

'Hij is er beroerd aan toe. Kapot. Hij lijkt net iemand anders. Verbijsterd door alles wat er gebeurd is. Als je hem in zijn ogen kijkt, is het net of hij niet kan geloven wat hij heeft gedaan.'

Nee, dacht ik, dat klinkt juist precies als James.

Mike stopte bij het huis. We stapten uit en hij gaf me een beetje aarzelend de sleutels.

'Kun je dit aan?' vroeg ik.

Hij keek naar het huis. 'Dat weet ik eigenlijk niet.'

'Je redt het wel.'

Toen ik de voordeur openmaakte, was het of er een druk wegviel: de beweging trok met een zacht plofje door het hele huis, van kamer naar kamer. We liepen de hal in. De huiskamer was meteen rechts. Ik wist dat de hal naar de eetkamer met open keuken leidde, waar Sarah was gestorven.

'Laten we het moeilijkste het eerst doen.'

Mike knikte, maar keek alsof hij op het punt stond rechtsomkeert te maken en hard naar buiten te rennen. Dat kon ik hem niet kwalijk nemen. Het was een akelig gevoel. Dat kwam niet alleen door de wetenschap dat hier iemand was gestorven, of zelfs dat het iemand was die ik heel goed had gekend. Het kwam vooral door wat Mike in de auto had gezegd – dat ze Sarah en James de laatste maanden niet veel hadden gezien. Ik stelde me voor dat het huis al die tijd potdicht was geweest en dat de waanzin zich als een besmettelijke ziekte door de lucht had verspreid – alsof alle goede emoties een voor een in dit huis waren gestorven en de atmosfeer nu vervuld was van bederf.

We liepen door de hal, en toen ik de deur openduwde en het licht aandeed, volgde Mike me de eetkamer in. Hij bleef abrupt staan.

'Jezus, Alex.'

'Rustig maar.'

Ik zei dat zo kalm als ik kon.

Het weinige wat ik kon doen om het gemakkelijker voor hem te maken.

Ik liep naar de rand van het eetgedeelte en ging op mijn hurken zitten, mijn voeten nog net buiten de keukentegels. De vloer was daar bedekt met bloed. Er was zoveel. Meer dan ik ooit voor mogelijk zou hebben gehouden. Het was opgedroogd en aangekoekt; op sommige plaatsen was het een centimeter dik.

In het midden was een grote plas gestold, met een lange, onnatuurlijke ribbel aan de ene kant. Ik deed er even over om te beseffen dat Sarahs lichaam daar moest hebben gelegen en dat het bloed zich tegen haar aan had opgehoopt. Nu begreep ik ook waarom er dunne vegen op de plint van de keukenkastjes zaten. Ik stelde me voor hoe haar vingertoppen er loom, bijna nieuwsgierig, overheen hadden gestreken terwijl het leven uit haar wegebde.

Donkerrode voetstappen gingen van het ene eind van de keuken naar het andere. Mijn broer die in paniek heen en weer liep.

Ik stond op.

Er zaten spatten op het aanrecht, en zelfs op de roomwitte muur daarachter. Die laatste vlekken waren nu enigszins verbleekt: bruin en oud, opgenomen in de pleisterkalk. Iemand had er dunne potloodcirkels omheen gemaakt, met gevederde pijltjes die ernaar wezen.

Ik bleef stilzitten en dwong mezelf rustig en zorgvuldig adem te halen. Mijn hart sloeg op hol. Ik had al geweten wat er gebeurd was, en ik dacht dat ik het had geaccepteerd, maar nu wist ik wel beter. Nu ik het hier voor me zag, was het of ik vanbinnen instortte.

Hoe kon je haar zo'n pijn doen, James?

'Er is zoveel.' Mike was bij de deur blijven staan. 'Ik had niet verwacht dat het zo zou zijn.'

'Nee.'

Ik haalde diep en zorgvuldig adem.

'Ik ook niet.'

Toen herinnerde ik me wat Julie de vorige avond had gezegd: Sarah voelde zich diep gekwetst. Het deed me denken aan iets wat Mike in de auto had gezegd. De stilte galmde zachtjes.

'Mike, ik moet je iets vragen.'

'Wat?'

'In de auto,' zei ik. 'Je zei dat ze pas kort na mijn vertrek bij elkaar waren gekomen.'

'Ja. Niet lang daarna.'

Ik knikte. J is kwaad op je omdat je bent weggelopen. Dat had Sarah gezegd op de dag dat Marie werd begraven. Een halfjaar later was ik ook van haar weggelopen.

'Denk je dat het door mij kwam?'

'Nee.'

Mike zei dat meteen, maar hij was een fundamenteel goed mens en ik geloofde hem niet.

Toen ik zei dat ik een tijdje alleen wilde zijn, keek hij aarzelend. Misschien omdat hij het geen goed idee vond mij alleen te laten, of misschien om wat Julie de vorige dag had gezegd: dat ik mijn rechten hier had opgegeven en geen verantwoordelijkheid meer op me moest nemen. Toch drong ik aan. En uiteindelijk gaf hij toe, zoals hij zo vaak deed.

Hij liet mij de sleutels houden. Toen hij weg was, keek ik nog eens in de eetkamer om me heen en liep toen naar de huiskamer.

Ik was een hele tijd niet in dit huis geweest, maar op het eerste gezicht was er maar heel weinig veranderd. James had de oude meubelen van mijn moeder eruit gegooid, de muren geverfd en nieuwe vloerbedekking gelegd, maar het maakte niet veel verschil. Alle meubelen, lampen en andere accessoires hadden nog bijna dezelfde kleur of stonden op dezelfde plaats als ik me herinnerde. Het was of hij beslist zijn eigen stempel op het huis had willen drukken, maar niet over het geld of de verbeeldingskracht had beschikt om helemaal opnieuw te beginnen. En dus had hij dingen een voor een vervangen, en het eindresultaat was bijna niet van het begin te onderscheiden.

Behalve op een paar plaatsen – het oranje kleedje over een stoel, de half opgebrande kaarsen op de schoorsteenmantel –, waar ik kon zien dat Sarah haar invloed had laten gelden.

Ik ging op de bank zitten en liet mijn gezicht in mijn handen zakken.

Je kunt gek worden als je probeert de kluwen van oorzaken en gevolgen te ontwarren en uit te zoeken waar de schuld ligt. Ik denk dat mij dat na Maries dood is overkomen: ik keek strak naar die kluwen, en als je dat doet, is het nooit moeilijk je eigen draden eruit te pikken. Niet alleen de draden die er zijn, maar ook die er niet zijn. De dingen die je niet hebt gedaan, en de verschillende manieren waarop je bent tekortgeschoten.

Zo zat ik een hele tijd op James' bank naar de kluwen te kijken. Ik wist niets zeker, want ik was er niet bij geweest, maar dat maakte het alleen maar erger. Ik stelde me een hand voor die werd uitgestoken, op zoek naar hulp, en dat er dan niemand was die hem vastpakte.

Ten slotte nam ik een besluit. Ik wreef over mijn gezicht, sloeg met mijn handpalmen op mijn benen, liep de gang op en bleef onder aan de trap staan. Ik keek naar de overloop. Daarboven was het grauw en doods.

Nee, dacht ik, ik was er niet bij. Ik wist niet wat er gebeurd was.

Misschien was dat het eerste waar ik achter moest komen.

10

Ik ging langzaam te werk. Ik begon boven in het huis, waar drie slaapkamers en een badkamer waren. Omdat er in de badkamer niets te zien was, concentreerde ik me op de slaapkamers.

Wat ooit de kamer van mijn moeder was geweest, was nu een geïmproviseerde fitnessruimte. James had de vloerbedekking van de planken getrokken en spiegels op een van de muren vastgemaakt. Aan de ene kant stond een olympische gewichtenbank, en aan de andere kant een boksbal. De bovenkant daarvan had ongeveer de vorm van het bovenlijf van een man: een hoofd, grote schouders en een potig lichaam dat naar beneden toe smaller werd en in een springveer overging.

Toen we jonger waren, hadden mijn broer en ik allebei een beetje gebokst, al waren we om tegenovergestelde redenen niet goed genoeg geweest: James wilde mensen te vaak en te hard slaan, terwijl ik daar nooit veel voor voelde. Ik had wel altijd graag tegen een boksbal mogen meppen – dat verjoeg de spinnenwebben uit je hoofd –, maar Marie had dat in ons oude huis niet gewild, want het huis schudde ervan en dat geluid maakte haar bang.

Deze hier had een barst bij de hals. Mijn broer had altijd ver en hard uitgehaald. Ik gaf er een zachte por tegen, en het ding ging krakend heen en weer. Intussen keek ik om me heen. De kamer was bijna leeg, maar ik zag dat er twee paren bokshandschoenen bij de radiator lagen: een zwart paar en een kleiner, roze paar. Dus James was niet de enige geweest. Sarah had hier ook getraind.

Ze hadden geslapen in wat de kamer van mijn broer was geweest toen we opgroeiden. Die kamer was veel kleiner dan die van mijn moeder, maar misschien had hij zich hier meer thuisgevoeld. Op de muren waren nog sporen van zijn kinderjaren te zien. Op de plaatsen waar hij als jongen posters had opgehangen, zaten nog lichte vlekken van plakkertjes op de oude verf. Sinds ze hier waren gaan slapen, had hij een kastenwand neergezet die hier niet op zijn plaats was en een van de muren helemaal bedekte. Er was amper genoeg ruimte voor het tweepersoonsbed, met een nachtkastje aan weerskanten.

Oké.

Ik ging op zoek, al wist ik eigenlijk niet waarnaar. Een dagboek misschien? Een briefje met 'waarom ik het heb gedaan'? Ik wist het niet – het enige waar ik zeker van was, was dat ik het moest proberen, misschien om iets goed te maken, misschien alleen maar voor mijn gemoedsrust. Als ik echt op de een of andere manier verantwoordelijk was, moest ik er niet voor wegvluchten, maar het onder ogen zien. Dat was wel het minste wat ik kon doen.

En dus doorzocht ik de kasten en stak ik mijn hand in de stapels kleren, zocht ik tussen de sokken in de laden, tot mijn vingers over het hout van de bodem krabbelden. Geen verborgen papieren. Het kastje rechts van het bed was blijkbaar van Sarah, maar er zat niets interessants in. Zakken watten, een doos haarverf, een pakje anticonceptiepillen. Verder niets.

Ten slotte liep ik mijn oude slaapkamer in.

Omdat ik de jongste was, had ik de kleinste kamer gehad, en nu ik om me heen keek, kon ik me bijna niet voorstellen dat ik er ooit in had gepast, zelfs niet als kleine jongen. James of Sarah had er een werkkamer van gemaakt, en zelfs daar was de ruimte te klein voor. Waar mijn eenpersoonsbed had gestaan, stond nu een bureau met daaronder een platte harde schijf tussen een wirwar van plastic kabels. De planken boven het bureau stonden vol boeken en gele ordners.

Tegen de muur aan de andere kant stonden twee goedkope stellingkasten van vurenhout. Onderin stond de oude houten kist waarin we als kinderen ons speelgoed hadden bewaard. Daarnaast hing rood engelenhaar uit de bovenkant van een gehavende kartonnen doos. Dat herkende ik ook. Het waren de versieringen die mijn broer en ik in december altijd uitpakten – samen neergeknield op de vloer – en die we na Kerstmis weer opborgen, altijd in dezelfde oude stukken krantenpapier. Op de planken daarboven lagen voorwerpen die duidelijk alleen van James waren. En helemaal bovenin stonden dozen met bezittingen van Sarah.

Die planken gaven me een duidelijk beeld van het leven dat mijn broer leidde. Ze deden me denken aan de lagen en afzettingen die je in een rotswand ziet. Ik zou bijna een hele dag nodig hebben om alles door te nemen, en ik geloofde niet dat ik daar iets van bijzonder belang zou vinden – alleen maar een paar onaangename verrassingen, vooral op de onderste planken. Herinneringen die opdoken als een duveltje uit een doosje.

Ik ging op een draaistoel zitten.

Het lag voor de hand om met de computer te beginnen, maar toen ik hem aanzette, werd me om een wachtwoord gevraagd. Mijn vingers bleven onzeker boven de toetsen hangen en ontspanden toen weer. Ik had geen idee, kon er zelfs niet naar raden, dus daar moest ik geen tijd aan verspillen. Ik zette het apparaat uit en keek naar de plank boven me.

Aan het eind stonden vier boeken in dezelfde kleur. PLAATSEN DELICT, stond er op elk van de ruggen. De delen een tot en met vier. Ik pakte het laatste van de plank, maakte het open en bladerde er een beetje in. Het was niet leuk om te zien: de ene na de andere bladzijde met foto's van plaatsen van misdrijven, de meeste in zwart-wit. Je zag oude politiewagens staan, hun koplampen gericht op lijken die op de weg lagen, met agenten die erbij neergehurkt zaten. Witte lakens lagen als gevallen geesten op de grond, met dode armen die eronder vandaan reikten.

Het was moeilijk te zeggen of die foto's te maken hadden met haar werk bij de krant of met de fascinatie voor de dood die ze altijd had gehad. Was dit iets professioneels of iets persoonlijks geweest?

Ik zette het boek terug.

Het volgende boek ging over forensisch onderzoek. Daarop volgde een medisch handboek. Beide boeken waren dik en gedetailleerd en bevatten aanschouwelijke kleurenfoto's.

Ik fronste mijn wenkbrauwen en zette ze terug.

Sarah, Sarah, Sarah...

Toen ging ik naar de ordners.

In de eerste zaten knipsels van haar krantenartikelen, allemaal zorgvuldig opgeborgen in een hoes van doorzichtig plastic. Ze zaten er in chronologische volgorde in. Haar allereerste artikel met haar naam, van bijna vier jaar geleden, zat helemaal voorin. Ik bladerde door en vond het nieuwste artikel, een kort bericht uit begin februari.

Politie ontkent internetlink met vermoord meisje

door Sarah Pepper

Vandaag sloot een politiewoordvoerder uit dat er foto's van het moordslachtoffer Jane Slater op internet zijn gepubliceerd.

Het lijk van de vrouw is maandag ontdekt. Ze werd al sinds november vermist.

Er was beweerd dat een foto van de plaats van het misdrijf, met daarop ook het lijk van mevrouw Slater, online was verschenen. Maar de politie heeft dat niet kunnen bevestigen.

'Dit zijn ernstige beweringen en er is grondig onderzoek naar gedaan,' aldus een bron. 'We hebben geen bewijzen voor die beweringen gevonden, maar we zullen ons in de zaak blijven verdiepen en naar nieuwe gegevens kijken wanneer die zich voordoen.'

Aangenomen wordt dat de moord op mevrouw Slater in verband staat met de dood van drie andere vrouwen hier uit de buurt. Er komt steeds meer kritiek op de manier waarop de politie het onderzoek doet.

Dat had ze ongeveer vier maanden geleden geschreven. Daarna had ze helemaal niets meer gepubliceerd, of anders had ze het niet bewaard. In die tijd hadden James en zij zich steeds meer teruggetrokken. De oorzaak daarvan, wat dan ook, had misschien ook invloed uitgeoefend op haar werk.

Ik zette de ordner terug en pakte de volgende. Er stond 'Research' op het etiket, en ook deze zat vol plastic hoezen. De eerste bevatte een enkele geprinte foto, maar toen ik besefte waar ik naar keek, trok er iets in mijn borst samen.

Verdomme, Sarah.

Op de foto zag je een magere, donkergebruinde tienerjongen in een korte spijkerbroek en een oranje T-shirt. Alleen zag ik dat niet meteen, want het lichaam van de jongen lag in droge modder aan de kant van een onverharde weg en was zo te zien helemaal naar achteren gebogen, zodat de achterkant van zijn hoofd tegen de eeltige rand van zijn blote hielen rustte.

Ik kon zien dat het een mens was, maar eerst weigerde mijn geest dat te accepteren. Jezus. Wat voor ongeluk hij ook had gehad... Alleen was er touw dat zijn hals aan zijn enkels bond en was dit dus helemaal niet het gevolg van een ongeluk. Iemand had hem dit aangedaan. Er zat een kleinere foto in de bovenhoek, ongetwijfeld een sectiefoto. Daarop was het gezicht van de jongen bedekt met dunne scheermessneden die kriskras over de huid liepen.

Op de voorkant van de plastic hoes had Sarah een klein etiket geplakt, met daarop afgedrukt:

[03/03/08. A2: SMD(i) – e-mail]
Ik ging naar de volgende hoes. Het etiket daarvan was een beetje anders:
[03/03/08. A3: TS (i) – e-mail]
Er zat ook een foto in. Op deze zag je ogenschijnlijk een betonnen speel-terrein, met daarachter een laag, grijs gebouw. Een mannenlichaam zon-der hoofd hing over een schommel; zijn oranje broek was neergetrokken tot zijn enkels. Het hoofd van de man lag op enkele meters afstand. Het lag daar alsof het uit de lucht was gevallen.

Er zat ook een tweede stuk papier in de hoes. Ik haalde het eruit, voor-zichtiger dan waarschijnlijk nodig was. Het was een krantenbericht, geprint vanaf internet, en de kop luidde:

TWAALF DODEN BIJ GEVANGENISRELLEN

Net zo voorzichtig schoof ik het er weer in.

En toen keek ik snel om. De overloop was leeg, maar het was plotseling erg stil in de kleine werkkamer, terwijl het huis daarachter onheilspellen-der was dan toen ik was aangekomen – alsof iemand zachtjes de voordeur had opengedaan en nu doodstil in de hal beneden stond.

Ik had de deur natuurlijk op slot gedaan. Het zou wel door die foto's komen. Ik had een gevoel alsof er iets vlak naast mijn hart was gaan zoe-men.

Ik keek vlug weer op de rug van de ordner: RESEARCH.

Research waarnaar?

Ik pakte de ordner met haar krantenberichten op en herlas het laatste dat ze had bewaard:

Er werd beweerd dat een foto van de plaats van het misdrijf, met daarop ook het lijk van mevrouw Slater, online was verschenen.

Begin februari.

En de eerste hoes in de researchordner dateerde van begin maart. Dat betekende dat ze enkele weken na de verschijning van het artikel met het verzamelen van de foto's was begonnen. Evengoed zag ik geen duidelijk verband tussen dat bericht en het materiaal dat ze had verzameld. Als het geen research voor haar werk was, waar was het dan wel voor bestemd?

Ik denk dat het antwoord voor de hand lag, al was het een beetje onver-teerbaar. Als het niet professioneel was, moest het persoonlijk zijn geweest. Ik zag Sarahs gezicht weer voor me, maar nu anders: niet de vrouw die ze was geworden, maar het kleine meisje dat ik altijd onder de oppervlakte had kunnen zien. Het meisje dat volhield dat de dood een monster was

70

dat je onder ogen moest zien en waarmee je de strijd moest aanbinden. Maar de politie heeft dat niet kunnen bevestigen.

Misschien had ze onderzoek gedaan naar de beschuldigingen over Jane Slater zelf – misschien had ze naar bewijzen voor die beschuldigingen gezocht door ergens online te gaan en had ze in plaats van de foto's waarnaar ze zocht deze foto's gevonden. Misschien waren ze niet relevant voor het verhaal, maar ik dacht dat ze wel relevant voor Sarah zouden zijn.

[03/03/08. A3: TS(i) – e-mail]

De etiketten leken verdomd veel op interviewgegevens. Alsof ze de mensen die deze foto's hadden gepost had opgespoord en met hen in contact was gekomen.

Sarah...

Als ze zich de afgelopen maanden hiermee had beziggehouden, verklaarde dat misschien voor een deel de vieze smaak die dit huis in zijn mond had gehad. Geen wonder dat de atmosfeer was verzuurd en verdord. Ik kon me voorstellen dat ze hier achteraan zat, en ik kon me ook voorstellen dat er daardoor een kloof tussen hen tweeën ontstond. Haar obsessie zou een wig zijn geworden die dieper en dieper in hun relatie werd gedreven totdat die eindelijk openbarstte.

Ik werkte me door de rest van de ordner heen.

Niet alle foto's waren zo schokkend als de eerste twee, maar het waren allemaal grimmige beelden van dode lichamen, en ze hadden allemaal iets gruwelijks, iets onrealistisch. Ik schudde onwillekeurig mijn hoofd en voelde me bijna schuldig doordat ik ernaar keek. Telkens wanneer ik een bladzijde omsloeg, leek het of de kamer om me heen zich langzaam vulde met geesten.

Toen was ik bij de laatste hoes aangekomen. Het was een van de onschuldigste foto's uit de hele ordner, maar een ogenblik kreeg ik bijna geen lucht meer. Op het etiket stond: [20/04/08. AI:CE(i)-f2f].

O god.

De etiketten waren begonnen met 'A2', en daarna waren de cijfers, letters en data steeds opgelopen. Deze hoes had dus aan het begin van de ordner moeten zitten. Het was de foto die ze het eerst moest hebben gevonden, de foto die haar aandacht had getrokken en haar onderzoek op gang had gebracht, maar ze had met het interview zelf tot het allerlaatst gewacht. Want zelfs Sarah kon sommige dingen pas onder ogen zien als ze zich ernaartoe had gewerkt.

In vergelijking met de andere foto's die ze had verzameld, was deze onschuldig. Het was een korrelige, slechte foto en er waren niet veel details te onderscheiden, want de persoon in kwestie bevond zich op enige afstand. Boven aan de foto was er een klein, zwart silhouet van een vrouw die op een viaduct stond, achter een betonnen leuning die tot haar middel kwam. Onder de brug, helemaal onder op de foto, trok het verkeer in een waas voorbij.

Het haar van de vrouw was in de tijd verstild, half opzij gewaaid, en haar gezicht was in duisternis gehuld. Maar dat hoefde ik niet te zien om te weten dat het Marie was.

11

Kearney bleef er versteld van staan hoever de waanzin van mensen kon gaan. Hij verbaasde zich niet zozeer over de dingen die ze dwangmatig deden, maar over de redenen daarachter. De intensiteit van de maalstroom die waanzin in iemands hoofd kon veroorzaken.

Thomas Wells was daar een goed voorbeeld van. Toen hij die ochtend was opgepakt, hadden ze gezien dat er gordijnen voor de ramen van zijn auto hingen. Rebecca Wingates handtas lag in het dashboardkastje. Achterin hadden ze een fles met drie liter bloed gevonden. Er had een gekoelde thermosfles op de passagiersstoel gelegen.

En toch was dat het nog niet eens wat Kearney zo verbijsterend aan de man vond. Natuurlijk was de mogelijkheid van vampirisme al vanaf het allereerste begin van het onderzoek ter sprake gekomen. Todd en hij hadden zelfs een avond in een ondergrondse fetisjclub voor vampiristen doorgebracht. Tot zijn verbazing had Kearney daar onverwacht normale mensen aangetroffen, en vreemd genoeg had hij het wel interessant gevonden.

Het was dan ook niet schokkend voor hem dat Thomas Wells dacht dat hij een vampier was. De man was daar absoluut van overtuigd. Die ochtend had Wells de macht over het stuur verloren en was hij tegen een tegemoetkomende auto gebotst. De gordijnen waren daardoor omlaaggezakt, en meteen had hij zichzelf ook omlaag laten zakken. Het zonlicht deed hem natuurlijk niet echt kwaad, maar zijn persoonlijke mythe was zo echt voor hem geworden dat zijn gevoel voor zelfbehoud het ertegen moest afleggen.

Het zou hem niet hebben verbaasd als de man in een doodkist had geslapen, maar die hadden ze niet in zijn huis gevonden, en ondanks de hoop die bij Kearney was opgekomen toen hij het nieuws hoorde, hadden ze Rebecca Wingate ook niet gevonden. Toen hij over de arrestatie van Wells hoorde, was hij bijna met Simon Wingate gaan praten, maar nu was hij blij dat hij dat niet had gedaan. Zijn hoop was allang weer weggezakt en

had plaatsgemaakt voor de druk waaronder hij stond. Hij had voortdurend het gevoel dat hij moest opschieten en het kostte hem grote moeite
om dat gevoel in bedwang te houden. Ze was ergens. Nu bijna binnen
bereik, maar niet helemaal.

'Kun je je hem herinneren?' vroeg Todd.

Ze liepen door de smalle gang naar de verhoorkamer. Kearney moest dicht
langs de muur lopen, want Todd Dennis was een grote man. Als hij adem-
haalde, klonk het vaak alsof hij gromde, en als hij iets zei, kwam het als
het ware in stootjes naar buiten. Maar de man kon lopen. Telkens wanneer ze een watercooler moesten passeren, moest Kearney even achterblijven.

'Ja,' zei hij.

'De pers zal ervan smullen.'

Kearney knikte. Ze hadden Thomas Wells ongeveer achttien maanden
geleden verhoord. In die tijd had hij in de nachtploeg van het abattoir
gewerkt. Ze hadden daar met hem gepraat, en ook nog een keer hier op
het bureau. En een paar dagen hadden ze gedacht dat hij het was. Wells
had een nerveuze indruk gemaakt, alsof hij niet in de pas liep met de rest
van de wereld – er klopte iets niet aan hem –, en zijn verhaal was incon-
sistent genoeg geweest om alarmschellen te laten rinkelen, zij het zachtjes.
Maar ze hadden geen harde bewijzen tegen hem gehad, en bovendien
waren ze op een groot struikelblok gestuit. Uiteindelijk hadden ze hem
moeten vrijlaten.

'Ik herinner me dat zijn vingerafdrukken niet overeenkwamen,' zei Kearney.

De drie lijken die tot nu toe waren gevonden, hadden weinig forensisch
sporenmateriaal opgeleverd. Het enige wat overbleef, was opvallend en
opzettelijk aangebracht: de afdruk van een wijsvinger op het midden van
het voorhoofd van de slachtoffers. Na enkele uren van gespannen wachten
hadden ze gehoord dat de vingerafdruk niet van Thomas Wells was.

'Ja,' zei Todd. 'We weten wat dat betekent.'

'Hij heeft een medeplichtige.'

'Ja. Een bende vampiers.'

Todd zei het alsof hij in het verleden met zoiets te maken had gehad en
het altijd een lastige zaak was. Ze bleven voor de deur staan en hij glimlachte grimmig.

'Dit is nog niet voorbij, Paul. Nog lang niet.'

Kearney dacht aan Simon Wingate, die nog beneden bij de receptie zat, wachtend op nieuws. Het besef dat hij onder druk stond was nu nog sterker. Het gevoel dat hij nog maar weinig tijd had.

Hij bedwong dat gevoel.

'Ja,' zei hij. 'Ik weet het.'

Verhoorkamer 1.

De zwarte vloerbedekking op de vloer was gloednieuw en smetteloos schoon; de muren hadden de kleur van verse melk. In het midden stond een roestvrijstalen tafel, met daarop als een vlek het vervormde spiegelbeeld van Thomas Wells' voorovergebogen gezicht. Zijn bleke onderarmen lagen aan weerskanten daarvan, en hij keek ertussendoor, zodat Kearney zijn pikzwarte haar met diepe inhammen kon zien: een opvallende, kortgeknipte 'M' boven een breed, onverzoenlijk gezicht.

Achter hem hing er donkere luxaflex voor het raam.

Die klikte zachtjes door de lichte bries.

Todd had de camera al gestart en de gegevens ingesproken. Hij leunde nu achterover op zijn stoel, liet zijn handen op zijn buik rusten en keek over het glanzende, metalen tafelblad naar hun verdachte. Kearney kon zien dat zijn collega ongeduldig was, want hij kauwde op zijn lip, zodat zijn snor op en neer bewoog.

Met wederzijdse instemming deed Kearney de meeste verhoren en gesprekken. Dat had met empathie te maken. Wat je gevoelens ook waren, in een dergelijke situatie behaalde je bijna nooit resultaten door kwaad te worden, en ze wisten allebei dat Kearney veel meer begrip en medegevoel kon opbrengen. Andere rechercheurs haalden hem er zelfs bij om met slachtoffers te praten, gewoon omdat hij daar zo goed in was.

Todd beperkte zich voornamelijk tot zwijgen, strenge blikken en een vaag dreigende houding. Zijn eigen specialiteit.

Kearney boog zich naar voren.

'Nou, Thomas. Zo komen we elkaar weer tegen, hè?'

Wells keek naar hem op. Hij had een breed gezicht, maar de trekken waren te fijn. Het was of je naar geïsoleerde buitenposten in een woestijn keek, vanaf zo'n grote hoogte dat je niet kon zien of ze nog werden bewoond. Toch meende Kearney op zijn minst heel even enige herkenning te zien. Een zuchtje wind dat over het zand streek.

'Ken je ons nog?'

Wells zei niets.

'Voel je je op je gemak?'

Niets.

'Heb je alles wat je nodig hebt?'

'Ja,' zei hij. 'Hier.'

Zijn stem was zacht en kalm.

'Sorry?' zei Kearney.

'Ik heb ze hier bij me. Meer heb ik niet nodig.'

Kearney begreep het niet meteen.

'Je bedoelt de vrouwen, Thomas?'

Wells knikte één keer. 'Het zaad maakt de boom,' zei hij. 'De boom maakt de appel. De appel maakt het vlees.'

'Wat betekent dat?'

'Ze zijn nu een deel van mij. Ik besta uit hen.'

Er hing stilte in de lucht. Kearney voelde dat er iets diep in hem bewoog. Hij dacht weer aan die thermosfles en besefte dat Wells het erover had dat hij een deel van de vrouwen had geconsumeerd. Dat hij hen in zich had opgenomen.

'Ik denk dat ik het begrijp, Thomas.'

'Als vlees.' Wells knikte weer. 'Vlees voor de ziel.'

En toen ontblootte hij heel langzaam zijn tanden. Kearney dwong zichzelf om helemaal niet te antwoorden. Even later deed Wells zijn mond dicht. Misschien ergerde het hem dat er niet op zijn woorden werd gereageerd.

'Want de ziel zit in het bloed.'

'Natuurlijk,' zei Kearney.

'Daarom.' Wells keek plotseling teleurgesteld. 'Je zei dat je het wilde begrijpen.'

Wat? Maar toen dacht Kearney terug. Het was heel goed mogelijk dat hij dat in een van de vroegere verhoren had geprobeerd: praat tegen me; ik wil het begrijpen. Misschien om een bekentenis uit hem te krijgen – of misschien gewoon omdat het waar was. Kearney wilde een reden horen. En die had hij nu gehoord. De ziel zit in het bloed.

'Dank je,' zei hij.

Wells knikte hoffelijk. 'Graag gedaan.'

Het schoot Kearney te binnen dat de man sterk was veranderd sinds de vorige keer dat ze elkaar hadden ontmoet. In die tijd was Wells heel anders geweest. Hij had een angstige, verwarde indruk gemaakt. Had hun niet in de ogen kunnen kijken. Nu had hij blijkbaar het volste vertrouwen in zijn eigen kracht.

'Thomas...'

Wells onderbrak hem. 'Maar ik heb ze niet vermoord.'

Kearney aarzelde. Op grond van de vingerafdrukken op de slachtoffers wisten ze dat Wells het niet in zijn eentje had gedaan.

'Wie dan wel?'

'Niemand. Luister je niet? Ze leven nu in mij.'

Dus hij gooide het weer over die boeg. Kearney voelde zich een ogenblik gefrustreerd, maar merkte toen dat hij het iets beter begreep. Hij keek nog eens goed naar Wells' lichaam. Ze leven nu in mij. Verschrikkelijk genoeg zat daar enige waarheid in. Wells had natuurlijk niet de zielen van de vrouwen in zich opgenomen, maar moleculen die van hen waren geweest, zaten nu in het lichaam van deze man, waren letterlijk deel van zijn vlees geworden. In zekere zin had hij hen in zich gevangengenomen door hen te consumeren.

Hoe ver zou Wells met dat idee gaan? vroeg Kearney zich af. Als hij dacht dat die vrouwen echt in hem leefden, was hij misschien bereid naar een van hen te 'luisteren'. Misschien konden ze hem overhalen hun de plaats te vertellen waar de slachtoffers lagen die ze nog niet hadden gevonden.

'En wat doen ze?' vroeg Kearney.

Wells glimlachte alleen maar.

'Is Rebecca Wingate daarbinnen?'

Wells zei: 'Het bloed verzwakt het lichaam, maar versterkt de geest. Maar het is beter om een krachtige ziel te hebben, nietwaar?' Toen fronste hij zijn wenkbrauwen. Plotseling werd hij onzeker en sloeg hij zijn ogen neer. 'Toch is alles een wisselwerking. En het is beter om sterk te zijn, nietwaar? Ja. Dat moet wel.'

Kearney voelde dat Todd naast hem enigszins bewoog. Zijn collega had zijn armen over elkaar geslagen, een vertrouwd teken. We raken hem kwijt, Paul. En hij dacht dat Todd gelijk had. In dat geval draaide alles om de vingerafdruk. Kearney dacht daarover na en herinnerde zich iets uit zijn onderzoek naar vampirisme. Het klonk als 'aneurysma', maar het exacte woord wilde niet bij hem opkomen.

'Heb je een helper, Thomas?'

Wells keek plotseling op. De vraag had hem overvallen.

'Wat?'

'Een menselijke helper?' zei Kearney. 'Een assistent?'

Wells keek naar de andere kant van de kamer. Hij had zich niet meer in bedwang. Voor het eerst keek hij zorgelijk.

'Ik heb... Nee. Maar ik weet het niet.'

'Iemand die je helpt met de lijken?'

Nu kwam er geen antwoord. Wells boog zich naar voren en toen plotseling weer naar achteren. Toen sloeg hij zijn armen over elkaar en tikte met één vinger tegen zijn elleboog.

'Heeft hij je gezegd dat je niet over hem mocht praten?' vroeg Kearney.

De vinger hield op. 'Niemand zegt mij wat ik moet doen.'

'Nee, natuurlijk niet.'

Wells hield zijn hoofd schuin en keek Kearney aandachtig aan. Hij fronste zijn wenkbrauwen.

En toen kwam er een sluw glimlachje op zijn gezicht.

'Ha ha,' zei hij.

Een ogenblik was de man van zijn stuk gebracht. Hij was op zoek geweest naar iets ergens diep in de waanzin in zijn hoofd. Nu had hij dat blijkbaar gevonden. Het was om razend van te worden: de persoonlijkheid van de man was een ring van gekleurde schijven, die ronddraaiden in fakkellicht, de ene kleur na de andere. Op dit moment was zijn gezicht een en al stompzinnige sluwheid.

'Thomas?' zei Kearney.

'Nee.'

'Waar is Rebecca Wingate?'

'Wie?'

De glimlach verdween niet. Kearney zag haar foto weer voor zich en merkte dat er een eind aan zijn geduld kwam.

'Je weet wie,' zei hij. 'Rebecca Wingate.'

'Wie?'

Voor Wells was dit duidelijk het intelligentste wat hij ooit had bedacht, en hij was blijkbaar dan ook heel tevreden over zichzelf. Zijn ogen straalden. Een en al fonkeling.

'Thomas...' Kearney vocht tegen zijn frustratie en hield zijn handpalmen voor zich uit. 'Dit is allemaal voorbij. Oké? Waarom vertel je het me niet gewoon? We hebben het hier over het leven van een vrouw.'

Wells likte over zijn lippen, keek vlug naar weerskanten en boog zich toen met een blik van verstandhouding naar voren, alsof hij een geheim ging vertellen. Kearney boog zich ook naar voren.

'Wie?' fluisterde Wells.

De man ging weer rechtop zitten en glimlachte in zichzelf.

En toen keek hij verveeld.

Kearney leunde langzaam achterover. Wells' stilte bonsde in zijn hoofd. Opnieuw had hij het gevoel dat hij geen tijd meer had. Zijn keel trok zich samen met elke klop van zijn hart; hij dacht dat hij misschien zelfs een paniekaanval zou krijgen. De voortekenen waren in de loop van de jaren vertrouwd voor hem geworden.

En toen dacht hij aan zijn droom, aan Rebecca Wingate die achterwaarts in de mist verdween, en meteen had hij weer het beklemmende gevoel dat er weinig tijd was.

We zullen haar vinden...

Hij schoof zijn stoel achteruit en stond op.

'Dit leidt tot niets. Een korte pauze.' Hij keek op zijn horloge en zag dat zijn pols beefde. Toen keek hij omhoog naar de camera in de hoek van de kamer. 'Zestien uur vierentwintig. Pauze in het verhoor. Vijftien minuten.'

Naast hem schudde Todd een keer zijn hoofd en drukte toen op de knop van de afstandsbediening. Het rode lichtje dat onder de camera had gebrand ging uit.

Kearney liep achter Wells langs naar het raam. Zijn benen voelden zwak aan, alsof ze elk moment konden bezwijken.

We zullen haar vinden...

Hij wist niet precies wat hij deed.

'Het is hier te donker.'

Met enig geritsel ging de luxaflex open.

En toen schreeuwde Thomas Wells.

12

Voordat ik het huis van mijn broer verliet, vond ik een oude sporttas in
de fitnesskamer en nam ik Sarahs ordners mee. Ik moest ook op internet
zien te komen. Ik ging naar de stad en kocht de goedkoopste laptop die
ik kon vinden, en toen ik daar toch was, kocht ik ook een prepaid mobiele telefoon. Daarna ging ik naar mijn hotelkamer terug. Toen ik de deur
dichtdeed, was het of ik mezelf opsloot.

Mijn hart bonkte.

De draadloze verbinding was zwak, maar goed genoeg om me online te
krijgen. Ik betaalde voor een vierentwintiguursaccount, liet de laptop
openstaan op de smalle tafel en liep door de kamer terwijl ik met mijn
hand door mijn haar streek.

Op het bed had ik de twee ordners liggen die ik al had doorgenomen – die
met Sarahs krantenknipsels en die met alle foto's – en ook een derde, veel
dunnere, die nog geen etiket had maar blijkbaar extra researchmateriaal
bevatte dat ze nog niet had verwerkt. Ik maakte de inhoud daarvan los en
spreidde de pagina's uit op het ruwe beddenlaken.

Een stapeltje voorin bevatte ook uitdraaien, maar niet uit kranten.
Sommige leken me wetenschappelijke teksten, terwijl andere blijkbaar
afkomstig waren van websites en fora. Op elk daarvan was aan de bovenkant een URL geschreven om hem te kunnen terugvinden. Het enige wat
ze met elkaar gemeen hadden, was dat ze allemaal met de dood te maken
hadden, maar dit waren tenminste normalere dingen. Ze waren relatief
tam in vergelijking met de gruwelen die ze in de researchordner had verzameld.

Daarna vond ik met de hand geschreven notities.

De eerste bladzijde daarvan bevatte een reeks inderhaast getekende figuren. Er was een rechthoekige, schuine 'U'. Dan een schuine streep met een
kleinere dwarsstreep bij de onderkant, als een zwaard dat naar het noord-
oosten wees. Een kruis met twee dwarsstrepen in het midden. En verder:
verschillende combinaties van lijnen en cirkels. Ik wist niet wat ze moes-

ten voorstellen. Ze leken me enigszins occult, maar ze deden me ook aan iets anders denken, al wist ik niet wat. Blijkbaar had Sarah ze alleen maar getekend om zichzelf aan iets te herinneren. In elk geval had ze het niet nodig gevonden uit te leggen wat ze voorstelden.

Help me daar eens mee.

Het volgende vel was duidelijker. Het was maar één blad, met daarop een lijst van woorden die in dun potlood waren geschreven, het ene boven het andere:

redpepper
A: rancune
B: begraven
C: kerkhof
D: brander
E: gewalst
F: werelds
G: schade

Omdat Sarahs achternaam Pepper was en ze haar haar altijd knalrood had geverfd, dacht ik dat 'redpepper' misschien een gebruikersnaam op internet was. Dat zou best kunnen: de andere woorden bestonden allemaal uit minimaal zeven letters en waren dus waarschijnlijk wachtwoorden voor verschillende websites.

De volgende bladzijde bevatte een sleutel.

A: http://www.doyouwanttosee.co.uk
B: http://liveleak.com
C: http://ogrishforums.com
D: http://www.rotten.com

Enzovoort.

Ik keek in de researchmap, en het was duidelijk genoeg wat ze had gedaan. De foto van de gevangenisrellen was bijvoorbeeld 'A3' genoemd, dus vermoedelijk had ze die op doyouwanttosee.co.uk gezien, waar haar wachtwoord 'rancune' zou zijn.

Daar had ze ook de foto van Marie gevonden.

Ten slotte was er een geniete lijst van vier bladzijden, met een tabel waarin contactpersonen en interviewgegevens waren opgenomen. De enige complete rijen waren die met gebruikersnamen en een corresponderende letter, ook hier van A tot en met G. Daarnaast waren ruimten voor 'echte naam' en 'adres', maar de meeste van die vakjes waren leeg. Er was een handjevol telefoonnummers; ook dat waren er niet veel. Bijna iedereen op de lijst stond alleen vermeld met een e-mailadres, gevolgd door de datum en plaats van het interview.

De hotelkamer voelde donker en claustrofobisch aan.

Kom op. Je kunt het.

Ik keek naar het etiket op de foto van Marie...

[20/04/08. AI:CE(i) – f2f]

... en keek toen weer in de tabel.

Daar was het.

Sarah had op 20 april maar één interview afgenomen. 'CE' was een afkorting van Christopher Ellis – gebruikersnaam 'Hell_is' – en er stond een adres van hem in Wrexley bij, ongeveer vijftien kilometer ten westen van hier.

Dat 'f2f' zou wel betekenen dat ze het interview persoonlijk had afgenomen, face to face.

Nu ik nog eens goed keek, bleek hij de enige te zijn die ze persoonlijk had gesproken. Van de drie andere adressen die ze had gevonden waren er twee in het buitenland en zou de derde te ver zijn geweest om erheen te reizen. In al die gevallen stond er 'e-mail' naast.

Christopher Ellis.

De naam zei me niets. Ik was er vrij zeker van dat ik nooit van de man had gehoord. Toch moest er een reden zijn waarom Sarah deze mensen met specifieke foto's in verband had gebracht, en ik kon alleen maar bedenken dat het degenen waren die de foto's online hadden gezet.

En dat betekende iets voor mij.

Kom op dan.

Ik liep naar de computer en typte het webadres in het vakje van de browser. Voordat ik van gedachten kon veranderen, drukte ik op de entertoets. De site verscheen meteen op het scherm, en ik zag de voorpagina van een forum. De achtergrond was helemaal zwart. Ze hadden geen fraaie graphics, alleen een eenvoudige tabel die verdeeld was in drie afzonderlijke blokken tekst. De titels van de subforums waren lichtrood – vleeskleurig, besefte ik. De datum en naam van de recentste post in elk subforum waren in grijswit.

Een kleine kop rechtsboven in het scherm klonk nogal provocerend:

do you want to see?

Wil je het zien? Ik keek er even naar en richtte mijn aandacht toen op het forum eronder. Het middengedeelte had de titel 'inhoud' en daarbinnen waren drie subfora: 'foto's', 'video's' en 'niet bloederig'. Ik klikte op 'foto's' en kreeg meteen een pop-upschermpje:

U moet ingelogd zijn om dit gedeelte te zien
Inloggen
Registreren

De optie om je te registreren was uitgezet. Onder aan het nieuwe scherm zag ik een kleine mededeling in grijze letters:

Hel zit vol – wij zijn momenteel gesloten voor nieuwe leden

Zo gemakkelijk komen jullie niet van me af, dacht ik. Schoften.

Ik klikte op 'Inloggen' en voerde 'redpepper' en 'rancune' in. De muiswijzer veranderde in een zandloper.

En verder gebeurde er niets.

Ik zat daar te wachten en kreeg na enkele ogenblikken het onaangename gevoel dat iemand vanaf het scherm naar me keek. Het was belachelijk. Maar ik kon het idee niet uit mijn hoofd zetten. Ik wilde net op een toets drukken – misschien was de browser alleen maar vastgelopen –, toen het scherm weer hikte en het subforum 'foto's' in beeld kwam.

Ik was erin.

Op het scherm waren de forumonderwerpen als een verticale lijst te zien: rijen en rijen onderwerpen, gerangschikt op grond van de datum waarop de recentste bijdrage was geleverd. Het populairste onderwerp was momenteel 'De spelende lijkschouwer': negen pagina's van bijdragen. De regel daaronder luidde 'Autoracer onthoofd'. Daarna 'Zelfmoord door politiekogels'. Enzovoort. Aan de bovenkant van de tabel was te zien dat er nog vierenveertig van zulke schermen waren.

In plaats daarvan gebruikte ik de zoekfunctie. Het was niet nodig dat ik me door al die onzin heen werkte, niet als ik het materiaal ook kon selecteren. Ik zou de onderwerpen oproepen die door 'Hell_is' waren gestart en kijken wat daar te vinden was.

Maar zelfs zijn gebruikersnaam leverde al enkele pagina's met links op. Blijkbaar maakte Christopher Ellis intensief gebruik van de site. En hij was ook nog steeds actief: de recentste post van hem, boven aan de lijst, dateerde van nog maar enkele dagen geleden.

Toen ik de titel zag, sloeg mijn hart een slag over.

'Dode vrouw in bos.'

Sarah.

De muiswijzer bleef boven de link hangen. Ik las het onderwerp keer op keer en wist niet wat ik moest doen.

De politie denkt dat iemand anders het lijk eerst heeft gevonden.

Ik had niet eens aan de mogelijkheid gedacht dat een van deze mensen misschien iets zou weten van wat er met Sarah was gebeurd, laat staan dat ze er op de een of andere manier bij betrokken zouden zijn. Maar nu ik erover nadacht, was het niet zo'n grote sprong. Het soort mensen dat een lijk zou stelen, genoot er waarschijnlijk ook van om naar foto's van een lijk te kijken, en dat betekende dat ze op een site als deze terechtkwamen. Op zijn allerminst was het een duidelijk hellend vlak.

Ik aarzelde.

Do you want to see?

Ik verzamelde moed, klikte met de muis...

En er ging een golf van opluchting door me heen. Ze was het niet. Het was een uitgelekte politiefoto of zoiets, met daarop het naakte lichaam van een vrouw. Ze was in de ingang van een grote afvoerbuis in het bos gestopt, en alleen haar bovenlichaam was zichtbaar, alsof de fotograaf zijn plaatje had geschoten toen ze eruit klom. Het lichaam lag op de buik en het gezicht van de vrouw was naar boven gekeerd, rustend op de kin en starend in de camera. De huid zat strak om de botten, en de lippen waren weggetrokken voor een grimas met veel tanden.

Mijn opluchting maakte snel plaats voor walging.

Maar het was iemand.

Ik keek naar de forumopmerkingen, maar hield daar toen mee op. De eerste paar dreven de spot met het meisje. Eentje had zelfs een blije smiley die in zijn handen klapte. Nadat ik er een paar had gelezen, besefte ik dat ik enigszins beefde, alsof ik een kop koffie te veel had gehad. Ik wist niet of het door de schokkende foto kwam of door de plotselinge woede die de reacties bij me opriepen, en ik sloot het onderwerp meteen.

Het volgende halfuur klikte ik door het ene na het andere scherm met onderwerpen die door Christopher Ellis waren gepost. Ik keek naar de titels zonder ze te openen. Hij was blijkbaar een ijverige deelnemer aan het forum, een toegewijde verzamelaar van het leed van andere mensen.

En ten slotte, boven aan het negende scherm, vond ik mijn eigen leed.

'Brugzelfmoord – bitch aan flarden'

Ik ademde langzaam uit.

Bitch, kreng. Ik denk dat het vooral door dat woord kwam – zomaar de wereld ingeslingerd door een volslagen vreemde. Iemand die Marie niet had gekend, die niets wist van de moeilijkheden die ze in haar leven had ondervonden. Iemand die waarschijnlijk blij was dat ze dood was, want dan kon hij er een foto van opzoeken en online zetten en er hard om lachen.

Heb je verder nog iets nodig?

Nog steeds miste ik haar verschrikkelijk. Nog steeds kon dat schuldgevoel opeens weer in me komen opzetten: dat afschuwelijke, eindeloze moment waarop je besefte dat het te laat was. Dat er iets verloren was gegaan en dat je er alles – alles – voor over zou hebben om de tijd te kunnen terugdraaien. Om de kans te krijgen dingen anders te doen.

Alleen dat je bij me terugkomt.

Het scherm werd plotseling wazig.

Evengoed was ik nu toch al zo ver gegaan, al wist ik niet meer waarom. Daarom haalde ik diep adem en klikte op de link. Toen zag ik iets anders en hield ik helemaal op met bewegen.

Ik had natuurlijk geweten dat het er was. En ik had de foto al gezien. Daarentegen schrok ik vooral van de plaats op de site waar ik deze link aantrof. Ellis' onderwerp zat helemaal niet in het subforum 'foto's'. Het zat in 'video's'.

Voorzichtig – zonder er goed bij na te denken wat ik deed – pakte ik mijn jas en ging ik een tijdje naar buiten.

13

Ik liep laat in de middag door de straten, bewoog me lukraak door het winkelend publiek.

De dag was licht en helder, en iedereen die ik zag leek omlijst te zijn door zonlicht. Hoe meer ik liep, des te vreemder vond ik de mensen om me heen: zo zorgeloos, zo naïef. Ze wisten niet hoe gemakkelijk het leven kon struikelen, en wat er op je wachtte als je viel. Ik zag ze hun tassen en broeken ophijsen, flesjes cola drinken. Grote plastic draagtassen vol kleren meesjouwen. Ik hoorde muziek uit auto's stampen. Ik hoorde gelach.

En opnieuw had ik het gevoel dat ik los van dat alles stond.

Je moet vasthouden aan de goede herinneringen. Dat kon ik niet uit mijn hoofd zetten. Sarah had dat op de dag van de begrafenis tegen me gezegd. Daarin kun je Marie terugvinden. Je moet haar voor je zien zoals ze was als ze glimlachte.

Maar dat was me niet gelukt, en ik had het gevoel dat ik haar na haar dood net zo erg had teleurgesteld als toen ze nog leefde. Ze had daarna alleen voortgeleefd in de gedachten van de mensen die de ingewanden van die walgelijke website bezochten. Ze leefde niet voort in mijn herinnering terwijl ze glimlachte en, hoe aarzelend ook, mijn hand vastpakte, maar ze was helemaal uit mijn gedachten verdwenen. Daardoor had ik het mogelijk gemaakt dat haar leven werd teruggebracht tot die laatste eenzame, wanhopige momenten. Online gezet als een poster in een vuile, dichtgespijkerde kelder.

Terwijl ik daar liep, galmde alles om me heen in mijn hoofd. Ik liep bijna een uur door het centrum van de stad, zonder doel, in een poging om aan mijn gevoelens te ontkomen.

Uiteindelijk bleef ik dicht bij mijn hotel staan.

Je wilt dit niet zien, zei ik tegen mezelf.

Die stem was nu veel aanlokkelijker, maar ik wist dat hij alleen maar een somber soort troost te bieden had. Want het zou geen verschil maken. De videobeelden zouden er altijd zijn, of ik nu keek of niet, en voor zover ik verantwoordelijk was voor Sarahs dood zou dat ook altijd zo blijven, of ik het nu onder ogen wilde zien of niet. Ik kon ervan weglopen. Maar als je niet naar iets kijkt, wil dat niet zeggen dat het er niet is.

Als Marie nog had geleefd, zou ik alles – letterlijk alles – hebben gedaan om bij haar te zijn. Toen ik daar stond, leek het feit dat ze dood was daar vreemd genoeg niets aan te veranderen.

En dus veranderde ik van koers en ging ik naar het station om wodka te kopen.

En toen ging ik naar mijn hotelkamer terug, deed de deur op slot en keek.

Het werd gemakkelijker toen ik het kritisch analyseerde. De beelden waren met een mobiele telefoon gemaakt, dacht ik, en niet met een geweldig goede camera – je kon zien dat het technologie uit die tijd was. De kleuren waren onscherp, en degene die het mobieltje in zijn hand had hoefde maar even te bewegen of de beelden werden al wazig, en het duurde even voor ze weer enigszins scherp werden, alsof de telefoon dronken en duizelig was. Het geluid – nu en dan gebulder van wind; verkeer als een bruisende rivier – klonk alsof het van onder water kwam.

Ik schonk me een pure wodka in. De kwaliteit van de beelden maakte het ook gemakkelijker, zei ik tegen mezelf. Het was of ik keek naar iets wat niet echt gebeurde, of naar iets wat nog tegen te houden was.

Ik zag eerst het wegdek en een sportschoen, en toen een paaltje. Het mobieltje zwaaide omhoog, trilde, en ik besefte dat de persoon met de camera op het volgende viaduct stond. Ik hoorde hem snel ademhalen.

Even later richtte hij zijn camera op mijn vrouw in de verte.

Ze stond daar maar, nauwelijks een centimeter groot op het computerscherm. Een eenzame figuur, ineengedoken naast haar auto. Weinig meer dan een vlekje van oplichtende pixels.

Ik bracht mijn gezicht er zo dicht mogelijk naartoe. Enkele ogenblikken deed ze niets, en toen had ik de indruk dat ze achter zich keek. Ze boog zich over de leuning van het viaduct en keek naar de snelweg beneden. Even later klauterde ze onhandig over de leuning heen, eerst het ene been en toen het andere, tot ze erop zat. Ik zag haar een beetje heen en weer schuiven, alsof ze er eens goed voor ging zitten.

Door de luidsprekers hoorde ik de man met de mobiele telefoon snel en diep ademhalen. Was het paniek? Angst?

Het kleine figuurtje stak de armen opzij en hield het hoofd achterover. Ze keek naar de lucht. Ondanks alles wat ik tegen mezelf had gezegd, wilde ik in het scherm grijpen.

Marie, dacht ik. Alsjeblieft, doe het niet.

Ik hou van je.

Ze schommelde naar voren. Zoals ze daar kantelde, was het net of ze in slow motion bewoog. Toen viel ze door de lucht. Het mobieltje volgde haar zorgvuldig.

'O mijn god. O jezus.'

Zelfs op deze afstand was de klap te horen. Het was een licht, scherp geluid, als een steentje dat tegen je voorruit komt. Ik wist dat Marie dood was. Dat was haar laatste seconde op de wereld geweest. Er was een waas van een vrije val geweest, en toen was ze op haar achterhoofd neergekomen en was ze op slag dood geweest. Haar lichaam lag verfrommeld en stil op de weg.

'O fuck...'

De man werd overstemd door een gierend geluid. De vrachtwagen schoot onder het viaduct vandaan en er golfde rook van de rijen geblokkeerde banden. De chauffeur maakte geen schijn van kans. Beide stellen wielen gingen helemaal over Maries lichaam heen en sleepten het mee. Wat achter de wagen aan kwam, was niet meer te herkennen. Het zag eruit als drie zakken met aan flarden gescheurde rode kleren, stuiterend over het beton.

De vrachtwagen kwam slippend tot stilstand en toen kwam alles heel langzaam tot rust. In de stilte die volgde dacht ik aan stof dat na een explosie zachtjes neerdwarrelt. Het was de seconde voordat mensen beginnen te schreeuwen, de seconde waarin alles doodstil is.

Behalve de man met de camera. Hij haalde nog adem met die korte, hevige stootjes.

Ik dacht dat ik dat geluid nu herkende. Het was geen angst of paniek. Het was opwinding.

Ellis' video was de eerste bijdrage aan het onderwerp. Er volgden drie pagina's met commentaar op: zevenentwintig in totaal. Zevenentwintig mensen die dachten dat ze iets te zeggen hadden over wat Marie had gedaan.

De eerste liet alleen maar een opgewekte smiley zien. Die knikte, bracht een koffiekop naar zijn lippen en nam er een slokje van. Tevreden over zichzelf.

De volgende: 'Laat iemand erheen gaan. Het komt vast wel goed met haar.'

'Egoïstische stomme trut. Wat is er mis met pillen en een plastic zak?'

Ik wenste die gebruiker een uiterst pijnlijke dood toe en ging verder.

'Hé, deze kende ik nog niet. Waar heb je hem vandaan, Helly?'

Helly. Ik klikte weer met de muis.

Een grappige bijnaam.

Zijn antwoord kwam enkele posts later.

'Ik heb het met mijn mobieltje gefilmd,' zei Hell_is. 'Ik was toevallig in de buurt en zag haar. Ik stopte omdat je het nooit kunt weten, en ik kon niet geloven wat er gebeurde. Dit moest ik laten zien! Zo'n kans krijg je maar eens in je leven.'

Ik leunde in de stoel achterover en deed mijn ogen dicht.

Ik probeerde er wat leven in te wrijven.

Toen ik de moed verzamelde om naar die beelden te kijken, had dat golven van emotie en adrenaline door me heen gejaagd, en nu trad de nawerking in. Mijn keel werd dichtgesnoerd en mijn handen beefden. Na een tijdje wreef ik niet meer over mijn gezicht en schonk ik me nog een wodka in. Dat leek me op dat moment heel verstandig.

Het zijn maar videobeelden, zei ik tegen mezelf.

Een stel hufterige idioten op internet die van geen enkel belang zijn.

Dat was waar. Hoewel ik kwaad op hen was, wist ik dat ik kwader was op iemand die veel dichterbij was – en ook daar schoot ik niets mee op. Sinds ik die foto in James' huis had gevonden, was ik in een emotionele vrije val geraakt. Nu moest ik uitzoeken wat er was gebeurd en wat ik eraan moest doen.

Het eerste was wel min of meer duidelijk. Toen Sarah research deed voor een artikel stuitte ze op deze beelden van de dood van mijn vrouw – haar vriendin –, en die hadden haar zo diep geschokt dat ze zelf ook op onderzoek was uitgegaan, misschien zoals een plotselinge straling een kanker uit zijn sluimering wekt en laat groeien. Ze werd er steeds meer door geobsedeerd en verwaarloosde haar vrienden, haar werk, haar relatie met James. Ze werd erdoor verteerd.

En eigenlijk was het mijn schuld.

Dat was een hard besef, maar er viel niet aan te ontkomen. Mensen zijn natuurlijk heel goed in staat hun eigen fouten te maken; daar hebben ze geen aanmoediging van anderen voor nodig. Sarah en James hadden in de loop van de tijd allebei hun eigen keuzen gemaakt. Toch bleef het een feit dat niets van dit alles zou zijn gebeurd als ik hier was geweest. Toen Sarah de videobeelden van Marie had gezien, zou ze naar mij toe zijn gekomen, want zo zat ze in elkaar: ze zou het hebben gezien als iets 'van mij'. Maar dat kon ze niet doen, want ik had mijn post verlaten.

Ik schonk nog een wodka in, keek naar het scherm en liet de drank door mijn mond walsen. De dood verspreidt rimpelingen. Ik was tekortgeschoten tegenover Marie in de laatste twee jaar van haar leven, en in de twee jaar daarna was ik ook tekortgeschoten tegenover Sarah. Het was net een golflengte.

Maar dat was niet alles.

Ik keek naar wat Ellis had geschreven.

Ik was toevallig in de buurt en zag haar daar.

Hij had alleen de beelden van Marie gestolen – diep in mijn hart wist ik dat –, maar iemand in de echte wereld had Sarahs lijk weggenomen. Toen ik de recentste bijdrage van Ellis aan het forum had gezien, had ik gedacht dat er een connectie met dat veld zou zijn, en dat idee kwam nu ook weer bij me op. Sarah had zevenendertig van die klootzakken geïnterviewd. Het was niet te vergezocht om te veronderstellen dat een van hen van zijn kant interesse in haar had gekregen. Misschien was hij haar gaan volgen. Misschien had hij zelfs gezien wat James die avond deed en had hij ervan geprofiteerd.

Misschien iemand als Ellis. Iemand die dichtbij genoeg woonde.

Dat zou ook een soort golflengte zijn.

Ik zou dus naar de politie moeten gaan. Ze hadden het huis ongetwijfeld al doorzocht, maar zelfs als ze die ordners hadden gezien, hadden ze misschien niet begrepen dat ze relevant waren. Ik zou naar hen toe moeten gaan.

En wel nu meteen.

In plaats van op te staan nam ik slokjes wodka in de langzaam verduisterende hotelkamer en bleef ik naar het computerscherm kijken. Misschien kwam het door de alcohol, of misschien door de verwarrende combinatie van woede en schuldgevoel in mijn hoofd. Die twee emoties gaan gemakkelijk in elkaar over als je ze hun gang laat gaan, net zo lang tot je niet meer weet welke van de twee je voelt en wie er schuld heeft. En net als verdriet hebben ze de neiging de dingen te vervangen, zodat 'moeten' op 'kunnen' gaat lijken.

Ja, zei ik tegen mezelf, ik zou naar de politie kunnen gaan. Maar zou dat niet opnieuw betekenen dat ik afstand deed van verantwoordelijkheid? Nu ik daar zat, zag ik de draden van oorzaak en gevolg en kon ik de draden die van mij waren eruit pikken. Als ik de hele kluwen overdroeg aan iemand anders was dat in feite niets anders dan weglopen. En misschien was het ook nog voorbarig. Voorlopig zaten de verbanden alleen in mijn hoofd. Ik wist het niet zeker, want ik was er niet bij geweest.

Mijn post verlaten...

Ik schonk mezelf nog eens in en keek naar Ellis' laatste opmerking. Ik las hem keer op keer, tot mijn handen beefden – tot er na een tijdje geen 'kunnen' of 'moeten' meer was en ik alleen nog maar wist wat er zou gebeuren. Wat er móést gebeuren.

Zo'n kans krijg je maar eens in je leven, had hij geschreven.

Ja, dacht ik.

Jij wel.

14

De garage waar Rebecca Wingate door Thomas Wells was 'opgeslagen' stond aan de rand van de stad, aan het eind van een onverharde weg. Het pad verdween tussen een half ingezakte cafetaria en een tabaksbruin café dat schuin naar de weg toe stond, en leidde naar een terreintje naast een oud, roetzwart viaduct. Er was weinig verkeer op de grote weg, en de grond werd hier vooral voor industriële doeleinden gebruikt: leegstaande, verwaarloosde fabrieken en grauwe opslaggebouwen. De politiebusjes bleven langs de weg geparkeerd staan om te voorkomen dat eventuele bandensporen in het zand van het pad verloren gingen.

Het was hier erg stil; niets bewoog. Alles zag er een beetje verfomfaaid uit, alsof het ooit zo lang en hard had geregend dat de wereld er nog steeds nat van was.

De garage was in een van de bogen onder het viaduct gebouwd: een halvemaan van ijzer, met een hangslot op de deur en een gegolfd rolluik.

Binnen was aan het ene eind ruimte voor een auto. Aan het andere eind stond een halfkapotte metalen tafel, met leren banden die er in harde krullen vanaf hingen. Afvoergeulen liepen kriskras over de vloer en leidden naar een vettig, rommelig putje in het midden, waarvan het rooster zo te zien verstopt was door zwart haar. Aan de dichtstbijzijnde muur hing een gebarsten porseleinen wasbak, met een grote rubberen slang over een van de kranen.

Achterin hingen kettingen langs de muur omlaag. Ze waren verbonden met een katrolsysteem aan een plafondbalk. Het leek op iets wat een monteur zou gebruiken om een automotor door een garage te zwaaien. Alleen vermoedde Kearney dat het meeste van die oude machinerie afkomstig was uit het abattoir waar Wells had gewerkt.

Todd en hij stonden in de deuropening, terwijl de technische recherche binnen aan het werk was, als geesten in het schemerduister.

'Het is een martelkamer,' zei Todd.

Hij kauwde weer op zijn lip.

'Ja,' zei Kearney.

Al dacht hij dat zijn collega eigenlijk maar voor de helft gelijk had. De garage was in een kerker veranderd, en hij moest er niet aan denken hoe erg hier in fysiek en emotioneel opzicht was geleden, maar tegelijk was dat leed nooit de drijfveer geweest. Deze ruimte had alleen maar tot doel gehad vlees te verwerken voor consumptie. Menselijk bloed. Gruwelijk genoeg hadden de vrouwen en hun pijn geen enkele betekenis voor Wells gehad.

Maakte dat verschil?

Een cameraflits verlichtte de roestige machinerie achter in de garage. Kearney dacht dat het niet uitmaakte: het resultaat was hetzelfde.

Waar is ze?

De vraag pulseerde door zijn hoofd. En in hetzelfde ritme pulseerde de paniek.

Toen in het politiebureau de luxaflex weer dicht was gegaan, was Wells van houding veranderd en veel tegemoetkomender geworden. Hij vertelde hun dat de slachtoffers naar deze oude garage waren gebracht. De eigenaar of huurder daarvan – dat wist Wells niet zeker – was een zekere Roger Timms. Die man had hem ook geholpen zich van de lijken te ontdoen als hij ermee klaar was. Rebecca Wingate was daar op dit moment. Hij had haar daar eergisteravond gezien, en toen leefde ze nog. Ze was nog in de garage, waar hij haar had 'opgeslagen'.

Waar was ze nu dan?

Todd wilde iets zeggen, maar Kearney draaide zich om en begaf zich weer naar buiten. Hij liep om het stoffige terreintje heen, waar de technische recherche de sporen in het zand bestudeerde. Opnieuw viel het hem op hoe stil het hier was: een enclave van verval en wildernis aan de rand van de stad. Aan de andere kant van een omheining zaten zwarte vogels vanuit de boomtakken naar hem te kijken. Kearney keek even terug en voelde toen dat Todd naast hem kwam staan.

'Voel je je wel goed, Paul?'

Kearney knikte. 'Ja.'

'Lieg niet tegen me.'

Todd was vijfenveertig, tien jaar ouder dan Kearney, en hij had altijd iets neerbuigends. Hij sprak weliswaar nogal eens op barse toon, maar zijn raad was meestal goedbedoeld, en Kearney wist dat zijn collega zich nu zorgen maakte. Todd was soms agressief en koppig, maar hij was niet dom. Zelfs als hij niet had gemerkt dat Kearney in de afgelopen maanden veranderd was – rafelig was geworden, zei hij tegen zichzelf –, was zijn houding ten opzichte van Thomas Wells zo vreemd geweest dat er wel een alarmbel bij Todd moest overgaan.

Lieg niet tegen me. Maar hij wist niet hoe hij zijn gedrag moest verklaren.

'Ik ben in orde. Ik ben alleen moe.'

'Het is belangrijk, Paul. Je moet je erop voorbereiden dat we haar misschien niet levend vinden.'

'Dat weet ik.'

'Maar we zullen hem vinden,' zei Todd. Ze liepen over de onverharde weg terug, langs de stenen aan de rand. 'Timms, bedoel ik.'

'Ja.'

Wells had de waarheid gesproken over de naam: de garage was inderdaad verhuurd aan een 'Roger Timms'. Het team in het communicatiebusje was de man nu aan het opsporen, en het arrestatieteam stond te wachten. Zelfs als Wells over sommige aspecten van het verhaal had gelogen, spraken de feiten voor zich. De garage stond op naam van Timms, Wells had een sleutel, en het was duidelijk dat de meisjes daarheen waren gebracht. Roger Timms had heel wat te verantwoorden.

Nu was dat op zichzelf al verontrustend. Als Wells de volledige waarheid sprak, kon het feit dat Rebecca Wingate niet in de garage was maar één ding betekenen: Timms had van de arrestatie van zijn vriend gehoord en geprobeerd de sporen uit te wissen. Hij zou geen tijd hebben gehad om de zware machinerie weg te halen, maar daar zou hij wel een of andere verklaring voor kunnen verzinnen. Ik wist echt niet wat mijn vriend Thomas deed, zou hij kunnen zeggen. Hij zou alleen niets kunnen beginnen tegen een getuigenverklaring van Rebecca Wingate, maar daar was een simpele oplossing voor.

Todd had gelijk. Er viel niet aan te ontkomen.

Je moest voorbereid zijn.

Toen ze bij de open kant van het politiebusje kwamen, stelde Kearney zich gereserveerd op. Ondanks het licht van de vroege avond was het in het busje verrassend donker. Er zaten daar drie politiemannen tussen de apparatuur: monitors, verbindings- en opnameapparatuur. De mannen waren weinig meer dan donkere schimmen en werden deels verlicht door het zwakke, weeïge licht van de monitors.

'Hendricks,' zei Kearney. 'Heb je iets?'

De dichtstbijzijnde man draaide zich niet om. Hij keek naar het scherm voor hem.

'We hebben net een identificatie binnengekregen, meneer.'

Roger Timms.

Kearney zat tegenover Todd achter in het busje, dat door de straten denderde. Ze hadden allebei een laptop opengeklapt op hun knieën. Op een afzonderlijke monitor was Roger Timms' adres van een vlaggetje voorzien in het midden van een satellietkaart. Twee gele pijlen naderden dat punt. Een daarvan betrof het busje waarin ze reden. Het andere gaf de positie aan van brigadier Burrows, de leider van het arrestatieteam.

De kuilen in de weg lieten het hard rijdende busje schudden. Kearney probeerde de laptop stabiel te houden en keek naar de gegevens die ze van hun verdachte hadden.

Vanaf de linkerkant van het scherm keek een foto van Timms hem aan. Daarnaast stonden de elementaire gegevens. Hij was tweeënveertig – even oud als Thomas Wells – en een meter tachtig, met een normaal postuur. Bruin haar, bruine ogen...

Moedeloos besefte Kearney dat het een politiefoto was.

'Hij heeft gezeten.' Hij keek opzij. 'Jezus. Moord.'

Todd keek hem niet aan, maar trok zijn wenkbrauwen op.

'Je bedoelt dat je de naam niet herkent?'

'We hebben hem toch niet ook eerder ondervraagd?'

'Nee. Hij is die kunstenaar. Ik wist wel dat ik die naam eerder had gehoord. Die in de kranten staat. Dat ontbrak er nog maar aan. Een plaatselijke beroemdheid.'

'Als hij heeft gezeten, hebben we zijn vingerafdrukken.' Kearney klikte door naar het volgende scherm. 'Dan is hij dus niet degene die de voorhoofden van de slachtoffers heeft aangeraakt.'

Todd zei niets. Het busje schudde.

Vervolgens kwamen er krantenknipsels op het scherm die het communicatieteam had verzameld, en die fristen Kearneys geheugen enigszins op. Hij herkende de man nu. Hij had over hem gelezen, maar de naam was niet goed blijven hangen.

Op vierentwintigjarige leeftijd was Timms betrokken geweest bij een gewapende overval die verkeerd afliep, al kon je het misschien amper een gewapende overval noemen. Hij had een postkantoor beroofd, maar het pistool was afgegaan en hij had de lokettiste in haar hoofd geschoten. Per ongeluk, beweerde hij. Hij had acht jaar gezeten. Volgens het artikel had deze ervaring het leven van Roger Timms totaal veranderd: in de gevangenis was hij gaan schilderen. Hij verwierf enige roem en werd een cause célèbre in de kunstwereld. Na zijn vrijlating maakte hij van het schilderen zijn beroep.

Populair in de betere kringen, stelde Kearney zich voor, omdat het spannend was om zo'n gevaarlijke man op een feestje te hebben.

'Wat heeft die kerel nou met Thomas Wells te maken?'

'Zelfde leeftijd,' zei Todd. 'Zelfde geboorteplaats.'

Kearney schudde zijn hoofd. Het leek hem niet genoeg.

'Het is de verkeerde.'

'Je hebt het schilderij nog niet gezien.'

'Wat? Nee, wacht.'

Hij klikte door tot hij het scherm vond waarop Todd doelde. Het was ook een ingescand krantenknipsel, ditmaal met twee foto's aan de rechterkant.

Op de bovenste foto zag je Roger Timms: een reportagefoto in een galerie. Hij had zijn haar geverfd sinds de politiefoto was gemaakt. Het was gebleekt en stak piekerig omhoog op de kruin van zijn hoofd: het korte, modieuze equivalent van een Mohikaan. Timms' gezicht was gebruind en gezond. Hij glimlachte en had een glas champagne in zijn hand.

Daaronder stond een kleine foto van een van zijn schilderijen. Door de lage resolutie van de foto en het schudden van het busje kon Kearney niet veel details onderscheiden, maar de levendige kleuren konden hem niet ontgaan. Het zag eruit als het hoofd van een vrouw, opzij hangend, met daarachter een felrode zonsondergang. Haar mond was open. Het schilderij had de titel *Smart*. Daaronder verklaarde iemand:

'De Gehenna-serie van Timms bezit authenticiteit en scherpte; hij stijgt uit boven het verhaal van zijn eigen ervaring, terwijl hij daarmee verstrengeld blijft en erdoor bezield wordt.'

Kearney wist amper wat dat betekende, maar het deed er niet toe. Het ging om het schilderij. Het portret. Ondanks de overdreven stijl en de slechte kwaliteit van de foto was duidelijk naar wie hij keek.

'Dat is Linda Holloway,' zei hij.

15

Vijf minuten later waren ze er. De twee politiebusjes kwamen bijna vijandig tegenover elkaar te staan, neus aan neus, een straat bij Roger Timms' adres vandaan. Kearney stond met Todd naast hun busje en praatte met brigadier Burrows, de leider van het arrestatieteam.

Burrows droeg zwarte beschermende kleding, maar hij zou anders al indrukwekkend genoeg zijn geweest. Hij had gemillimeterd haar, een potig lichaam en een air van koele lichamelijkheid. Je had altijd het gevoel dat hij je erg hard kon slaan als hij dat wilde, en intussen ging hij er ook van uit dat jij dat gevoel had.

Burrows had dan ook het grootste deel van zijn carrière op de deuren gebonsd van drugshandelaren, moordenaars, pedofielen en terreurverdachten. Tegenwoordig werkte hij nauw samen met Operatie Victor, die deel uitmaakte van de kinderpolitie. Kearney was een paar keer langs die afdeling gekomen. Het was een ruimte waar het licht altijd brandde en waar vaak een scherm over het raam op de deur werd getrokken. Kearney had een hekel aan mannen met een sterk lichamelijke uitstraling, en hij had altijd gevonden dat Burrows intimiderend overkwam, al zou iedereen die dat werk deed geleidelijk hard worden.

Op dit moment had de brigadier een blauwdruk van Timms' huizentype op het scherm van zijn laptop staan en vertelde hij hoe ze naar binnen zouden gaan.

'Die huizen hebben een geschikte buitenkant voor ons. Drie deuren. Voor en achter, hier en hier, en via de garage. Er komt een klein raampje op het pad uit, maar dat is een muizengaatje en het zal afgedekt zijn.' Hij snoof en keek naar de kaart. 'Ja. Dat is gunstig.'

'Het interieur?' vroeg Kearney.

'Dat is minder gunstig. Vier kamers boven, drie beneden. Zolder via luik hier. De kelderdeur zit meestal aan de zijkant van de trap daar. Maar in die huizen kun je gemakkelijk iets afscheiden, iets veranderen. Pas als we binnen zijn, weten we precies waar we mee te maken hebben.' Hij keek

plotseling op. 'Is er sprake van vuurwapens?'
'Het is mogelijk,' zei Kearney, 'maar we hebben geen reden om het aan te nemen.'
'Maar wel een gijzelaar?'
'Rebecca Wingate.'

Burrows keek weer omlaag. Haar naam was duidelijk niet van belang voor hem, maar wel het feit dat ze een probleem vormde voor zijn logistiek. Of Timms nu gewapend was of niet, een gijzelaar kon tegen hen worden gebruikt en zou dan voor minstens zoveel problemen zorgen als een wapen.

Het zat Kearney ook dwars. Hij wist dat het in een situatie als deze allereerst zaak was dat de verdachte niet wegkwam. Als het huis was afgesloten, was Rebecca het enige mogelijke slachtoffer. Als Timms ontkwam, zouden andere levens gevaar lopen. Dus hoewel Burrows al het mogelijke zou doen om Rebecca Wingate er veilig uit te krijgen, was dat niet zijn enige doel.

Het was een angstaanjagende situatie voor haar.

Maar het alternatief was nog erger.

'Ja,' zei Kearney. 'We hopen dat er een gijzelaar is.'

Todd en hij zaten achter in het communicatiebusje en zagen op monitors hoe het arrestatieteam het huis naderde.

Op het middelste scherm hadden ze een overzicht van het huis zoals dat er vanboven uitzag – een tweedimensionaal satellietbeeld, waarbij de GPS-locaties van politiemannen elke drie seconden met een rukje werden bijgesteld. Bij elke gele driehoek stond een klein getal. Die getallen hoorden bij de schermen naast het hoofdscherm, verlicht als de ramen in een flatgebouw. Op deze schermen waren de beelden te zien van de camera's die aan de verschillende leden van het team waren bevestigd. Het waren er tien in totaal.

Kearney zag hoe de mannen zich opstelden. Door de puzzelstukjes van de overlappende beelden aan elkaar te leggen, kreeg hij zicht op de situatie. Op een van de schermen keek je van schuin opzij naar de voordeur. Recht daarboven zag je een man in het zwart bij die deur staan. Op de monitor daarnaast zag hij beide mannen. Dezelfde acteurs in dezelfde scènes, in beeld gebracht vanuit verschillende posities. Al die naar elkaar verwijzende beelden vormden een geheel, een eindeloze serie.

Daar was de voorkant van het huis.

Op het bovenste scherm, de oprijlaan achteruitrennend en dan op zijn kant op het moment dat de agent zich plat tegen de muur drukte. Kearney zag het raampje waarover Burrows het had gehad.

Naast dat scherm, de camera sprong door een achtertuin om geruisloos tot stilstand te komen bij een achterdeur met de weerspiegeling van donkergroene struiken in het glas.

Geen geluid van het scherm. Het geluid kwam door de koptelefoon die hij droeg en waarmee hij naar de frequentie luisterde die Burrows en zijn team gebruikten.

Hij hoorde Burrows zachtjes aftellen.

'Nu.'

Opeens verscheen er vanuit verschillende hoeken een metalen stormram op de schermen. In zijn oren zakte de deur half in met een dof kraakgeluid, waarna hij – een tweede stoot van de stormram – knarsend van zijn scharnieren loskwam.

'Nu.'

De hel barstte los.

Door de koptelefoon: schreeuwen, stampen, roepen. Radiogeknetter. De monitors werden een wervelende dans van blauwgrijze beweging. Politiemannen leken overal tegelijk te zijn, alsof het huis een verbrijzelde spiegel was en dezelfde mannen op veel verschillende scherven te zien waren. Kearney zag ineengedoken ruggen in zwarte beschermende kleding, ving een glimp op van een rondtollende gang, en toen – *beng* – vloog er een deur open naar een huiskamer...

'Leeg.'

Zijn blik ging van scherm naar scherm, van de ene kamer naar de andere: politiemannen gingen ieder in een richting en hun duplicaten verdwenen. Hij zag een keuken die op een scherm draaide, de ene kant op, de andere kant op – 'Leeg' – en toen werden kasten een voor een opengetrokken.

Een zwarte gedaante kwam snel voorbij.

Kearney volgde hem naar het volgende scherm, waar een hand in een handschoen een deur aan de zijkant van de keuken openduwde. Daarachter was alles zwart, en toen was er een supernova-uitbarsting van spookachtig licht dat door de lucht leek te golven en vervolgens tot rust kwam. Op het scherm was lichtgrijs stof te zien dat als as in de lucht hing. De camera bewoog zich langzaam over de oude houten stellingkasten aan de andere kant van de lege garage. Kearney zag blikken verf, een rol afdekplastic. Wiggen van schaduw draaiden soepel en gestaag met de camera mee, als de secondewijzer van een klok.

'Leeg.'

'Garage leeg,' merkte Kearney op. 'Pad ook leeg.'

Volgens de informatie waarover ze beschikten, reed Timms in een witte Ford Transit. Waar was die?

Op het satellietbeeld verspreidden de gele driehoeken zich gestaag over de blauwdruk van het huis. Ze overlapten elkaar en vormden sterren. De mannen stampten de trap naar de bovenverdieping op.

Kearney zag de badkamer, waar de douchekop scheef omlaaghing. Op het volgende scherm stompte een zwarte vuist systematisch tegen beddenlakens. In de hoek van dat scherm hurkte iemand neer. Kearney keek op en zag de ruimte onder het bed. Stof en haarkrullen op witte vloerplanken die slecht in de verf zaten.

'Leeg.'

Er waren vijftien seconden verstreken.

Timms' atelier was een grote kamer aan de achterkant van het huis. Het vertrek zag er onberispelijk uit. De wanden waren schoon en wit en er lag parket op de vloer. Een schildersezel stond op afdekplastic naast een houten klaptafel met borden, kommen en penselen. Tegen een muur stonden halfvoltooide doeken, zo groot als grindtegels.

'Leeg.'

'Hij is er niet,' zei Todd.

Kearney keek aandachtig naar de schermen.

Zij ook niet.

Tenzij...'

Zijn blik gleed omlaag over de stapel monitors. Na de koortsachtige activiteit kwamen alle beelden aarzelend tot rust. De teamleden wachtten in de kamers die ze hadden bezet. Alleen op twee schermen onderin gebeurde nog iets. Burrows ging met een andere man naar de kelder.

Kearney concentreerde zich op het scherm waarop Burrows in het midden onhandig de stenen trap afdaalde. Die trap zag er heel oud uit, alsof hij uit de grond zelf was gehakt.

Onderin bewoog de camera zich gestaag in het rond. Er bleek zich een enorme open ruimte onder het huis te bevinden. De kelder strekte zich blijkbaar uit over de hele fundering van het huis en zag eruit als een archeologische ruïne. De vloer was met kinderhoofdjes bedekt, als een victoriaanse straat, en de lampen zaten in ondoorzichtige, plastic kokers aan de zuilen. Ingestorte stukken muur wierpen vreemde, schuine schaduwen die trilden aan de randen.

In de koptelefoon hoorde Kearney een koud geluid, als wind die door een tunnel raasde. Stofdeeltjes hingen in de lucht. Het leek heel lang te duren voordat iemand iets zei. Toen de stilte werd verbroken, was het Burrows die sprak.

'We hebben hier iets.'

Kearney keek op de monitor, maar kon niets onderscheiden. Voor zover hij kon nagaan, was er een lichtere vlek in de duisternis – een gat in de muur, als een mond vol scherpe, vuurrode tanden. In het midden zat iets wat een beetje op een vrouwengezicht leek. Dat is een oog, dacht hij. Het was er maar één. Toen bewoog de camera omlaag en gleed over enkele donkere vormen die op de vloer lagen.

Kearney boog zich nog meer naar voren. Zijn hart sloeg snel.

'Wat is dat?' vroeg hij in de microfoon. 'Is zij het?'

Burrows' camera bewoog niet meer.

'Dat kan ik niet zien,' zei hij.

In Timms kelder huiverde Kearney een beetje bij de herinnering aan het verhoor dat hij eerder had afgenomen. Thomas Wells' zachte, kalme woorden waren net zo huiveringwekkend en hardnekkig als de luchtstroom onder het huis.

Ze maken nu deel van me uit.

Ik ben van hen gemaakt.

Todd en hij stonden achter in de kelder en keken allebei naar wat Timms daar had opgeslagen. Het officiële atelier, op de bovenverdieping van het huis, was blijkbaar alleen maar een dekmantel: iets wat de journalisten konden fotograferen. Niet het hele verhaal. Hier beneden, in de kou en duisternis, had Roger Timms zijn echte werk gemaakt.

Een groot doek was tegen een gammele tafel gezet, die tegen de muur van de kelder stond. Dat had Kearney op de monitor gezien, en het had een vreemde aanblik geboden, omdat het schilderij nog niet voltooid was. De puntige rode tanden waren in werkelijkheid achtergrond. Ze staken omhoog rondom de contouren van een vrouwenhoofd, waarvan de details nog maar half af waren. Timms had alleen nog maar de rechterkant van het vrouwengezicht ingekleurd. Daardoor was er één helder starend oog en zat er wat schaduw om de wijd open mond, maar verder was er niet veel te zien. Nog geen haar. Alleen een lege ruimte op het doek die nog moest worden ingevuld.

Toch was het Kearney duidelijk waar ze naar keken. Het portret was onvolledig, maar het wás Rebecca Wingate.

'Morgen wordt het een lange dag,' zei Todd. 'We moeten alle schilderijen te pakken krijgen. Echt allemaal.'

Hij schudde zijn hoofd.

'Een lange dag.'

Kearney knikte peinzend, zijn gezicht strak, en keek toen omlaag naar de rij mandflessen die naast de tafel op de vloer stonden. Het waren doffe, lelijke vormen. Alle glans in het glas was allang verdwenen onder de korst oud bloed in de flessen.

In alle flessen, op één na. De laatste fles was nieuw genoeg om in het schemerige licht te glanzen. En ondanks de vegen rood op Roger Timms' onvoltooide portret zat hij nog halfvol bloed.

DEEL III

16

De volgende morgen voelde ik me klam toen ik wakker werd. Voor een deel kwam dat door de wodka die ik de vorige avond had gedronken, en voor een deel door de warmte die met het opkomen van de zon in de hotelkamer was binnengedrongen. Ik was al een tijdje halfwakker geweest en de hitte was zo hoog opgelopen dat ik er niet meer aan voorbij kon gaan.

Ik liep naar het raam, zette het wijd open en ademde frisse lucht in, voor zover ik die daar kon vinden. In de verte, boven de fabrieksdaken, was op de zijkant van een kantoorgebouw een scherm te zien met afwisselend de temperatuur – het was al zeventien graden – en de tijd. Halfnegen.

Ik kon me vaag herinneren hoe ik de rest van mijn avond had doorgebracht. Nadat ik tot de conclusie was gekomen dat ik waarschijnlijk te dronken was om bij Christopher Ellis op bezoek te gaan, had ik het probleem nog erger gemaakt door meer te drinken, en op een gegeven moment had ik ook naar andere posts op die website gekeken. Niet alleen die van Ellis. Ik had op min of meer willekeurige onderwerpen geklikt. Ik wist niet eens waarom ik daarmee begonnen was, maar hoe langer ik keek, des te moeilijker het werd ermee op te houden.

Het laatste wat ik zag was een videoclip van zes soldaten in Tsjetsjenië. Ze lagen op hun buik in een veld, hun handen achter hun rug gebonden, met doorgesneden keel. Intussen was de kamer om me heen pikdonker geworden, waardoor het computerscherm zo fel was geworden dat het pijn deed aan mijn ogen. De alcohol bonkte in mijn hoofd, en iets anders gonsde in mijn borst. Ik had net weer iets ingeschonken, maar toen had een verstandig deel van mij gezegd dat ik genoeg had gezien en gedronken.

Meer dan genoeg, besefte ik nu.

Ik deed water in de kleine waterkoker van de hotelkamer en vond een zakje koffie. Terwijl ik wachtte tot het water kookte, voerde ik mijn eerste gesprek met mijn nieuwe mobieltje.

'Mike?' zei ik. 'Met Alex.'

'Hoe gaat het, man?'

'Goed,' zei ik.

'Mooi.' Op de achtergrond hoorde ik Josh huilen. Julie probeerde hem zachtjes tot bedaren te brengen. 'We hebben niets nieuws gehoord.'

'Dat had ik ook niet verwacht. Ik vroeg me alleen iets af. Heb je een paar uur vrij?'

Mike zweeg. Ik stelde me voor dat hij met enige tegenzin door zijn voorkamer keek, maar hij wilde natuurlijk geen nee zeggen. Dat woord was hem altijd al moeilijk over de lippen gekomen.

'Nou, ik moet eigenlijk om tien uur naar James.'

James. Ik dacht aan het bloed dat Mike en ik de vorige dag in de keuken hadden gezien en vroeg me af hoe hij het kon opbrengen om naar James toe te gaan.

'Geen probleem,' zei ik.

'Wat ben je van plan?'

'Ik wilde alleen een lift naar Wrexley, maar ik kan ook een taxi nemen.'

Hij dacht even na. 'Dat is niet ver. Ik red het wel als we gauw vertrekken. Ik kan over twintig minuten bij je zijn.'

Zoals ik me voelde, was twintig minuten veel te kort.

'Twintig is prima. Dank je,' zei ik.

We spraken af dat hij me aan de achterkant van het station zou oppikken. Toen ik had opgehangen, keek ik door de kamer naar de laptop, die was uitgezet, maar nog open op de tafel stond.

Weet je wel wat je doet?

De waterkoker leidde me van die vraag af door onder een wolk van damp met een klik uit te gaan. Ik had niet veel tijd. Ik schonk de koffie in en liep naar de douche.

Om halftien zette Mike me in Wrexley af. Onderweg hadden we niet veel tegen elkaar gezegd. Ik kreeg de indruk dat Julie erop tegen was dat haar vriend diensten bewees aan iemand die het recht had verspeeld daarom te vragen, maar als dat zo was, bracht hij het niet ter sprake. Hij wilde wel weten waar ik heen ging en waarom. Ik vertelde hem zoveel als ik kon.

'Goh, Alex,' zei hij. 'Misschien moeten we naar de politie gaan.'

'En wat moeten we dan zeggen? Het is alleen maar iets waar Sarah aan werkte, en ik wil weten wat het was. Die man, die Ellis, is alleen maar een van de freaks met wie ze praatte. Ik zou de politie niets kunnen vertellen.'

'Maar als hij nu eens gevaarlijk is?'

Ik haalde mijn schouders op. 'De notities liggen in mijn hotelkamer. Zijn adres is daar ook. Dat kun je aan de politie geven als mij iets overkomt. Maar dat gebeurt niet.'

Mike zweeg even.

'En je gaat geen stomme dingen doen?'

'Nee.'

Ik wist niet precies wat ik ging doen. Slaap en daglicht hebben de neiging al die nachtelijke ideeën uit je hoofd te verdrijven, en het kostte me moeite te geloven dat Ellis echt achter de verdwijning van Sarahs lijk zat. Aan de andere kant moest íémand erachter zitten. Ik was van plan hem voor te leggen wat ik wist en na te gaan wat hij te zeggen had. Dat was alles.

Ik keek uit het raam naar de straten die aan me voorbijtrokken.

Toch was ik de opwinding niet vergeten die ik had gehoord toen hij mijn vrouw zag sterven. Of de woorden die hij in het forumonderwerp voor haar had gebruikt: Bitch aan flarden.

'Nee,' zei ik opnieuw. 'Ik ga geen stomme dingen doen.'

Ellis woonde in een groot, laag huizenblok aan de rand van de stad. Het bestond uit vier gebouwen met een plein ertussenin. Mike zette me in het midden af. Voordat hij wegging, liet hij me beloven hem te bellen als ik klaar was.

'Doe ik.'

'Het is je geraden,' zei hij. 'Ik heb nu je nummer.'

'Dan weet ik later van wie ik die obscene telefoontjes krijg.'

Hij grijnsde. 'Pas goed op jezelf.'

Nadat hij was weggereden, liep ik over het plein. Ik kwam langs een vervallen speelterrein van beton. De roestige kettingen van de schommels waren om de metalen stijlen geslagen, en de zitjes hadden geelbruine vlekken van sigarettenpeuken die in het plastic waren uitgedrukt. De woningen zelf zagen er ook al niet florissant uit. Ze waren spierwit geverfd, maar dat benadrukte alleen maar hoe lelijk ze waren. Elke verdieping had een galerij en leek haar ogen dicht te knijpen tegen bezoekers. Zelfs de zon wilde hier niet goed doordringen: hij viel schuin in en wierp een dunne, gebroken scherf op het achterste gebouw.

Het was erg stil, maar ik was niet helemaal alleen. In een nis aan de andere kant van het plein hing een stel tieners rond. Ze stonden naar mij toe gedraaid en hun gezichten waren nauwelijks zichtbaar in de capuchons. Op drie hoog aan die kant stond een man – die vreemd genoeg een pak en zonnebril droeg – op een balkon voor zich uit te staren.

Ik liep naar gebouw C en nam de trap. De muren waren bedekt met een collage van zwarte markeerstiftkrabbels. Je kon het eigenlijk geen graffiti noemen. Volgens Sarahs notities woonde Ellis op de bovenste verdieping. Mijn voetstappen galmden enigszins over de treden: *tsjit tsjit tsjit*, als een bezem die over het beton werd gehaald.

Op de galerij was het verrassend koud. Hij was net open genoeg om de wind door te laten. Aan het eind hing er wapperend wasgoed dwars overheen. Ellis' voordeur bevond zich op de helft en keek uit op het plein, naast een verborgen rooster van draadgaas over een vettig raam.

Ik klopte op de deur en wachtte.

Binnen was een vluchtige beweging te zien. Even later had ik de indruk dat iemand door het kijkgaatje naar me tuurde.

En toen was er niets meer.

Het was duidelijk dat er iemand binnen was.

'Hallo?' Ik klopte opnieuw aan. 'Christopher Ellis?'

Er volgde weer een stilte, en toen nam degene die binnen was een besluit. Ik hoorde het ratelen van een ketting die werd weggehaald, en toen ging de deur krakend open. Een jonge vrouw deed open. Ze droeg een trainingsbroek en een zwarte naveltrui, en de huid van haar gezicht was even strak naar achteren getrokken als het dunne haar dat ze in een staart droeg.

'Hij is er niet,' zei ze.

'Maar hij woont hier wel?'

'Ja.' Ze snoof en klungelde wat met een shagje en een aansteker. 'Blijkbaar wel.'

Ik was een beetje verbaasd. Vanwege zijn interesses had ik verwacht dat Ellis alleen woonde. Het betekende ook dat als hij Sarah echt was gevolgd en haar lichaam had weggenomen, hij het waarschijnlijk niet hierheen had gebracht. Alleen al niet omdat hij het dan drie trappen op had moeten sjouwen.

'Bent u zijn vrouw?'

Ze keek me sarcastisch aan, en ik begreep het. Vriendin misschien, maar niet al te blij met die regeling.

Ze stak het shagje aan.

'Wat wilt u van hem?'

'Niet veel. Een praatje maken.'

'Is hij u geld schuldig? Want dan kunt u het wel schudden. Hij heeft niets.'

'Het gaat niet om geld,' zei ik. 'Ik wilde alleen met hem over iemand praten. Een wederzijdse kennis.'

'O ja? Wie? Misschien is het ook een wederzijdse kennis van mij.'

'Sarah Pepper.'

De vrouw hield haar hoofd schuin als een roofdier dat iets in de struiken heeft gehoord. Niet omdat ze de naam herkende, maar omdat het een vrouwennaam was.

'Wie is het?'

'U kent haar misschien niet,' zei ik. 'En ze was ook geen vriendin van hem of zo. Ze was journaliste. Ze kwam hem interviewen voor een artikel, waarschijnlijk in april of daaromtrent.'

'Ja. Over zijn computerdingen?'

'Misschien,' zei ik.

'Ja, dat weet ik nog wel.' Ze snoof, wreef over de zijkant van haar neus en keek toen naar het brandende uiteinde van haar sigaret. 'Ze gingen naar de werkkamer. Maar ik weet niet waar ze het over hadden. Ik wil niks te maken hebben met die shit van hem. Ik wil het gewoon niet weten.'

Het viel me op dat ze een bepaald woord had gebruikt.

'U had het over "ze"?'

Ze keek me met gefronste wenkbrauwen aan.

'Ja, een vrouw en een man. Daar hebt u het toch over? Ze had rood haar. Van hem weet ik het niet meer. Kaalgeschoren, geloof ik.' Ze maakte haar schouders en borst groot. 'Type gorilla, weet u wel?'

Dat was beslist Sarah geweest, en het klonk ook als James. Dat laatste verbaasde me. In zekere zin was het wel begrijpelijk dat Sarah mijn broer had meegenomen toen ze met Ellis ging praten: per slot van rekening liet ze zich in met vreemde mensen. Maar er moest iets tussen hen zijn gekomen – iets waardoor Sarah hem had verlaten, maar wat hem ook rancuneus en woedend genoeg had gemaakt om door het lint te gaan. Ik had gedacht dat het door haar obsessie was gekomen, maar als James daar ook bij betrokken was, zou dat het niet zijn geweest.

'Dat zijn ze,' zei ik. 'Zeg, heeft Christopher nóg een adres of zo?'

'Ja, hij heeft een landhuis buiten de stad.' Ze mikte as langs me, naar de leuning van de galerij. Toen glimlachte ze zuur. 'Hij zal wel in The Duncan zijn, als u dat bedoelt. Geld wegsmijten dat we niet hebben.'

'The Duncan?'

'Het café. In de hoofdstraat daar.'

Ik keek op mijn horloge. 'Is het nu open?'

'Het is altijd open. Ik zou er zelf heen gaan om hem daar weg te slepen, maar waarom zou ik die moeite doen?'

'Evengoed bedankt. Hoe herken ik hem?'

Gezien de omstandigheden was dat een vreemde vraag, maar ze knipperde niet eens met haar ogen. Misschien was ze het wel gewend dat volslagen vreemden op zoek naar hem waren, of misschien kon het haar niet schelen.

'Magere vent. Rossig. Zo'n vijftig jaar jonger dan alle anderen daar.'

'Dank u.'

Ze draaide zich om en zei min of meer in zichzelf: 'Tenminste, aan de buitenkant.'

17

In de hoofdstraat zag ik The Duncan bijna over het hoofd. Ik liep er al voorlangs toen ik besefte dat ik er was.

Het gebouw zelf was erg oud en maakte een vervallen indruk. Het zag eruit alsof het ooit een voornaam klein hotel was geweest, maar daar was niets meer van over dan een afgebrokkelde voorgevel met trieste, lege bogen. Er hing een bord met TE KOOP onder het dak, maar dat was zo versleten en gehavend dat het net zo oud leek als het gebouw. Twee deuren leidden naar binnen, en de borden daarboven waren niet meer dan houten planken waarin de naam was gesneden. Als ik er niet naar had uitgekeken, zou ik hebben gedacht dat het een leegstaand pand was.

Ik trok een van de deuren open en liep naar binnen. Een walm van muffe tabak en whisky kwam me tegemoet.

Het was één grote ruimte, een rommelig en vuil geheel met hier en daar een zuil. De vloerbedekking was kaal en vies, en de lucht was benauwd van de blauwgrijze rook die boven de tafels kringelde. Blijkbaar werd het rookverbod hier niet al te serieus genomen. De tapkast stond langs een van de muren, verlicht door de knalgroene lampen in de bierpompen, terwijl de rest van de ruimte in een zwak licht gehuld was dat het hele café, van vloer tot plafond, een naargeestige oranje weerschijn gaf.

Ik liep regelrecht naar de tapkast, bestelde een cola en keek om me heen. Het café was verrassend vol, al kon ik meteen aan de bezoekers zien dat ze hier waarschijnlijk alle dagen zaten. Voor de vermoeid kijkende barkeeper zouden ze even vertrouwd zijn als het meubilair en de lampen, in tegenstelling tot mijn bestelling van een cola. Een stel bouwvakkers met werkschoenen en in truien vol verfspatten stond aan de tapkast. Ze hieven schuimige bierglazen en blaften van het lachen. Afgezien van hen bestond de cliëntèle bijna geheel en al uit oude mannen in stoffige, oude pakken. De meesten zagen eruit alsof ze al dood waren en hier alleen nog maar als geesten rondhingen. Ze zaten voor het merendeel in hun eentje aan een tafel en staarden in hun glas.

Ik zag Ellis bijna meteen. Hij zat helemaal aan het eind, waar een bank de muur volgde tot in de nissen. Op de tafel voor hem stond een halfleeg glas lagerbier.

Hij was niet veel ouder dan ik, maar leek dat wel. Hij was ook pijnlijk mager. Het goedkope, witte overhemd was te groot voor hem, en de wijde mouwen waren opgestroopt tot bij de elleboog, zodat je zijn sproetige onderarmen kon zien, die even dun waren als zijn polsen. Zijn haar was kortgeknipt en er zaten al flinke inhammen in. Hij keek naar zijn handen en pulkte telkens aan een nagel. Zijn lippen bewogen enigszins. Hij praatte niet in zichzelf, maar het scheelde niet veel.

Ik pakte mijn cola op en liep naar hem toe.

Je gaat toch geen stomme dingen doen?

Deze man was erbij geweest toen Marie stierf. Als hij iets had geroepen – haar aandacht had getrokken –, had ze het misschien niet gedaan. In plaats daarvan had hij meteen zijn mobieltje gepakt. Dit moest ik laten zien! Alsof hij een jager was en haar dood een trofee die hij aan de muur kon hangen.

Ik bleef voor hem staan. De ijsblokjes in mijn glas rinkelden.

'Christopher?'

Hij keek geschrokken op.

Zijn ogen waren heel klein, en zijn neus was groot en gebogen. Hij zag er zo mager, bleek en droog uit dat hij me aan een hagedis deed denken.

'Christopher Ellis?'

'Wie ben jij?'

Die woorden waren ongelukkig gekozen. Ze deden me denken aan een nachtelijke straat die om me heen tolde; regen die op straatstenen kletterde. Sarahs gezicht toen ze de deur opendeed.

Alex, wat is er?

En ik besefte dat ik iets stoms ging doen.

Er moest iets op mijn gezicht te zien zijn geweest, want voordat ik iets kon doen, pakte Ellis zijn glas op en gooide het naar me toe. Instinctief deed ik mijn ogen dicht en bracht mijn arm omhoog, op het moment dat de koude vloeistof over mijn gezicht en borst spatte. Het glas ging tenminste mis en sloeg ergens achter me kapot. Ik deed mijn ogen net op tijd open om Ellis langs me te zien rennen. Mijn voet gleed weg en ik viel op de vloer.

'Verdomme.'

Ik keek om me heen. Hij was al halverwege door het café, op weg naar een van de uitgangen. Om de een of andere reden waren alle anderen in het café opgehouden met wat ze aan het doen waren.

Ik krabbelde overeind.

'Hé!' riep de barkeeper.

We negeerden hem allebei. Ellis gooide de deur zo hard open dat hij bijna uit zijn scharnieren vloog, terwijl ik door het café rende om hem te pakken te krijgen. Een van de bouwvakkers aan de tap kwam aarzelend in mijn richting, en ik stuurde hem met opgeheven handpalm weg – 'Rot op' – en dreunde tegen de terugklappende deur aan.

Ik tuimelde zo'n beetje het trottoir op.

Ik keek naar rechts en links en zag Ellis door de straat verdwijnen.

Ik rende achter hem aan, maar hij was snel. Zijn lange benen stampten over de stoeptegels alsof hij voor zijn leven rende. Ik deed mijn best om hem bij te houden, maar hij was sneller dan hij eruitzag en de afstand werd groter.

'Ellis! Ik wil alleen maar praten!'

Blijkbaar was dat niet overtuigend. Hij ging de volgende hoek om en verdween uit het zicht. Ik kwam daar even later aan en zag hem halverwege het blok een steegje met kinderhoofdjes in duiken, aan de rechterkant van de straat en onder een roetzwart viaduct. Ik rende erheen en zag hem nog net voorbij een afvalcontainer opzij rennen. Ik rende er ook omheen en kwam in een smaller, donker steegje met een spinnenweb van vuile, metalen brandtrappen.

Beng!

Ellis gooide onder het rennen een metalen vuilnisbak om. Het ding rolde achter hem door het steegje en kwam vlak voor me tegen de muur tot stilstand.

Ik sprong eroverheen. Landde op beide voeten.

Hij keek met puur afgrijzen over zijn schouder, dook toen onder een steiger door en verdween om een volgende hoek. Een fladderend stuk plastic sloeg tegen mijn arm toen ik achter hem aan rende.

Ik kwam nu bij een grote, open, betonnen ruimte. Zo te zien was hier een fabriek gesloopt. De grond was geschroeid en zat vol kuilen en bulten. Ellis rende er schuin overheen, op weg naar een opening in de draadgazen omheining in de achterste hoek. Toen ik achter hem aan sprintte, knerpten glasscherven en roestige moeren onder mijn schoenen. Ik hoorde de omheining een *ping*-geluid maken toen hij erdoorheen klauterde, en toen verdween hij naar rechts.

Enkele seconden later werkte ik me door het scherpe draadgaas heen en kwam op een zandpad langs een kanaal.

Het was leeg. Ellis was weg.

Mijn hart bonkte.

Het zandpad was minstens honderd meter zichtbaar, en zo ver kon hij niet zijn gekomen. Het troebele water was onverstoord. Ik luisterde aandachtig. Het was hier zo stil dat ik de muggen meende te horen die over het wateroppervlak scheerden.

Langzaam aan. Denk na.

Ik liep een eindje. Toen ik voorbij de omheining was gekomen, stond er een twee meter hoge betonnen muur met gebroken flessenglas op de bovenrand. Geen bloed, geen flarden van kleding: hij was er niet overheen gegaan. Maar na de muur liep het pad langs een stuk bos. De bomen verhieven zich recht en fier uit een wirwar van braamstruiken en kreupelhout. Het leek ondoordringbaar, maar ik nam aan dat Ellis hier van het pad af was gegaan.

Hij was nergens te zien, maar ik kon ook niet erg ver in dat bos kijken. Ik luisterde opnieuw en hoorde nog steeds niets. Als hij daar ergens bewoog, deed hij dat heel voorzichtig. Maar misschien was hij weggedoken en hield hij zich stil.

Ik zette een stap het bos in. Mijn hart bonkte nog, en in mijn beenspieren kreeg ik een branderig gevoel.

'Ellis?'

Een paar vogels stoven op uit de bomen.

'Ik wil alleen maar praten.'

Geen antwoord. Ik liep door de struiken, zoekend naar een witte vlek van zijn overhemd tussen al dat groen. Ik keek zelfs omhoog in de bomen. Niets. Als hij zich schuilhield, had hij een goed hol gevonden om in weg te kruipen. Maar toen ik me nog geen minuut door de struiken had geworsteld, kwam ik bij een helling die omhoogleidde naar een straatje en besefte ik dat hij waarschijnlijk allang weg was.

Shit.

Ik was hem kwijt.

Ik ging aan de rand van de straat staan en steunde op mijn knieën. Mijn hart maakte duidelijk dat het zelf wel bepaalde in welk tempo het tot bedaren kwam. Al was het frustrerend dat Ellis was weggekomen. Ik verbaasde me over zijn reactie. Waarom had hij dat glas naar me gegooid? Misschien had ik geërgerd gekeken, maar evengoed leek het me een extreme reactie. En daarna had hij met een doodsbange blik naar me omgekeken.

Ik liep een eindje de straat in en kwam op de grotere straat terug.

Nou ja, ik weet tenminste waar je woont, stomme rotzak.

Ik liep de straat in, hopelijk in de juiste richting. Plotseling trilde er iets in mijn zak. Het was Mike die me belde, maar toen ik op mijn horloge keek, zag ik dat het nog maar net tien uur was geweest. Hij moest eerder bij mijn broer vandaan zijn gegaan dan hij had verwacht. Ik hield onder het lopen mijn telefoon tegen mijn oor.

'Hé.'

Zijn stem klonk opgewonden, gejaagd. 'Alex? Alles goed?'

'Ja. Niets aan de hand.'

'Hoe ging het met Ellis?'

Ik streek met mijn hand door mijn haar en keek de straat in.

'Ik kon geen vat op hem krijgen,' zei ik. 'En jij?'

'Ik weet het niet.' Hij klonk alsof hij nog meer hijgde dan ik. 'Maar ik heb James naar hem gevraagd. Naar die Ellis.'

'Wat?' Ik bleef abrupt staan. Liep toen weer door. 'Laat maar. Wat zei hij?' vroeg ik.

'Hij zei dat hij nooit van hem had gehoord.'

'Hij liegt.'

'Toch was het vreemd. Hij werd heel kwaad toen ik zei dat jij terug was.'

'Dat is niet vreemd.'

'Nee, maar hij klapte dicht. Hij gedroeg zich opeens heel anders. Ik weet het niet, het leek wel of hij... of hij betrapt was op iets.'

Ik vond dat ook niet vreemd, gezien de slechte verstandhouding tussen mijn broer en mij. Ik kon me wel voorstellen dat hij het helemaal niet leuk vond dat ik terug was.

'Zei hij verder nog iets?'

'Hij zei dat het allemaal jouw schuld was.'

'O ja?'

Zelfs voor mijn broer ging dat ver. Het was tot daaraan toe dat ik me tot op zekere hoogte schuldig voelde omdat ik tegenover Sarah was tekortgeschoten, maar ik liet me niet nog meer schuldgevoelens aanpraten door hem. Wat ik ook mocht hebben gedaan, James was potdorie zelf verantwoordelijk voor wat hij had gedaan.

'Ja. Hij zei dat ik je naar een zekere Peter French moest vragen. Zegt die naam je iets?'

'Nee,' zei ik.

Maar ik bleef wel meteen staan.

Een ogenblik stond ik daar alleen maar en voelde het bonken van mijn hart. Die naam had ik in lange tijd niet gehoord.

'Wat zei hij over hem?'

'Ik moest je naar hem vragen, zei hij. En ook over een brief. Hij wilde weten of je hem al had gevonden. Wat betekent dat?'

Ik dacht daarover na. Ik kon maar één brief bedenken, en dat was de brief die ik Sarah had gestuurd voordat ik wegging, maar ik kon me niet voorstellen dat die nu van betekenis was. J is kwaad op je omdat je bent weggelopen. Was dat het? Nam hij het mij kwalijk dat ik Sarah in de steek had gelaten, zodat ze de dingen die ze uiteindelijk ontdekte in haar eentje moest afhandelen?

'Ik weet het niet,' zei ik. 'Wat nog meer?'

'Hij was heel kwaad. Ken je een plaats die de Chalkie heet?'

Ik fronste mijn wenkbrauwen. 'Hoezo?'

'Ik moest tegen je zeggen dat je daarheen moet gaan.'

Mike zweeg even.

'Hij zei: "Om te zien wat hij heeft gedaan."'

18

Toen er voor de tweede keer die ochtend op de deur werd geklopt, vloekte Mandy Gilroyd op haar vriendje. En dat niet voor de tweede keer. Alsof ze niet al genoeg rottigheid aan haar hoofd had door hun geldgebrek, werd nu blijkbaar ook van haar verwacht dat ze voor zijn secretaresse speelde. Jezus, wat een schoft was hij toch. Hij verdronk zijn verdriet, wat dat ook voor verdriet mocht zijn, en liet haar hier achter om... boodschappen voor hem aan te nemen. Ze wist niet wat hij zich daarbij voorstelde, maar er zou een eind aan moeten komen.

'Wacht even,' riep ze. 'Shit.'

Ze liep door de voorkamer. Het was daar een puinhoop. Natuurlijk verwachtte Chris dat ze ook nog het huishouden voor hem ging doen. Er stonden zes lege, groene blikjes op de kleine tafel, waarvan een op zijn kant, als een soldaat die was neergeschoten; een halve currymaaltijd van een afhaalrestaurant, gestold in een bak van aluminiumfolie; twee asbakken boordevol peuken – al waren die voor een deel van haarzelf.

Mandy voelde zich eigenlijk nooit geroepen de boel op te ruimen, behalve in de paar seconden nadat iemand had aangeklopt. Omdat het dan toch niet meer lukte, werd ze altijd kwaad. De schoft. Ze vertikte het om haar drankje neer te zetten en schopte Chris' trui min of meer naast de bank, waar hij met de mouwen om een houten poot bleef liggen.

Klop klop klop.

'Ik zei: wacht even.'

Ze liep om de salontafel heen naar de deur.

'Jezus.'

Ze haalde de ketting eraf en deed de deur open. Er stond een man in een pak, zijn contouren scherp in het zonlicht. Hij keek over de galerij, maar wendde zich toen tot haar en glimlachte. Hij was in de vijftig en had een vriendelijk gezicht, maar die glimlach was professioneel en ze had al genoeg van dat soort kerels meegemaakt om te weten wat hij was.

'Een smeris,' zei ze. 'Geweldig.'

'Mevrouw Gilroyd?'

'Wat heeft hij nu weer gedaan?'

Ze had daar meteen spijt van. Natuurlijk had ze haar problemen met Chris, maar dit was de politie. Een gemeenschappelijke vijand. Voor het eerst die ochtend kon ze enige solidariteit met haar vriendje opbrengen. Ze trok een hard gezicht en sloeg haar armen over elkaar. Ze vergat de mok die ze in haar hand had en morste daardoor een beetje koffie met wodka op het deurkozijn.

De politieman glimlachte nog steeds, al wist ze dat hij het had gezien.

'Dat is duidelijk te zien, hè?' zei hij. 'Hier.'

Hij haalde zijn portefeuille tevoorschijn en liet haar zijn legitimatiebewijs zien. Rechercheur David Garland.

Ze zei niets.

'Mag ik binnenkomen?'

Mandy haalde haar schouders op – mij best –, draaide zich toen om en liep de huiskamer in. Ze wist uit ervaring dat het geen zin had om tegen te stribbelen. Garland begreep wat ze bedoelde en volgde haar naar binnen. Hij deed de deur achter zich dicht.

'Is Christopher thuis?'

'Nee.'

'Verwacht u hem gauw terug?'

'Waarom vraagt u me dat?'

Ze draaide zich om en verwachtte dat hij zich ergerde aan haar toon, maar blijkbaar had hij daar niets van gemerkt. Hij keek haar niet eens aan. In plaats daarvan liep hij naar de boekenkast en keek nieuwsgierig naar een paar boeken van Chris. De bovenste plank. Garland streek met zijn vinger over de ruggen. Mandy wist wat het voor boeken waren. Een jaar geleden had Chris haar er een van laten zien, alsof het een uitdaging was. Ze had toen haar schouders opgehaald. Daarna had ze er niet meer in gekeken.

'Mooie verzameling,' zei Garland.

'Ze zijn niet van mij.' Mandy sloeg haar armen weer over elkaar en dacht deze keer aan de mok. 'Wat wilt u?'

'Hebt u van een zekere Roger Timms gehoord?'

'Nee.'

Garland keek haar ongelovig vanaf de andere kant van de kamer aan.

'Kijkt u niet naar het nieuws?'

Ze haalde haar schouders op. 'Nooit van gehoord.'

'Kent Chris hem?'

'Ik weet het niet. En zoals ik al zei: Chris is er niet.'

'Nou, ik kan wachten.' Garland liep door de kamer naar haar toe. 'O ja, wie was hier eerder aan de deur?'

'De deur?'

Plotseling leek hij niet zo vriendelijk meer. Er ging een huivering door haar heen. Er klopte hier iets niet. Maar hij wás toch van de politie? Dat legitimatiebewijs had eruitgezien als... nou, als een legitimatiebewijs.

Hij stond nu vlak voor haar.

'Wat wilde hij?'

Je hebt een fout gemaakt.

'Ik weet niet... wat?'

Garland glimlachte alleen maar. Alles bleef even stilstaan, en toen gooide Mandy haar mok naar hem toe en probeerde ze langs hem te glippen. Ze was zich er vaag van bewust dat hij bewoog, en toen tolde de kamer om haar heen en lag ze op haar rug op de bank. Ze keek naar het plafond. Het leek wel of ze zo'n 3D-brilletje van vroeger droeg: door een van haar ogen zag ze rood. Ze knipperde ermee, en het deed pijn.

Hij doemde boven haar op, groot als een standbeeld, en keek met een strak gezicht op haar neer.

Aan zijn zij had hij – heel losjes, alsof hij er pas op het laatste moment aan had gedacht – een pistool.

Garland doorzocht de woning van Christopher Ellis snel en systematisch. Omdat hij de schade al had beoordeeld – niemand had hem zien komen, hij had Gilroyd geluidloos in bedwang gekregen, en de ketting zat op de deur voor het geval Ellis terugkwam –, wist hij dat hij geen haast hoefde te maken. Toch ging hij graag zo efficiënt mogelijk te werk. Tijd was kostbaar: net als met eten en water wist je nooit wanneer je er gebrek aan kon krijgen. Hij nam de tijd zelfs nog serieuzer als iemand anders ervoor betaalde.

Hij doorzocht de laden en kasten in de huiskamer en bekeek elk afzonderlijk papier. Langzaam maar zeker verzamelde hij uitdraaien, bankafschriften en andere papieren waarvan hij dacht dat ze belastend konden zijn, en maakte er een stapel van op het midden van de huiskamervloer. Vertrouwelijkheid.

Alle zaken, wist Garland, waren onder de oppervlakte hetzelfde. Iemand verkocht een voorwerp en iemand kocht het – niet altijd een voorwerp, en niet altijd met geld, maar in principe was elke zakelijke transactie zoiets als een aankoop bij een marktkraam. Het bedrijf waarvoor Garland werkte was niet anders. Alleen stond de kraam in een donkere hoek van het plein en voltrokken de transacties zich in het donker.

Om problemen op te lossen had de organisatie schoonmakers in dienst. Het waren mannen die van nature geschikt waren voor zulke taken: meestal ex-soldaten of huurlingen die intelligent en professioneel waren en er – zo nodig – geen moeite mee hadden iemand uit de weg te ruimen.

Problemen als Christopher Ellis.

Mannen als Garland.

Nadat hij de huiskamer had doorzocht, ging hij naar de kleine logeerkamer die Ellis als werkkamer gebruikte. In het voorbijgaan keek hij even bij Amanda Gilroyd. Ze lag op haar zij op het bed, haar handen en voeten geboeid, met in haar mond een samengepropte handdoek die strak om haar hoofd was gebonden. Ze hield zich stil.

Goed.

Op het persoonlijke vlak had Garland medelijden met de vrouw. Ze had maar één fout gemaakt: ze had het aangelegd met de verkeerde man. Wat er vandaag met haar zou gebeuren, stond in geen enkele verhouding tot dat specifieke delict. Hij had gezien dat ze zich afvroeg waarom dit gebeurde. Garland had die reactie al vaak gezien. Mensen geloofden echt dat de wereld op dat niveau functioneerde. Ze waren gewend aan de lichte golf van kleine hoogte- en dieptepunten in het alledaagse leven, en daarom schrokken ze vaak enorm als de grafiek opeens steil omlaagging.

Evengoed was ze tegemoetkomend en behulpzaam geweest en had ze hem met een zachte maar vastbesloten stem alles verteld wat hij moest weten. Ze had zichzelf ervan overtuigd dat ze in leven zou blijven als ze met hem meewerkte. Garland had die reactie ook vaker meegemaakt.

Hij verliet de slaapkamer en ging naar de werkkamer. Hij was nog maar twee weken geleden in het land aangekomen – met een privévliegtuig op een particulier vliegveld geland – en had de tussenliggende tijd besteed aan bestudering van de situatie hier. Enkele gebeurtenissen hadden hem gedwongen eerder in actie te komen dan eigenlijk zijn bedoeling was geweest, maar evengoed: hij had er alle vertrouwen in gehad dat hij alles nu onder controle had en dat zijn taak er bijna op zat als hij klaar was met Ellis.

Maar nu was er die raadselachtige man.

Die kwam hier opdagen en vroeg naar Sarah Pepper.

In de loop van de jaren was Garland eraan gewend geraakt de beschikbare feiten af te wegen en berekeningen te maken, en hij wist heel goed dat de man een probleem was. Diens komst was het antwoord geweest op een van de weinige vragen die Garland nog had, maar stelde hem ook voor een aantal nieuwe vragen.

Voorlopig wilde hij daar niet aan denken. Dat had geen zin. Amanda Gilroyd wist duidelijk van niets en het zou dus ook onproductief en onredelijk zijn om met haar te praten. Ellis was nog niet thuis. Daarom moesten die vragen wachten.

Hij deed het licht in de logeerkamer aan.

Het was meer een schrijn dan een werkkamer: een tempel voor Ellis' obsessie. Garland keek naar de voorwerpen die daar lagen. Hij nam de bijzonderheden in zich op en beoordeelde ze. Op zichzelf waren ze voor hem niet van belang, alleen als potentiële geldbedragen. Zoals met alle zaken het geval was, haalde je zo veel mogelijk binnen.

Een ingelijste reproductie van *Schande* van Roger Timms nam een ereplaats in boven Ellis' bureau. Het was het tweede schilderij van de Gehenna-serie – berucht en zeer gewild in bepaalde verlichte kringen –, maar een reproductie was niets waard. Burgerlijke mensen hingen ze aan de muur. Een duivelsmasker in een glazen vitrinekastje was waardevoller, dacht hij, maar het zat vastgeschroefd en was moeilijk te verplaatsen.

Ellis had ook de gebruikelijke brieven verzameld, de meeste met gevangenisadressen in de hoek. Haarlokken. Flesjes bloed. Kinderlijke tekeningen. Garland herkende enkele namen, maar zag niets van waarde. Afgezien van het masker waren dit de trofeeën van een amateur.

Hij ging aan het bureau zitten en startte Ellis' computer, in de hoop dat de informatie gemakkelijk te vinden was. Dat was inderdaad het geval. Vijf minuten later had hij op verschillende plaatsen ingelogd en de nodige dingen vernietigd. Toen hij er zeker van was dat de onlinebestanden waren verwijderd, haalde hij een usb-stick uit de zak van zijn jasje, stopte hem in de achterkant van de computer en opende de inhoud op het scherm. Binnen een minuut hadden de programma's op de stick zich door Ellis' gegevens heen gewerkt en alles verwoest en onleesbaar gemaakt.

Bijna klaar.

Nu moest hij alleen nog in de laden naar nog meer papier zoeken: alles wat hij aan de kleine brandstapel in de huiskamer kon toevoegen.

Garland was daar net mee bezig toen hij hoorde dat de voordeur openging en tegen de ketting kletterde.

'Mandy? Wat krijgen we nou – doe open.'

Een mannenstem. Ellis kwam thuis.

Garland duwde de lade dicht, keek met gefronste wenkbrauwen naar zijn pistool en liep toen zachtjes naar de huiskamer om de man binnen te laten.

19

Ik weet niet waarom de oudere kinderen het de Chalkie noemden. Chalk was krijt, en misschien dachten ze dat het deel uitmaakte van de oude groeve. Die lag ten zuiden van Whitrow, dicht bij de bocht in de rivier, maar de Chalkie bevond zich aan de andere kant van een klein weggetje, verscholen tussen de bomen. Je klom over een roestig, oud hek en volgde een vaag paadje door de struiken, zonder ooit precies te weten of je in de juiste richting ging of niet. Uiteindelijk verschenen de verweerde, vervallen gebouwen geleidelijk tussen de bomen. Ze doemden een voor een op, als brokstukken van een verwoeste tempel.

Ik wist niet wat het voor gebouwen waren geweest voordat het bos het terrein weer had ingenomen. Van de oorspronkelijke bouwwerken was alleen nog een zwartgeblakerd dak over, dat een heel eind boven de grond hing op vier enorme, eveneens zwartgeblakerde balken, als de tafel van een reus. Er waren ook drie overwoekerde bunkers: weinig meer dan deuropeningen die naar smalle gangen vol regenwater en pikzwart puin leidden, met hier en daar stralen licht uit luchtgaten in de grond erboven. Grote houten blokken stonden op verweerde zuilen, met metalen ladders aan de zijkanten, al was er daarboven niets wat het de moeite waard maakte ze te beklimmen.

Een generatie kinderen had dit alles in bezit genomen en doorgegeven aan de volgende generatie. Elk stenen oppervlak was bedekt met oude graffiti, kapot glas of as en verbrand krantenpapier. Mijn broer ging hier altijd met andere tieners heen. Ze dronken, rookten wiet, hadden seks en vochten.

Op mijn vijftiende, toen ik nog niet oud genoeg was – en anders zou James me toch niet hebben uitgenodigd – ging ik er op een avond ook heen. Ik weet niet waarom. Misschien had ik het idiote idee dat ik er recht op had: als mijn broer daar mocht komen, mocht ik het ook.

Het regende die avond hard, een sissende regen die op de bladeren boven me trommelde en de donkergroene struiken liet glanzen. Ik hoorde mijn broer en zijn vrienden al voor ik hen zag. Het eerste wat ik hoorde, was iemand die juichte in de verte – en toen gekletter van glas, gevolgd door een collectief gejoel. Iemand anders, een meisje, schreeuwde en vloekte. Toen liet iemand een boer en galmde de lach van een paar mensen tussen de bomen.

'Hé!'

Een mannenstem. Ik was nog uit het zicht, maar het woord drong als een speer tot me door. Vol dreiging.

Toen hoorde ik het opnieuw.

Ik bleef aan de rand van het bos staan. Het was natuurlijk James. Hij stond op de rand van de betonvloer, leunend tegen een van de zuilen, en schreeuwde tegen de wereld. Het licht van het kampvuur achter hem flakkerde tegen de zijkanten van zijn gezicht en liet iets zien van de woede die hij in zich had. Zo te zien concentreerde hij zich op iets. Hij verzamelde razernij alsof het magie was.

Er kletterde weer glas.

Bij het vuur zag ik alleen vormen en silhouetten: schaduwen die tegen de achtermuur flakkerden. Iemand gooide iets en de vonken vlogen omhoog. In het licht van het vuur leek het net of er twintig mensen dicht opeenstonden.

Mijn broer schreeuwde weer.

Ditmaal was het niet eens een woord, en het was ook niet voor iemand bestemd, in elk geval niet voor iemand die ik kon zien. Het was of hij probeerde iets tegen de bomen zelf te doen: ze omgooien met zijn stem. Jaren later, toen Marie stierf, had ik een soortgelijk gevoel, maar op die avond keek ik naar hem en begreep ik niet wat ik zag. Hij was een vreemde.

'Wat schreeuw je nou?' klaagde iemand.

'Laat hem maar. Hij is dronken.'

Iemand lachte, en James keek half achter zich. Hij stond op het punt iets te zeggen, maar zette in plaats daarvan een flesje bier aan zijn mond en nam een slok, waarna hij weer kwaad het bos in keek. Even later draaide hij zich in mijn richting en keek me in de ogen.

Ik denk dat hij me eerst niet herkende. Hij zag alleen een vreemde jongen die ongenood bij het kamp was verschenen en aan de rand was blijven staan. Maar toen hij besefte wie het was, werd zijn gezicht helemaal leeg. Hij zei niets en hoefde ook niets te zeggen, want ik voelde het in me. De regen trommelde overal om me heen op de bladeren, en ik wist het. Mijn broer haatte me. Hij haatte me om wat ik was en om wat hij niet was, en om misschien wel honderd andere redenen die we geen van beiden ooit zouden kunnen uitspreken.

Hij gooide doelgericht met het lege flesje, zo snel en hard dat ik amper de tijd had om het te ontwijken. Het ging evengoed een heel eind naast en raakte de boom naast me met een doffe klap, waarna het – ongebroken – in de struiken viel.

James keek teleurgesteld omdat hij mis had gegooid. Weer een teleurstelling erbij. Ik was er absoluut zeker van dat hij mij had willen raken, en als hem dat was gelukt, was dat me op een schedelfractuur komen te staan. Een ogenblik dacht ik dat hij op me af zou komen rennen, maar hij bleef daar alleen maar staan, een beetje schommelend op zijn benen.

Ik draaide me om en liep terug.

Pas een jaar later ging ik opnieuw, ditmaal met eigen vrienden, onder wie Sarah. Mijn broer ging toen al naar cafés, waar hij in een hoekje zat en niet zozeer met zijn stem als wel met zijn ogen schreeuwde. Hij was die avond zo dronken geweest dat ik me later afvroeg of hij het zich zelfs wel herinnerde.

Blijkbaar dus wel.

Zeg tegen Alex dat hij naar de Chalkie moet gaan, had hij tegen Mike gezegd.

Om te zien wat hij heeft gedaan.

Mike was een verstandige man. Nadat hij me in Wrexley had opgepikt, zei hij dat hij naar de politie wilde gaan. Ik was geen verstandige man en zei dus nee.

Toen hij bezwaar maakte en zei dat hij evengoed ging, wees ik hem op de hinderlijke waarheid dat hij niet wist waar of wat deze plaats was en hun dus ook niets zou kunnen vertellen. Ik stelde hem niet op de hoogte, maar gaf hem elementaire instructies. Met tegenzin ging hij op weg.

'Waarschijnlijk heeft het niets te betekenen,' zei ik.

Mike schudde zijn hoofd. 'Waarom zou het niets te betekenen hebben? En wou je me serieus vertellen dat je niet weet wie "Peter French" is?'

Ik zuchtte. 'Oké, dat was niet helemaal waar.'

'Wat?'

'Het spijt me. Ik was van die naam geschrokken.'

Toen ik die naam hoorde, was het net of James zijn hand had uitgestoken en mij stevig bij de voorkant van mijn overhemd had vastgegrepen. Alsof hij me woedend aankeek. Nu ik tijd had gehad om erover na te denken, dacht ik dat ik het begreep.

Mike wachtte tot ik het uitlegde. Dat was niet gemakkelijk, maar ik deed mijn best.

'Peter French,' zei ik, 'was Maries stiefvader.'

Dat was waarschijnlijk overdreven, maar het zat er dicht genoeg bij. Maries moeder was alcoholiste en klampte zich vast aan stompzinnige relaties met de verkeerde mensen. Ik geloof niet dat ze ooit met French getrouwd is geweest, maar hij hield het wel langer uit dan de meeste mannen die het huis in- en uitliepen. Maar ja, Marie was toen tien jaar oud, en hij had dus andere redenen om te blijven.

'Toen ze elf was,' zei ik, 'ging ze met haar moeder praten en vertelde haar eindelijk wat er aan de gang was. En die vrouw reageerde door Marie te vragen wat ze wilde dat ze deed. Wilde ze dat ze Peter French verliet? Die verrekte vrouw had het lef om haar elfjarige dochter te vragen die beslissing te nemen.'

En uiteindelijk zei Marie nee.

'Jezus.' Mike keek me aan. 'Dat heb ik nooit geweten.'

'Niemand wist het. Marie had goede en slechte dagen, maar het liet haar nooit helemaal met rust. Ik probeerde haar zo goed mogelijk te helpen, maar...'

Mijn stem stierf weg. Het was waar: dat ik het had geprobeerd, en dat het niet goed genoeg was geweest, al kon ik dat niet uitspreken. Als de depressie zich meester van haar maakte, was het of ze een stalen huls om zich heen had. Maar zelfs in betere tijden wist ik dat ze iets in zich had wat volkomen ondoordringbaar was voor alles wat ik zei of deed, en dat het altijd zo zou blijven.

'Maar James wist het?' zei Mike.

'Het was niet de bedoeling dat hij het wist. Ik vertelde Sarah erover in een brief.'

Ik weet nog wat ik schreef: op dit moment weet ik niet waar ik heen ga. Maar voordat ik wegga, wil ik je iets vertellen. Iets wat je moet weten.

'Ik probeerde uit te leggen waarom ik moest weggaan. Daarvoor moest ik haar ook vertellen hoe erg ik ten opzichte van Marie was tekortgeschoten.'

'Alex...'

'Ja, dat is zo.' Ik deed mijn ogen dicht, want ik wilde dit niet met hem bespreken. 'En het doet er niet meer toe. Waar het om gaat, is dat hij maar wat in het wilde weg om zich heen slaat. Hij probeert me te treffen.'

Ik stelde me die kleine, trieste figuur voor, haar armen opzij gestoken, haar hoofd achterover, en meteen ging er een schok van woede op mijn broer door me heen. Dat hij die naam in mijn gezicht gooide, zoals hij al die jaren geleden met dat bierflesje had gedaan! Alleen had hij deze keer doel getroffen.

Zeg tegen Alex dat dit allemaal zijn schuld is.

Mike zuchtte. 'Wat is er met die plaats?'

'Dat weet ik niet.' Ik vertelde hem het verhaal van mijn confrontatie daar met James, maar eigenlijk wist ik niet in hoeverre dat relevant was. 'Waarschijnlijk wil hij daarmee alleen maar zeggen dat ik moet oprotten.'

Mike dacht erover na.

'Misschien moeten we naar de politie gaan.'

'Nog niet.'

'Misschien vinden we daar een lijk, Alex.'

Daar had ik ook aan gedacht. Hemelsbreed was de Chalkie nog geen twee kilometer verwijderd van het veld waar Sarah was verdwenen. Maar ik had het van alle kanten bekeken en geloofde er niet in.

'Dat denk ik niet,' zei ik. 'De politie heeft de plaats waar hij Sarahs lichaam heeft achtergelaten al doorzocht. James heeft ze verteld waar dat was.'

'En nu is het weg.'

Ik knikte. 'Ja, maar het is gestolen nadat hij zich heeft aangegeven. Als het in de Chalkie lag, hoe zou hij het dan kunnen weten?'

Mike zei niets.

'Dat zou alleen kunnen als degene die het heeft gedaan het daarna aan hem heeft verteld en hij het om de een of andere bizarre reden voor zich heeft gehouden. Krijgt hij ooit andere bezoekers?'

'Nee.'

'Dus wat hij er ook mee bedoelde, het moet iets anders zijn.' Ik keek uit het raam. 'En trouwens, we weten niet eens of het er nog is.'

Maar het was er nog.

De weg ging omhoog: de grote brug die met een hoge kromming over de rivier lag. Toen we aan de andere kant naar beneden waren gegaan, reden we langs de zandweg die naar de groeve leidde en langs een vreemd oud gebouw dat op enige afstand van de weg stond – een stal, met oude, zwarte wagenwielen op de buitenmuren –, en toen stopten we onder aan de helling.

Het bos langs de weg was dicht, maar het pad was er nog. Het hek was er ook nog, al was het zo roestig dat het hier en daar gebarsten was en het metaal er zo fragiel uitzag als perkament.

'Wacht jij hier maar.' Ik maakte het portier open. 'Voor alle zekerheid. Als ik niet binnen veertig minuten terug ben, bel je de politie.'

'Veertig?'

Ik haalde mijn schouders op. 'Je kunt daar gemakkelijk verdwalen.'

Mike knikte, maar met tegenzin.

'Goed. Wees voorzichtig.'

'Maak je maar geen zorgen.'

Ik schudde even aan het hek en had meteen scherpe metaalsnippers op mijn handen. Toch voelde het verrassend stevig aan. Ik klom eroverheen en landde geluidloos met mijn voeten in het dichte gras, waarna ik mijn handen aan mijn spijkerbroek afveegde en doorliep.

Wist ik de weg nog? Binnen een paar meter van de weg leek het oude pad te verdwijnen. Er was alleen nog een vage ruimte tussen de bomen. Het struikgewas was over het pad heen gegroeid en slingerde omhoog tot kniehoogte. Ik vond een grote stok op de grond en gebruikte hem om de braamstruiken opzij te duwen. Ik hoopte dat mijn geheugen of mijn instinct me de juiste kant op zou sturen.

Binnen een minuut was de weg niet meer te zien en was ik verdwaald tussen de bomen. Achter me waren de struiken weer opgekomen – bijna verontwaardigd, alsof ze daar nu al zo lang waren en zich heus niet lieten neerdrukken door types als ik. Ik bleef staan. Het zonlicht werd gezeefd door de bomen boven me, en ik hoorde het ruisen van een rivier ergens verderop, een geluid vol kalme doelbewustheid. Afgezien van die geluiden voelde ik me geïsoleerd. Voor zover ik kon nagaan, waren er in alle richtingen alleen bomen, struiken en duisternis.

Ik deed er bijna tien minuten over om het te vinden. Het ene moment liep ik doelloos tussen de bomen en raakte ik al enigszins in claustrofobische paniek, ingesloten als ik was door het stille, vochtige bos; het volgende moment was ik er. De oude, vertrouwde gebouwen verschenen tussen de bomen voor me.

Allemachtig.

Ik stapte op de betonvloer van het middelste gebouw en keek omhoog. De balken hielden het dak nog op zijn plaats. Beneden hadden de braamstruiken zich eromheen geslingerd, strak en scherp als prikkeldraad, terwijl het glas door barsten in de betonnen vloerplaten stak. Op de achtermuur leek de graffiti nu zo oud en verbleekt dat het leek of het deel van het beton uitmaakte. De stilte was monumentaal.

Ik had het gevoel dat hier in geen jaren iemand was geweest, misschien niet meer sinds mijn vrienden en ik er niet meer kwamen. In de tijd daarna was het bos opgedrongen om de grond weer voor zich op te eisen, en het had dat al bijna voor elkaar.

Alleen had iemand hier een vuur gestookt.

Ik liep naar de andere kant van de betonvloer.

Er lag een stapeltje halfverbrand hout. Het beton eronder en eromheen was zwartgeblakerd. Ik verspreidde de restanten met mijn voet en rook de geur van as en roet. Het zag er vers uit en rook ook zo. Iemand was hier tamelijk kortgeleden geweest. Iemand had hier gezeten, had zich gewarmd bij het vuur.

Ik bleef staan luisteren. Er was nu helemaal geen geluid te horen.

Het kon een zwerver zijn geweest, dacht ik. Of een stel tieners.

Per slot van rekening was het hier afgelegen. Dat maakte het waarschijnlijk nog steeds een ideale ontmoetingsplaats voor plaatselijke randfiguren die er toevallig van wisten. En er woonden heus nog wel tieners in de buurt. Evengoed zag ik geen dingen die waren achtergelaten door mensen die hier hadden geslapen of hier een feestje hadden gevierd. Geen kapotte flessen of platgedrukte blikjes. Geen etensresten.

Kijk om je heen.

De diepe stilte werkte op mijn zenuwen.

Kijk om je heen en maak dan dat je wegkomt.

Ik liep om de achterkant van het gebouw heen, blij dat ik tenminste de stok bij me had, en keek vlug in de sombere oude bunkers. Ze waren allemaal leeg.

Toen ik langs de zijkant van het gebouw liep, zag ik iemand ineengedoken tussen de bomen zitten.

Ik bleef als aan de grond genageld staan.

Het was moeilijk te zien of het echt iemand was of niet, maar het leek er sterk op. Er lag daar iemand, gekleed in het blauw en ineengekrompen in de struiken. Maar als dat zo was, zat hij wel doodstil.

Enkele ogenblikken staarde ik er alleen maar naar.

'Hallo?'

Geen reactie.

Ik liep langzaam tussen de bomen door. Toen ik dichterbij kwam, besefte ik wat het was en liep ik een beetje vlugger. Het was helemaal geen mens, maar een verbleekte, blauwe rugzak die in het gras was gegooid. Ik bereikte hem en bleef staan. Hij was aan de onderkant een beetje versleten, maar blijkbaar lag hij daar nog niet zo lang, want dan zou hij er verweerder hebben uitgezien. In plaats daarvan was de stof verkreukeld maar schoon. Hij lag daar zomaar, alsof iemand heel goed wist waar hij lag en elk moment kon terugkomen om hem op te halen.

Ik hurkte neer in het gras.

Moest ik hem openmaken?

Er zat een trekkoord om de opening. Mijn vingers bleven erboven hangen.

Als dit – op de een of andere manier – datgene was wat James me wilde laten vinden, zou het bewijsmateriaal zijn en zou de politie niet willen dat ik het aanraakte. Ik keek om me heen. Maar ik had toch ook al alles vertrapt? En zoals de zaken er nu voorstonden, had ik geen reden om de politie te bellen. Als ik hier alles ongemoeid liet, zou ik niets hebben om hen ervan te overtuigen dat dit een plaats van belang was.

En waarschijnlijk was het dat ook niet.

Ik maakte het staafje los en trok het helemaal naar het eind van het trekkoord. Daarna maakte ik de rugzak open. Hij voelde licht aan, maar er zat wel iets in. Omdat ik de inhoud niet kon zien, stak ik heel voorzichtig mijn hand naar binnen en pakte met duim en vinger het eerste voorwerp waarop ik stuitte. Het ritselde toen het omhoogkwam...

Een papier, samengepropt tot een balletje.

De brief. Mijn hart bonkte. Diep in mijn hart wist ik dat het niet zo was, maar sinds James de brief ter sprake had gebracht, moest ik er steeds weer aan denken. Had Sarah het hem verteld of had hij de brief zelf gezien? Had hij hem nog steeds? Natuurlijk was het niet echt belangrijk, maar om de een of andere reden had ik het gevoel van wel.

Toch was dit niet de brief. Ik vouwde het papier open, streek het glad tegen mijn dij, en het was bijna helemaal leeg, afgezien van de bovenhoek, waar iemand met een balpen een paar woorden had gekrabbeld. Het was slordig geschreven, maar ik kon het nog net lezen:

Emily Price
168 Castle View

Ik keerde het papier om, maar er was niets meer – alleen de naam en een deel van een adres, en die kwamen me geen van beide bekend voor. Was de rugzak van 'Emily Price'? Of was dat iemand die de eigenaar kende of met wie hij daar misschien had afgesproken? Ik keek weer in de zak. Er zat verder alleen een plastic waterfles in. Ik haalde hem eruit.
Jezus christus.
Mijn instinct gaf me in de fles tussen de bomen te gooien. Ik dwong mezelf dat niet te doen.
Niet bewegen.
De fles was oud en zo vaak gebruikt dat het etiket eraf was, met achterlating van alleen nog wat witte plukken die aan de lijm waren blijven hangen. En hij was leeg, in die zin dat er geen vloeistof meer in zat. Maar de binnenkant was afschuwelijk vuilrood gevlekt. Rode en zwarte vlokken zaten als wondkorsten aan de binnenkant van de plastic ribbels geplakt.
Bloed.
Net als toen Mike me vertelde dat Sarah was verdwenen, deed ik er even over om de logische conclusie te trekken. Iemand had een waterfles vol bloed in zijn rugzak gehad. Hij had ermee rondgelopen. En hem toen hier achtergelaten.
Waarom zou iemand in godsnaam zoiets doen?
Verder was de fles leeg. Er had bloed in gezeten, maar dat zat er nu niet meer in. Waar was het gebleven?
Een mogelijk antwoord ging als een huivering door me heen.
Ze dronken het.
Ik draaide me om en keek naar de as op de betonnen vloer.
Ze zaten hier en dronken het.
Maar zelfs terwijl dat vreselijke idee postvatte in mijn hoofd, twijfelde ik aan mezelf. Ik redeneerde het weg. Het was natuurlijk geen bloed – dat was belachelijk. Ondanks de goede staat waarin hij verkeerde, kon die rugzak hier al weken hebben gelegen. Er kon soep in de fles hebben gezeten, of een of andere fruityoghurt. Of van alles. Er waren allerlei verklaringen mogelijk, en dat moest ook wel, want...
Want wie nam er nou bloed mee om onderweg te drinken?

Misschien zou er niets aan de hand zijn geweest als ik mezelf die laatste vraag niet had gesteld. In plaats daarvan had ik mijn geest iets concreets toegeworpen wat hij nu behendig omdraaide tot hij de ergst mogelijke invalshoek had gevonden, met het antwoord dat daarbij hoorde.

Het soort persoon, dacht ik, dat een lijk uit een veld steelt.

Toch was het nog steeds waar wat ik in de auto tegen Mike had gezegd: het was niet logisch. James kon er onmogelijk van weten, en ik kon ook geen enkel geloofwaardig motief bedenken waarom hij, gesteld al dat hij het wist, het zou verzwijgen. En dus zat ik enkele minuten gehurkt in de struiken. Ik dacht erover na en vroeg me af wat ik moest doen.

Zeg tegen Alex dat dit allemaal zijn schuld is.

James had gewild dat ik hierheen kwam om te zien wat ik had gedaan. Dat zou hier dus duidelijk te zien moeten zijn. Maar ik wist niet wat ik hier had gevonden, en of datgene wat ik zocht ook maar iets met mijn broer te maken had. Dit zou toeval kunnen zijn.

Ik dacht er nog wat meer over na en nam een besluit. Ik haalde mijn mobieltje tevoorschijn en gebruikte de camera daarvan om foto's te maken van de fles, het briefje en de rugzak. Daarna legde ik de voorwerpen terug en liep ik met de rugzak naar de andere kant van de Chalkie om hem daar in een van de bunkers te verbergen.

Een kwartier later klom ik weer over het hek en veegde mijn handen aan mijn spijkerbroek af.

'Iets interessants gevonden?' vroeg Mike.

'Nee. Er was daar helemaal niets.'

Ik liet me op de passagiersplaats zakken. Het zat me niet lekker dat ik tegen hem loog, maar ik kon het wel goedpraten. Door Mike niet te vertellen wat ik had gevonden beschermde ik hem. Als dit een fout was, nam ik daarvoor de volledige verantwoordelijkheid: niemand zou kunnen zeggen dat Mike het wist en niet naar de politie ging.

'Wat denk je dat het betekende?'

'Geen idee.' Dat was tenminste waar. 'Dat betekent dat ik het hem moet vragen. Ik vraag een bezoek voor morgenochtend aan. Heb je het nummer?'

'Ja.'

Mike haalde zijn telefoon tevoorschijn. Ik vroeg me af of James me zelfs wel wilde ontvangen – maar ik had het gevoel van wel. Ik klapte mijn mobieltje open, wachtend tot Mike in dat van hemzelf had gekeken, en keek naar de foto die ik van het briefje had gemaakt.

Emily Price. 168 Castle View.

Totdat ik met James praatte kon ik minstens één ding doen. Maar deze keer zou ik in mijn eentje gaan.

20

East Street House stond midden in het centrum van de stad. Het verhief zich tussen de oude winkelpanden in de hoofdstraat en deed ze in het niet verzinken: zeventien verdiepingen van glas, met gebroken spiegelbeelden van de wereld eromheen. Toen Kearney vanuit het voetgangersgebied opkeek, zag hij zichzelf in de schuine ruiten van de tweede verdieping. Naar boven toe werd het gebouw lichtblauw. En helemaal bovenin – hij moest zijn ogen afschermen tegen de glinstering van de zon – zag hij sliertige wolken langzaam door de hemel trekken, alsof het gebouw stond te dromen.

'Niemand heeft hoogtevrees, hè?' zei hij.

'Nee, meneer.'

De twee rechercheurs die hij had meegebracht, durfden hem niet goed aan te kijken. Misschien werden ze afgeschrikt door zijn verfomfaaide uiterlijk. Nou, dat was goed; hij was toch al niet bepaald in de stemming voor conversatie.

De receptie was niet groot. De bewaker noteerde hun naam, belde naar Arthur Hammond en drukte toen op een knop die hun toegang tot een van de twee liften gaf.

Ze gingen met zijn drieën snel en in stilte naar boven. Kearney stond in het midden en keek naar de gestaag oplichtende nummers boven de deur. Het elektronische scherm gaf niet alleen de verdieping aan waar je heen ging, maar vertelde je ook over de voortgang van je reis met de lift, alsof je een bestand aan het downloaden was. Omdat hij anders alleen naar zichzelf – moe en afgetobd – kon kijken in de wandspiegels, keek Kearney naar de nummers. Hij zag de lift voorbij de negende verdieping gaan, geleidelijk verder naar rechts. De expositie was op de veertiende verdieping. Hij wist echt niet wat er op de andere verdiepingen gebeurde. Waren die gehuurd door bedrijven? Hij was wel al duizend keer langs dit gebouw gelopen zonder er ooit bij stil te staan.

Ting!

Toen de deuren opengingen, stonden ze tegenover een kleine man van in de zestig. Hij droeg een pak dat met zijn grijze kleur bij zijn keurig gekamde haar en zijn dichte snor paste. Hij droeg ook een vest en een vlinderstrikje. Ondanks zijn vermoeidheid was Kearney aangenaam verrast: de excentriciteit van mensen deed hem vaak goed. Todd, die op het bureau was gebleven, zou er waarschijnlijk vol afschuw naar gekeken hebben.

'Meneer Hammond?' Ze schudden elkaar de hand. 'Ik ben rechercheur Paul Kearney. We hebben elkaar door de telefoon gesproken. Dit zijn mijn collega's, de rechercheurs Ross en Johnson.'

'Leuk u allemaal te ontmoeten. Het is deze kant op.' Hammonds schoenen maakten een klikkend geluid toen ze door de gang liepen. 'Neemt u me niet kwalijk als ik er niet helemaal met mijn gedachten bij ben. De tentoonstelling wordt om zeven uur geopend, en we lopen zwaar achter op het schema.'

'Dat is jammer.'

'Zwaar achter.'

Kearney knikte; hij wist dat nu wel. Hij had al eerder met Hammond gesproken, na een moeilijke ochtend waarin hij kunstwerken van Roger Timms had opgespoord. Het zou ideaal zijn geweest als ze elk schilderij hadden kunnen terugvinden, zelfs die van voor de moord, maar vooral vijf doeken waren belangrijk. De Gehenna-serie.

Die vijf werden beschouwd als plaatsen delict.

Het was niet gemakkelijk. Timms had precies het tegenovergestelde gedaan van wat Kearney had verwacht dat hij met zulk persoonlijk werk zou doen. In plaats van de portretten voor zijn eigen plezier te houden had hij ze alle vijf verkocht. De zaak werd nog ingewikkelder gemaakt door zijn warrige financiën. Op allerlei rekeningen op Timms' naam stonden honderden overboekingen, uitgaand en binnenkomend, die niet allemaal terug te vinden waren in zijn belastingaangifte en boekhouding.

Van de Gehenna-serie hadden ze het spoor van één schilderij kunnen volgen naar een Amerikaanse kunsthandelaar, die Todd op dit moment probeerde te vinden. Twee andere waren eigendom van afzonderlijke verzamelaars in het zuiden; er was met beiden gesproken en er waren agenten onderweg om de schilderijen op te halen. En de laatste twee doeken waren gekocht door Arthur Hammond, een plaatselijke zakenman en kunstliefhebber. Hij was de organisator van deze tentoonstelling, die de komende avond zou opengaan, en hij was niet blij.

Kearney kon tot op zekere hoogte wel met hem meevoelen, maar de teleurstelling van de man stond op dit moment niet hoog op zijn prioriteitenlijst.

Ze bleven voor een dubbele deur staan.

'We wachten nog op een aantal stukken,' zei Hammond.

'Zoals ik al zei: we vinden het jammer. Ik weet dat het geen troost is, maar straks hebt u er twee minder om u druk over te maken.'

'Nog twee minder.'

Kearney had nog tijd om zich af te vragen waarom de man hem verbeterde. Toen duwde Hammond de deuren open en liep de galerie in.

'En die twee hingen al op hun plaats.'

Binnen schrok Kearney ervan hoe wit alles was. Alle muren waren helder en schoon; de hoeken waren scherp. Dat effect werd versterkt door de grote, lichte ramen langs een van de kanten, en door de lampen die in het plafond verzonken zaten. Die lampen waren vreemd genoeg allemaal aan en verspreidden een klamme warmte.

'Deze kant op.'

Hammond leidde hen erdoorheen.

Ze liepen langs mensen in overalls, die pakketten door de ruimte tilden of ze zorgvuldig opensneden met stanleymessen. Het was of er een gonzende elektriciteit in de lucht hing. Achter de coulissen werd getimmerd. Kearney hoorde ook het geluid van iemand die door gipsplaat boorde: een woedend, gierend gejengel. Hammond ging een hoek om. Twee studenten waren daar heel nauwkeurig bezig een bronzen beeld te plaatsen. Voor zover Kearney kon nagaan, bewoog het niet eens.

'Daar,' zei Hammond. 'Momenteel het middelpunt van de expositie. En binnenkort een lege muur. Misschien levert de beruchtheid van die schilderijen extra inkomsten op.'

Kearney bedwong de woede die deze woorden bij hem opriepen. Meevoelen, zei hij tegen zichzelf. Per slot van rekening wist Hammond niet precies waarom de schilderijen in beslag genomen werden. Hij had er hard aan gewerkt om een expositie op poten te zetten, en nu zou hij twee van zijn beste stukken moeten missen.

'De Gehenna-serie,' zei Hammond. 'Of ten minste een deel ervan.'

De twee schilderijen hadden een witte muur voor zich alleen. Zelfs op een afstand waren ze opvallend, en toen ze dichterbij kwamen, werden ze alleen maar opvallender.

Op beide doeken zag je het bleke gezicht van een vrouw. Het hing opzij en de mond was wijd open om een kreet van afgrijzen uit te stoten. Beide vrouwen waren omringd door een helse, vuurrode achtergrond. Het linker was een ruw portret van Linda Holloway. Het gezicht aan de rechterkant behoorde toe aan Jane Kerekes. Maar ze waren gestileerd. Ze waren alleen herkenbaar als je wist naar wie je zocht.

Verrek, dacht Kearney.

Dit zijn ze echt.

De vorige avond had hij naast zijn gebruikelijke activiteiten een tijdje research gedaan op de computer. Voor zover hij kon nagaan, was Gehenna een ander woord voor hel. Het was afgeleid van de Hebreeuwse naam voor een dal buiten de muren van Jeruzalem. Het scheen dat priesters daar vreemde goden aanbaden en kinderoffers brachten. Later, toen die praktijken verboden waren, was het dal een vuilnisbelt geworden waar de lijken van misdadigers werden neergeworpen. Er brandden daar altijd vuren, en op de grond krioelde het van de maden. Sommige mensen zagen het letterlijk als de ingang van de onderwereld.

Zoals het zaad de boom werd, zo had Roger Timms het bloed van deze dode vrouwen genomen en hun een ander soort leven gegeven. Op die twee docken had hij hen vastgelegd in een beeld van henzelf, schreeuwend van pijn. En daarna had hij zijn serie verdomme naar een vuilnisbelt genoemd.

'Wilde u deze?' vroeg Hammond.

'Ja.'

'Het is zulk mooi werk. Jammer dat de mensen ze niet te zien krijgen.'

Hammond keek vol liefde naar de schilderijen. Het was duidelijk dat deze twee doeken in zijn ogen inderdaad heel bijzonder waren. En natuurlijk waren ze dat ook, zij het om andere redenen. Nu Kearney ernaar keek, ging er een huivering door hem heen.

'Nee.' Hij draaide zich om. 'Eigenlijk is het helemaal niet jammer, meneer Hammond. We willen graag dat u ze voor ons inpakt, dan hebt u geen last meer van ons.'

'Absoluut.' Hammond knikte een keer. 'Natuurlijk.'

Als hij zich door die botte woorden gekwetst voelde, liet hij dat niet blijken. Hij trok zich alleen terug in exact de beleefde formaliteit die Kearney van een man met een strikje en een vest verwachtte. Hammond excuseerde zich, en toen liepen de twee andere rechercheurs bij hem vandaan en slenterden doelloos naar weerskanten. Twee studenten bereidden de schilderijen voor op het transport. Ze droegen het eerste heel zorgvuldig tussen zich in, als een raamkozijn.

Kearney streek met zijn hand door zijn haar. Hij was kwaad op zichzelf omdat hij zich niet had kunnen beheersen. Het kwam door de enorme druk die hij vanbinnen voelde. En hij was zo moe.

De vorige avond was hij pas na enen thuisgekomen. Nadat hij zich in de Gehenna-serie had verdiept, was hij – dom genoeg – nog langer opgebleven om in zijn oude dossiers te kijken en online te zoeken. Dat was zo lang doorgegaan dat hij amper nog wist waar hij naar zocht. Uiteindelijk, tegen de ochtend, was hij wakker geworden in de bureaustoel, waarna hij zich naar bed had gesleept. Toen hij maar iets later wakker was geworden – overeind schietend bij de gedachte aan Rebecca Wingate die tegen een rode zonsondergang schreeuwde –, had de gele man naast hem gelegen.

En was daarna weer weggegaan.

Kearney draaide zich nu abrupt om en liep door de galerie terug naar Hammond.

'Ik bied u mijn verontschuldigingen aan,' zei hij. 'Het spijt me dat ik zo bot was.'

'Dat was u niet.'

'Deze zaak is erg moeilijk voor ons.'

'U hoeft zich niet te verontschuldigen, rechercheur.' Hammond gaf een lijst met papieren aan iemand en schonk Kearney toen zijn volle aandacht. 'U ziet er heel moe uit, als u het niet erg vindt dat ik het zeg.'

'Ja, ik ben moe. En nee, ik vind het niet erg.'

Hammond was die dag de tweede die dat tegen hem zei. Toen hij kort na zeven uur die ochtend op het bureau was aangekomen, had hij zich grauw en leeg gevoeld. Hoe vroeg het ook was, Simon Wingate had al op de receptie gezeten. Misschien was hij daar de hele nacht gebleven. Kearney was naar hem toe gegaan en naast hem gaan zitten, al was dat eigenlijk het laatste wat hij wilde. Wingate had precies hetzelfde gezegd. Kearney was geschrokken van de bezorgdheid op zijn gezicht.

Maak je daar maar geen zorgen over, had Kearney gezegd. Het is mijn werk om moe te zijn.

Hij keek nu achter zich en toen weer naar Hammond.

'Hebt u hem ontmoet? Roger Timms?'

'Ja.' Hij knikte. 'Slechts een paar keer. Bij evenementen en zo. En natuurlijk ook toen ik die twee stukken van hem kocht.'

'Hoe is hij? Als mens, bedoel ik.'

'Nou, ik zou zeker niet willen zeggen dat ik hem ken. Hij was altijd nogal afstandelijk. Dat zal wel bij zijn image horen. Maar hij was erg zeker van zichzelf – erg capabel, zou je kunnen zeggen. En ook charismatisch. Hij straalde een beetje gevaar uit.'

Ja, dacht Kearney. Zeg dat wel.

'Vanwege zijn misdrijven?'

'Ja. Dat maakte hem extra interessant. Dat zal voor u wel moeilijk te begrijpen zijn.'

Kearney haalde zijn schouders op. Die kant van de dingen was niet zo ingewikkeld. Het was zijn ervaring dat mensen altijd geïnteresseerd waren in geweld – ze voelden zich er zelfs toe aangetrokken –, zolang het henzelf maar niet overkwam. Dat was niet zo moeilijk te begrijpen.

'Dat hoorde er natuurlijk allemaal bij. Het werk van een kunstenaar...' Hammond wees om zich heen, elegant meedraaiend vanuit de taille. Toen keek hij Kearney weer aan. 'Het gaat bijna nooit alleen om de schilderijen of de sculpturen.'

'Nee?'

'Niet in het geval van de interessantere stukken. Per slot van rekening zijn het maar objecten. Veel werk is op zichzelf heel gewoontjes. Het effect doet zich voor in je hoofd.'

Kearney deed zijn best om te glimlachen.

Hammond liet zijn hand op Kearneys arm rusten en boog zich weer naar hem toe.

'Weet u nog, die studenten van de universiteit?' zei hij. 'Daar is nog veel ophef over gemaakt. Ze brachten geld bijeen voor hun eindejaarsproject en spraken met de examinatoren af dat ze hen op het vliegveld zouden ontmoeten. Ze hadden al het geld aan een vakantie uitgegeven.'

'O. Ja.' Kearney kon zich vaag de foto's in de krant herinneren: jonge mensen die lagen te zonnen bij het zwembad, sangria dronken en zo te zien erg tevreden over zichzelf waren. 'Ik heb niet alles gelezen.'

'Ze waren op het nieuws, in kranten en tijdschriften. Overal.'

'Ja. En dat was "kunst"?'

'Nee, nee. In werkelijkheid waren ze nergens geweest. De foto's en vliegtickets waren allemaal vervalst. Dat waren de objecten, als u het zo wilt noemen. De werkelijke kunst was alle media-aandacht die ze kregen. De gedachten en discussies.' Hammond ging een stap achteruit. 'Het was hier beneden. Het vulde vier hele muren.'

Het klonk Kearney nogal zinloos in de oren, maar hij kon zich er wel iets bij voorstellen.

'Dus doordat ze wisten wat Timms had gedaan, hadden mensen iets anders om aan te denken als ze naar zijn werk keken?' Hij zocht naar de juiste formulering. 'Ze konden er iets in lezen?'

Hammond knikte en keek toen achter hen.

'Zoals, vrees ik, ook zal gebeuren na wat hij deze keer heeft gedaan.'

Kearney draaide zich om. Aan de andere kant van de expositieruimte werden de twee schilderijen uit Roger Timms' Gehenna-serie in grote bruine dozen verpakt. Een van de studenten scheurde een stuk verpakkingsplakband met zijn tanden van de rol. Om de een of andere reden deed Kearney dat denken aan huid die gevild werd.

En achter hen waren de muren leeg. Maar hij begreep wat Hammond bedoelde. Zelfs die lege muren hadden een subtiele betekenis: wat daar eens was geweest, was nu weg.

21

Ik herinnerde me de Whitrow Ridge uit mijn kinderjaren. Hij verhief zich ten noorden van de stad als de gekromde rug van een half begraven dinosaurus. Nadat Mike me had afgezet, keek ik online en zag dat Castle View de naam was van de weg die over de top van die heuvelrug leidde. Ik ging op zoek naar een taxi.

'Vijftien pond,' zei de chauffeur tegen me.

'Dat is goed.'

We waren nu buiten de stad. Links van de weg strekte het land zich glooiend uit. Open velden werden van elkaar gescheiden door donkere heggen, met het vliegveld vaag zichtbaar in de verte, en daarachter de rand van de stad, gehuld in wazige, witte nevel. Er was aan die kant een café dat The Royalty heette: populair bij wandelaars en vliegtuigspotters, al was het niet naast de deur. Aan de rechterkant, achter de huisjes en boerderijen die voorbijtrokken, viel het terrein veel steiler weg. Dit was de Ridge zelf, dichtbegroeid met bos en stukken kniehoge heide, schuin doorsneden met steile, lastige voetpaden.

De taxichauffeur ging langzaam rijden en keek door het zijraam naar de nummers van de huizen aan de rechterkant. Hij was er een van de oude stempel: hij noemde niet alleen van tevoren de prijs, maar wilde me ook beslist zo dicht bij mijn bestemming afleveren als fysiek mogelijk was zonder door iemands tuin te rijden.

'Dat is 162.' Hij knikte naar het huisje rechts. 'Ik geloof dat de weg straks ophoudt, meneer. Weet u het adres wel zeker?'

'Ik geloof van wel.'

Maar er kwam een eind aan de huizen. Ik telde ze al in gedachten af. De percelen waren zo groot en lagen zo ver bij elkaar vandaan dat het moeilijk te zeggen was, maar ik dacht dat er nog twee kwamen, en daarna niets dan velden en afrasteringen. Dat zou betekenen...

'Nee. 166. Dat is het laatste huis.'

De taxichauffeur kwam voorbij het laatste huis tot stilstand en schudde peinzend zijn hoofd, alsof dit een raadsel was dat hij voor mij moest oplossen, wilde hij niet gefrustreerd naar huis gaan.

'Wel,' zei hij. 'Tenzij u daarheen wilt.'

Ik keek waar hij heen wees en zag dat we bij een parkeerterrein van grind waren gestopt dat zich zo'n dertig meter vanaf de weg uitstrekte. Achteraan was een uitkijkpunt. Het terrein was halfvol. Acht of negen auto's stonden verspreid over het grind.

Aan de andere kant bevonden zich oude, verweerde banken. Op een daarvan zat een gezin; de vader schonk warme koffie uit een thermosfles. Op een ander bankje zaten twee mensen in motorleer; de man had een laars uitgetrokken en haalde met een takje modder uit de zool. Aan het andere eind stond een ijswagen geparkeerd. De verkoper zat achter een halve ruit van grijs glas een krant te lezen.

Even daarachter was er een droog gemetseld muurtje met een opening in het midden. Ik zag een man met een hond door die opening terugkomen. Hij hield de lijn tussen zijn handen.

'Is dat de Ridge daar?' vroeg ik.

De taxichauffeur leunde op zijn stuur. 'Ja, mensen gaan daarheen voor het uitzicht. Vliegtuigspotters, wandelaars en zo. 's Nachts zijn er weleens problemen. Niet dat ik daarmee zit. Het zijn mijn zaken niet.'

Eerst wist ik niet wat hij bedoelde. Toen drong het tot me door.

'Wat... Komen mensen hier voor seks?'

'Jazeker. Wat dat betreft, is deze plaats berucht. Knipperende koplampen. Dat soort dingen.'

Ik liet dat idee door mijn hoofd gaan. Emily Price. Had de eigenaar van de rugzak hier met haar afgesproken, wie ze ook was? Of had het briefje een heel andere betekenis? Hoe het ook zij, het feit dat mensen hier voor clandestiene, anonieme seksuele ontmoetingen naartoe kwamen, paste wel bij de rest. Deze plaats had iets heimelijks, net als de omgeving van de Chalkie.

'Oké. Ik stap hier uit. Dank u.'

'Weet u het zeker?'

Ik gaf hem een twintigje en maakte het portier open.

'Houdt u het wisselgeld maar,' zei ik.

Het geluid van de motor zakte weg toen de taxi in de verte verdween, en de stilte die daarop volgde kwam van alle kanten op me af. Er heerste hier de totale stilte die je op de top van een berg zou verwachten. Ik liep het parkeerterrein op, en toen het grind onder mijn schoenen knerpte, voelde ik me een indringer. Van ergens over de Ridge kwam het geluid van schreeuwende kinderen. Hun stemmen waren tegelijk dichtbij en ver weg, fladderend als vlinders.

Het gezin op de bank keek me na. Ze zouden zich wel afvragen waarom een man alleen zich daar met een taxi liet afzetten, of zelfs wat hij daar kwam doen als hij geen hond had om uit te laten. Ik vroeg me hetzelfde af. Ik wist bij god niet wat ik daar hoopte te bereiken. Zelfs niet of er wel iets te bereiken viel.

Ik liep naar de ijswagen.

'Pardon?'

De man die erin zat legde de krant neer.

'Wilt u een ijsje?'

'Op het moment niet. Ik ben alleen nieuwsgierig naar iets.' Ik tikte met twee vingers op de kleine toonbank. 'Het klinkt misschien vreemd, maar zegt de naam Emily Price u iets?'

Dat was het beste wat ik kon proberen. Ik veronderstelde dat deze man het grootste deel van de tijd op het parkeerterrein was, in tegenstelling tot de andere mensen daar. Als Emily Price met deze plek te maken had, zou hij daar heel misschien iets van weten. Ik was me er pijnlijk van bewust dat het vergezocht was en verwachtte er dan ook niet veel van. Maar hij fronste zijn wenkbrauwen.

'De naam komt me bekend voor,' zei hij. 'Hoezo? Moet ik haar kennen?'

'Dat hoeft niet. Ik was alleen nieuwsgierig.'

De naam kwam hem bekend voor. En mij ook, nu hij dat had gezegd. Ik wilde iets anders zeggen, maar hij onderbrak me.

'Is dat het meisje dat hier komt?'

Hij keek zorgelijk. Ik kreeg de vreemde indruk dat ik hem naar iets had gevraagd wat hem al bezighield. Iets waarvan hij dacht dat ik hem er misschien mee kon helpen.

Hoe moest ik dit spelen?

'Ja,' zei ik. 'Dat zou kunnen. Hoe ziet ze eruit?'

'Eerlijk gezegd weet ik dat niet zeker.' Hij draaide zich half naar de Ridge toe, keek toen mij weer aan en fronste zijn wenkbrauwen. 'Ik zie haar hier soms. Daar, op het uitkijkpunt. Ze heeft lang, zwart haar. Draagt een oude, zwarte regenjas. Een beetje verfomfaaid. Alsof ze dakloos is.'

'Dat zou haar kunnen zijn.'

Ik had geen idee wat ik nu moest zeggen, maar hij redde me.

'Waarom doet ze dat?' vroeg hij.

'Wat? Daar staan?'

'Het is vreemd. Daarom schoot het me te binnen.' Hij krabde peinzend over zijn oor. 'Soms als ik opkijk, staat ze daar in haar eentje. En dan lijkt het net of... ik weet het niet, of ze naar iets kijkt. Of misschien op iets wacht.'

'U hebt haar niet goed gezien.'

'Nee. Ik zie haar nu en dan, en als ik dan weer opkijk, is ze weg.'

'Ja.'

'Het zat me een beetje dwars. Het is hier nu druk, maar als het regent, is hier bijna niemand. En zelfs dan heb ik haar gezien. Net of ze een geest was of zoiets.'

Hij zei het als grap, maar kon er niet bij lachen. Ik keek naar de rand van de Ridge, en iets aan deze plaats gaf me het gevoel dat zijn woorden niet zo belachelijk waren als ze ergens anders waren geweest. Het was hier zo leeg en verlaten: ik kon me hier gemakkelijk een geest voorstellen. Met haar rug naar het parkeerterrein, starend naar beneden; stil, somber en onheilspellend. Als je voor haar ging staan, zou je merken dat ze op de een of andere manier nog steeds een andere kant op keek.

Lang, donker haar. Oude, zwarte regenjas. Een beetje verfomfaaid.

'Wie is ze?' vroeg de man.

Ik keek hem weer aan. Sorry, ik had geen antwoorden.

'Ik zou het echt niet weten,' zei ik.

Het muurtje zag eruit alsof het daar al eeuwen stond.

Er was niets wat het nog bijeenhield, gesteld al dat er ooit zoiets was geweest. Het waren gewoon keien van verschillende grootte die in een lange rij tot ongeveer een meter hoog op elkaar waren gestapeld, met stenen platen als stutten aan weerskanten van de opening. Daarachter begon een korte trap.

Ik liep naar boven en kwam midden op het voetpad over de bovenkant van de Ridge terecht. De wind sloeg in mijn gezicht en ik kneep mijn ogen halfdicht. Hierboven was het ijskoud. De zon zelf voelde heet aan, zoals hij daar midden aan de hemel stond en fel omlaagstraalde, maar het was hier woest en onbeschut en de wind zwiepte over de heuvels en maaide alle warmte woedend weg, zoals een kind met speelgoed zou doen.

Ik zette me schrap.

Rechts van me moest het pad een beetje uitwijken voor de omheinde tuinen van de huisjes, en daarachter verdween het met een boog uit het zicht. Links van me ging het om een kolossale stapel rotsen heen om in een bosje te verdwijnen. Een klein meisje met krullend, blond haar en roze laarzen zat gevaarlijk op de dichtstbijzijnde rots te balanceren, haar handen gespreid naast haar. Een iets oudere jongen met magere benen sprong roekeloos naar boven en gaf een schreeuw van triomf. Vanaf een plaats die ik niet kon zien, riep een man naar hen beiden dat ze voorzichtig moesten zijn. Hoewel ik begreep waar de man met zijn waarschuwing vandaan kwam, had ik ook het gevoel dat hij niet goed oplette.

In plaats van in een van beide richtingen te gaan liep ik rechtdoor. Er was daar een tafel van steen gemaakt. Bovenop lagen kaarten en informatiepapieren onder vuil plastic, dat op zijn beurt met slordige graffiti was bedekt door generaties van idioten.

Voor me liep de Ridge steil naar beneden, een tapijt van heide en gras, met een derde pad dat vanaf het uitkijkpunt naar beneden leidde, al was dat weinig meer dan een vage aanduiding in de onderbegroeiing. Ongeveer honderd meter beneden me begon het bos. En toen zag ik, veel verder naar beneden, de plaats Castleforth in het dal liggen. De huisjes en fabrieken daar waren zo plat en geluidloos als een kleed dat over het landschap was neergelegd. In de verte, daarachter, wierp een wolk die langzaam en vredig door de lucht gleed een enorme schaduw over de velden.

Ik keek achter me. De ijswagen was nog te zien door de opening in de muur. Dat betekende dat het meisje – wie ze ook was – min of meer op de plaats moest hebben gestaan waar ik nu stond, anders had de ijsverkoper haar niet kunnen zien. Waar had ze naar gekeken? Het uitzicht was mooi, maar het leek me geen plaats om lang te blijven staan en zeker ook geen plek om steeds naar terug te keren.

Ik leunde tegen de stenen tafel en deed alsof ik de informatie daar las. In werkelijkheid vroeg ik me af wat ik in godsnaam nu moest gaan doen.

Je bent hier. Nou en?

Het lag voor de hand om het pad in een van beide richtingen te volgen of rechtdoor te lopen en de Ridge af te zakken. Maar toen ik even op de kaart had gekeken, wist ik dat ik dat niet moest doen. Het terrein was te groot, en het zou erg zwaar zijn. Het zou al moeilijk genoeg zijn geweest als ik enigszins had geweten waar ik naar zocht, of zelfs waar het was. Zoals het er nu voor stond, had ik geen idee of er daar wel iets was. Het zou me waarschijnlijk alleen een stevige wandeling opleveren.

Maar ik wist niet wat ik anders moest doen.

Ik stond al op het punt een taxi te bellen om weg te gaan, toen ik toevallig een blik wierp op de steen bij mijn linkerhand en naar alle graffiti daar keek. Die bestond voor het grootste deel uit namen en data, stuntelig in de steen gekrast of met zwarte markeerstift geschreven, maar in de linkerbovenhoek had iemand iets getekend met wat eruitzag als dunne, witte verf. Het was zo klein dat je het gemakkelijk over het hoofd zou zien. Zelfs als je het zag, zou je er waarschijnlijk niet veel aandacht aan schenken.

Tenzij je het herkende.

Het was een schuine streep met een kleinere dwarsstreep bij de onderkant. Ik keek ernaar, want ik had de vorige avond precies dezelfde figuur in Sarahs notities gezien. Enkele seconden lang was ik even verrast als wanneer er een aan mij persoonlijk gericht briefje op het plastic was vastgemaakt.

Ergens binnen in mij kwam een storm opzetten.

Als een zwaard, dacht ik. Gericht op het noordwesten. Maar ik keek nu op naar de Ridge die onder me wegviel en veranderde van gedachten.

Misschien wees het zwaard naar het pad dat omlaagleidde door de heide.

22

De Ridge was veel steiler dan hij eruitzag, en ik besefte meteen dat ik de verkeerde schoenen droeg voor dit terrein. Het pad was ruw gevormd, uitgesleten door eeuwen van wandelaars die hun voeten op precies dezelfde plaatsen hadden gezet, zodat er richels waren ontstaan die onhandig naar beneden leidden door de heide. Het was moeilijk begaanbaar terrein, en mijn sportschoenen waren veel te dun en licht. Elke misstap kon me op een verstuikte enkel komen te staan.

De helling had wel het voordeel dat ik aan die gure wind was ontkomen. Nu ik door de heuvel werd afgeschermd, voelde de zon aarzelend warm aan op mijn huid. Daar stond tegenover dat het door het wegvallen van de wind nog stiller was dan boven. Dat was zo verontrustend dat ik bijna de voorkeur gaf aan de kou.

Ik had de afstand tot de bomen voor de helft afgelegd. Toen ik weer naar boven keek, stak de bovenkant van de Ridge als een donkere streep tegen de lucht af. Er bewogen zich zwarte figuren overheen: het gezin dat ik had gezien, op de terugweg naar het parkeerterrein. Ik keek ze na. Toen ze uit het zicht waren verdwenen, was daarboven niets meer, behalve gras dat trilde aan de rand.

Doorlopen.

Ik ging verder.

Ik dacht steeds weer aan de figuur die met witte verf op de steen was getekend. Het was geen toeval. Er was hier iets, al wist ik niet wat. Dus terwijl ik oplette waar ik mijn voeten neerzette, keek ik ook naar de grond, in de hoop nog zo'n teken te vinden. Daar ging ik van uit: degene die het eerste teken had achtergelaten, zou een tweede achterlaten als ik van richting moest veranderen. Zo niet, dan maakte ik die lange wandeling toch nog voor niets.

Mijn hart bonsde. Voor een deel waren het zenuwen, maar het was ook iets anders. Iets wat bijna elektrisch was.

Het pad leidde de bomen in, waar een koele schaduw over me neerdaalde.

Het ging in dezelfde schuine richting verder, maar de onderbegroeiing was weggevallen en het terrein was hier bijna leeg; heide groeide hier helemaal niet meer. Het leek wel of al het leven in de droge, stoffige grond op hopen was geveegd en daarna in de knoestige vertakkingen van de bomen was gestopt. Boven me vormden de takken een baldakijn van graaiende armen, en toen ik erdoorheen liep, was het of ik in een enorme, galmende hal was en tussen zuilen van eikenhout liep. Alles rook naar hars, dauw en bladeren, en de wind fluisterde ergens op een balkon hoog boven me.

Ik vond het volgende teken een eindje verderop.

Je hebt gelijk.

Mijn hart bonsde nu nog meer.

Hoe vreemd het ook is, het bewijs ligt vlak voor je.

Het teken stond boven aan een lange, houten trap die naar rechts leidde, de Ridge af. Hoewel het anders was dan het teken boven – ditmaal alleen maar een cirkel met een stip in het midden – was het met dezelfde witte verf gemaakt. En ook dit zou ik over het hoofd hebben gezien als ik niet uit mijn ogen had gekeken. Omdat ik er wel naar uitkeek, was het me meteen opgevallen...

Er kwam een idee bij me op.

Toen ik de tekens had gezien die Sarah in haar notities had gemaakt, hadden ze me aan iets doen denken, en nu wist ik weer waaraan: de tekens die zwervers voor elkaar achterlieten. Een geheime code op de muren van erven of de poorten van huizen.

In dit huis zijn ze vriendelijk.

Goed eten hier.

Eigenaars vijandig.

Zo zagen de tekens eruit – vooral nu ik ze in het echt zag. Het waren boodschappen die voor de meeste mensen geen enkele betekenis zouden hebben, maar informatie verstrekten aan degenen die ze herkenden. In dit geval wezen ze de weg.

Maar waarheen?

Ik liep de trap af, die in tegenstelling tot het pad kunstmatig tot stand was gekomen. Elke trede was ongeveer dertig centimeter hoog en bedekt met een oud stuk plank. Na de eerste twintig hield ik op met tellen. Inmiddels deden mijn schenen al pijn, en toen ik omkeek, zag ik dat het oorspronkelijke pad al een heel eind hoog boven me lag. Beneden leek het erop dat de trap eeuwig doorging, vermoedelijk helemaal tot aan Castleforth.

Ging ik daarheen?

Maar nee, al na een paar minuten zag ik een derde teken links. Dit was achteloos op een boomstam aangebracht. Het was maar een veeg, maar het leek genoeg op de twee eerste om een duidelijke betekenis te hebben. Er liep daar een ruw pad het bos in.

Ik sloeg dat pad in.

Onder het lopen besefte ik nog iets anders over de tekens: dat ze bijna nonchalant waren neergezet. Zelfs als iemand bijvoorbeeld het laatste teken zag, zou hij niet weten welke kant het hem op stuurde, behalve als hij hier was aangekomen door het vorige teken te volgen. Enzovoort, helemaal vanaf de top. Als je bij het begin begon, kregen ze betekenis en wezen ze je de weg. Maar als je ergens anders was begonnen, leken ze volstrekt willekeurig.

Het terrein werd wat minder steil.

De bomen waren hier groter, met meer ruimte ertussen. Ik kwam langs een boom die was gevallen of omgezaagd. De stam lag op zijn kant en kwam tot mijn middel. Verder groeide hier niet veel. Als ik naar de top van de Ridge keek, zag ik een bijna ondoordringbare muur van bomen. In de andere richting, een beetje lager, was er blijkbaar een steile helling: een pruillip die over de schuinte heen hing. Hoe verder ik ging, des te meer was er van het pad te zien, tot het helemaal verdwenen was en ik maar moest hopen dat ik een rechte lijn tussen de bomen door volgde.

Een paar minuten later, toen ik nog steeds uitkeek naar eventuele tekens op de bomen, kwam ik bij een droog gemetseld muurtje. Dit leek ouder dan dat bij het parkeerterrein. Het was klein en vervallen, en er stonden nieuwere betonnen paaltjes langs, waartussen prikkeldraad gespannen was. De bedoeling was duidelijk: verboden toegang. Voorbij die omheining was het privéterrein of werd het gevaarlijk. De onderbegroeiing was daar dicht en hoog. Het gras vormde een massieve, aaneengesloten muur.

En er stonden geen tekens op de palen.

Ik twijfelde even. Misschien gedroeg ik me als een idioot.

Een idioot in dit verrekte bos.

Het was mogelijk. Het kon ook zijn dat ik van de koers was geraakt toen het pad verdween, en dat kon ik in elk geval nagaan. En dus volgde ik de omheining over de Ridge omlaag, helemaal tot aan de rand van de rotswand daar. Ik vond niets en ging weer naar boven. En een klein eindje hoger dan waar ik begonnen was, zag ik een vage witte cirkel op de onderkant van een van de palen.

Het prikkeldraad was hier uit elkaar getrokken in de vorm van een oog: de ene draad omhoog, de andere omlaag. Aan de andere kant was de onderbegroeiing enigszins verstoord en vertrapt. Waar de tekens ook heen mochten leiden, het zag ernaar uit dat iemand anders het spoor ook had gevolgd. Het was moeilijk te zien hoe lang dat geleden was.

Ik draaide me om en spitste mijn oren. Het bos was groot, open en leeg, met vlekkerig zonlicht op de bodem. Afgezien van de zacht kwinkelerende vogels zou ik de enige levende ziel op de wereld kunnen zijn. Een deel van mij hoopte dat.

Zonder er nog langer over na te denken, draaide ik me weer om naar de omheining. Ik trok de bovenste draad nog wat hoger en stapte onhandig door het prikkeldraad.

Meteen was er iets anders.

Een gevoel, bijna opwinding maar niet helemaal, verspreidde zich door mijn lichaam, tot aan mijn schenen. Toen ik doorliep, zond elke aanraking met het gras een tinteling door me heen.

Heilige grond.

Het was irrationeel, maar zo voelde het aan.

Ik volgde het rommelige spoor, waarbij ik de tijd nam en goed keek waar ik mijn voeten neerzette. Na een tijdje bleef ik staan luisteren: ik kon de vogels niet eens meer horen. Op dat moment werd ik me voor het eerst bewust van de geur.

Jezus. Wat is dat?

Ik ademde weer langzaam in – voorzichtig – en wenste meteen dat ik dat niet had gedaan. Het was niet de stank van rottende planten, maar het leek er wel op. Ik keek naar de plukken gras in de verwachting iets te zien wat me zou opvallen, maar alles zag er groen en gezond uit. En eigenlijk was de stank ook veel erger. Ik liep door, maar bij elke stap werd de vieze geur heviger, tot ik het gevoel had dat ik hem bijna in de lucht zag hangen en op mijn huid voelde neerstrijken. De stank riep een oerinstinct in me wakker.

Dit is een slechte omgeving. Ga weg.

De dood, dacht ik. Die ruik ik. De ranzige lucht van verrotting. Het komt ergens uit het gras om me heen, of misschien van ergens verderop. Er was daar iets doods aan het wegrotten, en elke stap bracht me er dichter bij.

Do you want to see?

Nee, eigenlijk wilde ik dat niet. Evengoed liep ik door. Ik zette mijn voeten zorgvuldig neer, want ik wilde vooral niet op iets gaan staan, al verwachtte ik dat elk moment. Toch lag er niets in het gras. Ik keek aan weerskanten van het vage pad dat ik volgde. Niets.

En ook geen tekens meer. Vanaf dit punt werd blijkbaar van me verwacht dat ik iets heel anders volgde.

Verderop was er een opening tussen de bomen.

Ik trok mijn T-shirt omhoog en hield het over mijn neus en mond. Voorzichtig liep ik verder. Elke zenuw in mijn lichaam was gespannen. De stilte werd hier ook verbroken: ik hoorde het stromen van water, zo zacht dat het bijna geheim was.

De opening leidde naar een veld, en toen ik daar kwam, werd ik getroffen door de schok. Mijn hart bonsde opeens niet meer en er bleef alleen een gestaag bonken achter.

Ik kende deze plaats.

O verdomme.

Ik stond aan de voet van weer een rotswand. De rotsen zagen eruit alsof het landschap gevormd was door vanuit honderd willekeurige hoeken laagjes steen weg te schaven. Ver erboven, op de top, staken bomen nog hoger de hemel in. Aan de andere kanten van de open plek viel de grond naar beneden toe weg. Maar ik keek naar de onderkant van de enorme natuurlijke muur links van me, waar een grote metalen buis uit het land kwam, bruin en roestig aan de rand.

Die buis had op de recente foto gestaan die Christopher Ellis op zijn website had gezet. 'Dode vrouw in bos', herinnerde ik me – de foto waarvan ik had gedacht dat het misschien Sarah was en waarvan ik daarna had aangenomen dat het een politiefoto was. Het rottende lijk van een meisje dat half in een buis was geduwd.

Deze buis.

Het water dat ik kon horen, kwam uit die buis en spetterde op de grond beneden. Dat water dat in de modder smakte was het hardste geluid ter wereld.

Ik kon niet goed naar binnen kijken.

Toen ik nog een stap naar voren ging, zag ik iets meer van het inwendige van de buis, maar daardoor schrok ik opnieuw. Elke kleine beweging werd daar versterkt. Er was een kracht aanwezig die de atmosfeer dicht en geladen maakte, en ik herinnerde me wat ik eerder had gedacht. Heilige grond. Op deze open plek, ver van de beschaafde wereld en met de buis bijna binnen handbereik, was het of ik in een kerk stond. Geen modern gebouw, maar iets primitiefs en ouds, met de hand uit rotsen gehouwen. Een echte kerk, waar God aanwezig was en de lucht verdoofde.

En ik besefte dat het niet uitmaakte of ik het wilde zien. Ik had het gevoel dat ik geen keus had. Met het T-shirt nog over mijn neus en mond gedrukt kwam ik dichterbij. Een takje knapte onder mijn voeten, een geluid dat meteen voorbij was, en ik dacht:

Emily Price...

Alleen was de buis leeg.

Ik trok mijn T-shirt weg en liet het op zijn plaats vallen.

Er liep water over het midden van het metaal, en bij de ingang had zich een hoopje rottende bladeren verzameld. Daarachter leek de zwartheid zich eindeloos tot in de aarde uit te strekken. Als dit de juiste plaats was – en daar was ik zeker van –, wilde dat zeggen dat haar lichaam was weggehaald.

Door de politie? dacht ik.

Of door iemand die een lijk uit een veld zou stelen?

En toen besefte ik dat er iets mis was.

De geur was hier zwak.

Alles om me heen werd heel stil, alsof de planten zichzelf plotseling onbeweeglijk hadden gemaakt. Want als dat echt een geur van dood en rotting was geweest, zou het hier toch het ergst moeten zijn? Hier had het lichaam gelegen. En toch rook ik er hier bijna niets van.

Waar was die geur dan vandaan gekomen?

Ik draaide me heel langzaam om en tuurde naar het pad achter me. Er was absoluut niets te zien, maar het bos zat hier plotseling vol dreiging, en de open plek voelde nu om een heel andere reden elektrisch geladen aan. Er was geen ander geluid te horen dan het spetteren van het water.

Je wordt gadegeslagen.

Ik huiverde. Al kon ik niemand zien, ik wist dat het waar was. Er was hier iemand anders. Dat ranzige ding dat ik had geroken, was misschien...

Misschien was dat helemaal niet dood geweest.

Je kon niet verder gaan dan de buis, en het zou me ook nooit lukken de rotswand daarboven te beklimmen. Ik kon alleen van deze open plek wegkomen door terug te gaan zoals ik hier gekomen was.

Dus dat zul je moeten doen.

Ik dwong mezelf kalm te blijven en diep en zorgvuldig adem te halen. En toen ging ik op weg. Elke zenuw in mijn lichaam was gespannen. Het pad was vertrapt, maar de begroeiing was aan weerskanten dicht: muren van gras, met hier en daar een braamstruik of boom. Moeilijk om erdoorheen te kijken. Soms onmogelijk. Iedereen kon daar zijn geweest, en toen ik doorliep, verwachtte ik elk moment dat er iets uit het gebladerte kwam springen.

Wat voor iemand zou zo ruiken? Ik wilde er niet eens over nadenken. Ik ademde het nu ook in, maar het was zwak. En toen ik luisterde, kwam er geen geluid uit het bos.

Misschien was degene die hier met mij was geweest nu weg.

Ik bereikte het punt waar de stank het ergst was geweest. Die lucht hing daar nog steeds, maar ik vond het nu meer een zweem van een geur. En toen keek ik naar links en gingen mijn nekhaartjes rechtovereind staan.

Er was een tweede spoor van platgetrapt gras.

Het spoor kwam op mijn pad uit, maar leidde schuin naar achteren. Daar was iemand geweest. Misschien wel meer mensen, die verborgen hadden gezeten in de begroeiing langs het pad. En hoewel ik het niet zeker kon weten, dacht ik dat ze achter me aan waren gekomen toen ik voorbij was gelopen.

Dat nieuwe spoor door de begroeiing vulde mijn gezichtsveld helemaal op. Ik stond er een tijdje halfgehypnotiseerd naar te kijken. En toen liep ik het tweede pad op.

Het was of ik een alarm aanzette: de angst laaide op in mijn borst en ik hoorde een schelle fluittoon in mijn oren. Maar ik dwong mezelf niet terug te gaan. In plaats daarvan keek ik zorgvuldig naar weerskanten en ging toen een beetje verder. De vertrapte begroeiing maakte een bocht en vormde een pad dat evenwijdig was aan het pad waarover ik hierheen was gekomen.

Het ging niet ver. Na amper dertig seconden stond ik op een rotsmassa. Als ik voor me uit keek, over de toppen van de bomen beneden, kon ik tot aan de horizon kijken. Bij mijn voeten ging de rotswand bijna verticaal omlaag. De harde randen waren zacht van het mos en doorslingerd met boomwortels. Ik kon niet zien hoe ver het was. De grond beneden werd aan het oog onttrokken door de boomkruinen.

Het leek bijna onmogelijk dat iemand die rotswand had beklommen of was afgedaald, maar ik zag geen andere verklaring. In elk geval was er iemand op deze plaats geweest: er hing nog een zweem van zijn geur in de lucht. Maar die verdween al, en ik besefte dat ik de vogels weer kon horen. Het bos leek weer tot leven te komen, alsof hier een tijdlang iets afschuwelijks was geweest en de wereld zich stil had gehouden tot het weg was. Mijn hart klopte ook weer normaal.

Ik draaide me om. Liep terug.

Wat is er in godsnaam aan de hand, James?

Want het moest zijn bedoeling zijn geweest dat ik dit zag. Om de een of andere duistere reden wist hij van de rugzak op de Chalkie en had hij verwacht dat ik daarna hierheen zou gaan. Ik begreep alleen niet waarom.

Ik keek naar het bos om me heen en ging de trap op.

James zou mijn vragen natuurlijk kunnen beantwoorden, maar ik zou hem pas de volgende ochtend zien. Intussen waren er minstens twee andere sporen die ik kon volgen. Ten eerste kon ik proberen meer over Emily Price te weten te komen. Ten tweede kon ik Christopher Ellis te pakken krijgen en antwoorden uit hem wringen.

Wat er ook aan de hand was, Ellis moest de schakel zijn. Ik wist dat hij de foto van het dode meisje online had gezet, en ik wist dat Sarah bij hem was geweest om hem te interviewen en de tekens in haar researchnotities had gezet. Aangenomen mocht worden dat die twee feiten met elkaar in verband stonden: Ellis had ervan geweten en om de een of andere reden had hij het Sarah verteld.

Toch kwam ik daar niet veel verder mee. Want de echte vraag was: waarom was er dat spoor van tekens? Wie had ze gemaakt en, erger nog, voor wie waren ze bestemd?

Ik kwam weer tussen de bomen vandaan en keek omhoog. Boven me vormde de top van de Ridge een kartelige, zwarte lijn tegen de achtergrond van de hemel.

Zo langzamerhand dacht ik dat ze een geest of zoiets was.

Ik verwachtte min of meer dat ik daar een meisje zou zien staan dat naar dit verlaten stuk land keek. Maar net als de buis op de open plek was de Ridge nu leeg.

23

De instructies die hij had gekregen, waren betrekkelijk eenvoudig, maar voor alle zekerheid – en omdat hij dacht dat hem iets ontging – las hij ze nog eens door.

Over de ringweg naar het noorden, begonnen de instructies.

Na een kilometer rechtsaf, Winchester Lane in.

Na een halve kilometer rechtsaf, Winchester Pass in.

Enzovoort.

Tot zover was er geen enkel probleem. Morgan was in feite een veredelde boodschappenjongen, en hij was het gewend om voor zijn baas naar allerlei plaatsen te gaan – al waren dat meestal pakhuizen en werkte hij dan niet met getypte instructies, maar met een stratenboek.

Hoe het ook zij, hij had zich steeds aan de instructies gehouden en geleidelijk de stad achter zich gelaten, op weg naar de wildernis daarbuiten. Zo was hij uiteindelijk hier gekomen, op een bochtige weg aan de rand van Castleforth.

Er is een parkeerplaats aan de linkerkant van de weg.

Eerst had hij alleen de steile helling van de Ridge gezien, maar hij zag de parkeerplaats toen hij een bocht om ging. Een onverharde weg, weinig breder dan de auto, leidde omhoog en verdween rondom een rotsmassa. Hij ging langzamer rijden en sloeg het pad in. De banden golfden zacht over de harde brokken droge modder.

Het pad leidde naar een terreintje van grind en geel zand. De weg lag rechts beneden uit het zicht. Morgan was zo ver mogelijk naar voren gereden om degene die hij daar zou ontmoeten in de gelegenheid te stellen achter hem te parkeren, en trok toen de handrem aan.

Wacht daar op de overdracht.

En dus zat hij daar geduldig in zijn auto, luisterend naar het zachte kraken en gonzen van het bos, en de bijna onderbewuste achtergrondmuziek van de vogels.

Wachten.

Na een paar minuten liet hij het passagiersraampje omlaagkomen en keek naar buiten. Hij stond aan de voet van een enorme rotswand. De Ridge zelf leek een paar oeroude stappen terug te hebben gedaan om ruimte te scheppen voor dit parkeerterreintje. Links van hem was er een dichte muur van bomen en onderbegroeiing, en een eindje daarachter stak de rotshelling steil omhoog. Hij zag vogels, klein en zwart, en de scherp afstekende contouren van bomen helemaal op de top.

De weg die hij had verlaten, was niet druk, en de weinige auto's die hij hoorde, klonken gedempt en ver weg: ze maakten deel uit van een andere wereld. De bomen en onderbegroeiing maakten meer geluid, en de lichte bries voerde een muffe lucht aan. Muggen vlogen loom om de auto heen.

Zijn papier met instructies lag op de kaart waarvan hem was gezegd dat hij hem – nogal theatraal – over het stuur moest leggen. Daarmee moest hij de eventuele argwaan wegnemen van iemand die hier toevallig ging parkeren. Morgan moest eruitzien als een verdwaalde reiziger die niet precies wist waar hij was en daarom op de kaart keek.

Het was natuurlijk belachelijk.

Maar dat gold ook voor de volgende instructie op de lijst.

Stap onder geen beding uit de auto.

Waar was dat nou weer goed voor?

Het stond Morgan helemaal niet aan. Hij wist wel min of meer wat hij hier kwam doen. Hij zou hier iemand ontmoeten en een pakje in ontvangst nemen. Daaruit bestond zijn werk voor een groot deel. Meestal werd van hem verwacht dat hij iets in ruil gaf, maar deze keer had zijn opdrachtgever blijkbaar andere regelingen getroffen om te betalen voor wat hij ontving. Dat was ook goed. Maar Morgan had nooit eerder met mensen te maken gehad die zulke instructies gaven.

Stap onder geen beding uit de auto.

Zo'n advies gaf je aan iemand als er ergens wilde dieren rondliepen. Wat was er hier dan – een wilde beer die met een pakje in zijn bek naar hem toe kwam lopen? Het was hier ruig, maar nu ook weer niet zo ruig.

Het liep tegen drie uur, de afgesproken tijd. Morgan keek heen en weer tussen zijn horloge, het papier met instructies en zijn spiegeltje. Het parkeerterrein achter hem zag er een beetje vervormd uit en er was verder niemand. Telkens wanneer hij een auto hoorde naderen, ergens uit het zicht op de weg, verwachtte hij hem over het pad te zien hobbelen. Maar er kwam niets. En toen...

Toen rook hij de geur.

Het was een geniepige, smerige geur die boven de dennenlucht uit kwam en de auto binnendrong. Binnen enkele ogenblikken nadat hij zich ervan bewust was geworden, werd de stank erger en krachtiger.

Jezus.

Ooit, nog in zijn studententijd, was hij in een flat getrokken en had hij geen tijd gehad om uitgebreid boodschappen te doen. Hij had wat brood, een gebraden kip en spareribs op de markt gekocht. De zak met restjes was op de gang terechtgekomen, vergeten tussen alle lege dozen en vuilniszakken: de onschuldige dingen die nog wel even konden blijven liggen. Een maand later, toen hij dacht dat er een gaslek was, had hij ontdekt dat de stank uit de gang kwam. Hij had een oude doos opgetild en de bloederige zak aangetroffen, die trilde en kronkelde, met twintig of dertig maden die als acne door de huid van wit plastic staken. Misvormde vliegen, zwart en dood, waren blijven steken in de pluizige krullen van de oude vloerbedekking.

De stank die nu zijn auto binnendrong, was daarmee te vergelijken. Het was niet alleen de geur zelf, maar ook het langzame besef dat je iets rook wat helemaal verkeerd was, en dan vond je het: o mijn god, dat is het.

Langzaam draaide Morgan zijn hoofd opzij om naar het bos te kijken.

En toen wendde hij zijn hoofd meteen weer af.

De kaart gleed opzij doordat hij het stuur met beide handen vastgreep. Keer op keer mompelde hij de instructie. Stap onder geen beding uit de auto. Dat voelde nu volkomen begrijpelijk aan.

Hij wist niet eens zeker wat hij had gezien. Er zat iets aan de rand van het bos, gehurkt en voorovergebogen als in gebed. Onmogelijk mager. En zo te zien was het naakt. De knobbels van zijn wervelkolom staken omhoog.

Morgan bleef voor zich uit kijken.

Even later jeukte de zijkant van zijn gezicht. Dat kwam vast doordat het ding in de bomen naar hem keek.

Het is maar een mens, zei hij tegen zichzelf.

Tenminste, een soort mens. Evengoed voelde hij zich er niet beter door. Hij knikte zachtjes in zichzelf, alsof hij naar muziek luisterde die alleen hij kon horen. Haalde adem door zijn mond.

Wat moest iemand doen om een lucht te verspreiden als...

Vanuit zijn ooghoek zag hij iets bewegen, en hij keek vlug om en verwachtte iets bij het raam aan de passagierskant te zien, iets wat naar binnen keek.

Maar de man was weg.

Er waren alleen nog de bomen, hun bladeren licht huiverend, de takken deinend. Een eindje naar achteren, tussen die bomen, begon de duisternis. Toen hij het waagde om weer door zijn neus te ademen, besefte Morgan dat die afschuwelijke lucht een beetje zwakker werd. De man was uit het bos gekomen en had zich daar weer in teruggetrokken.

Morgans hart bonkte.

Er was iets voor hem achtergelaten. Het lag bij de boom waar de man gehurkt had gezeten – om te bidden of wat hij ook maar had gedaan. Het leek een tas. Een rood-met-goudgele sporttas, ingezakt aan de rand van het bos.

Stap onder geen beding uit de auto.

Hij bleef daar een tijdje zitten en bracht zichzelf tot bedaren. Toen hij weer op zijn horloge keek, was het twintig over drie. Het parkeerterrein bleef leeg. Het was naïef om te hopen dat de overdracht nog niet achter de rug was, maar een deel van hem klampte zich koppig vast aan dat idee. Diep in zijn hart wist hij het. Hij mocht niet uit de auto stappen voordat de overdracht voorbij was. Nu het was gebeurd, kon hij dat gerust doen. Ten slotte keek hij weer in de instructies.

Bevestig ontvangst (Garland).

Bevestig inbezitneming.

Maak het pakje niet open.

Dat was duidelijk. Morgan haalde diep adem, maakte het portier open en stapte het zonlicht in. Het zand knerpte een beetje onder zijn schoenen. De lucht voelde koel aan; zonder het te merken was hij gaan zweten.

Het was maar vijf meter lopen naar de bomen. Hij liep om de achterkant van de auto heen en keek strak het bos in toen hij de tas naderde. Maar de vogels zongen – blij, gelukkig – en de lucht rook weer schoon en fris. Tussen de bomen bewoog niets.

De tas was klein, de sporttas van een kind. Er zat een zwart lipje op de dichte rits, zo'n dingetje dat je moest afknippen om de rits te kunnen openmaken. Morgan pakte de tas op en hij was veel lichter dan hij had verwacht. Hij woog bijna niets. Wat er ook in zat, het voelde kwetsbaar en zwak aan, als een bundel gebroken stokjes die tegen de stof drukte.

Maak de tas niet open.

Daar hoefden ze niet bang voor te zijn. Hij wist niet wat erin zat en hij wilde het niet weten; hij wilde alleen zijn cheque en vergeten wat hij hier vandaag had gezien. Hij liep ermee naar de auto. Een telefoontje om de ontvangst te bevestigen, een telefoontje naar zijn baas, en dan een kort ritje, douchen, en hij was klaar.

De tas ging de kofferbak in, uit het zicht. Toen hij het deksel wilde sluiten, dacht Morgan aan iets en bleef hij er even naar kijken. Bidden, had hij gedacht, maar hij bedacht nu dat het helemaal niet zo was geweest. Het had er meer op geleken dat het ding in het bos was neergehurkt om die tas te omhelzen.

Om hem dicht tegen zich aan te houden en er afscheid van te nemen.

Garland klapte zijn mobieltje dicht en bleef even in de gang staan. De man die hem had gebeld had een beetje... verontrust geklonken. Maar ja, die uitwerking had Banyard nu eenmaal op mensen. Garland moest ook niet veel van de man hebben, maar zijn talenten waren onmisbaar voor sommige taken. Zoals de organisatie schoonmakers nodig had, zo had ze ook beheerders nodig. Meestal waren dat mannen uit de omgeving en waren ze van nature geschikt voor dat werk. Banyard was beide, maar hij had een langere, betere staat van dienst dan de meeste anderen.

In elk geval was het gebeurd. De overdracht had plaatsgevonden. Met een beetje geluk was het de volgende middag om twee uur allemaal achter de rug. Dan kon hij het land uit gaan en was hij van deze mensen verlost.

Intussen had hij nog veel werk te doen. De raadselachtige man bij Ellis' woning had naar Sarah Pepper gevraagd, en nu wist hij ook hoe die man heette. Alex Connor. Maar hij wist nog niet waar hij hem kon vinden.

Garland liet de telefoon in de zak van zijn jasje glijden en liep de huiskamer weer in.

'Mijn excuses,' zei hij. 'Collega's die me lastigvallen.'

Julie Smith zat met de baby op de bank.

'Het geeft niet,' zei ze. 'Echt niet.'

Garland leunde tegen de deurpost en glimlachte.

'Nou,' zei hij, 'zoals ik al zei, wil ik graag je vriend spreken. Hoe laat komt hij thuis?'

24

Kearney stond op het balkon van de bovenste verdieping van Blok 3, Parkway Heights, en keek omlaag naar het plein.

Ongeveer twintig jaar geleden waren hier rellen geweest. Dat was voor zijn tijd geweest, maar hij herinnerde zich de rook en de branden in het nieuws: verslaggevers die massaal met de politie waren meegekomen. De galerijen hadden op het ketelruim van een stoomschip geleken. Sindsdien was het complex gerenoveerd en opgeknapt – vooral wat de mensen betrof. Ondanks alle goede wil van de gemeente wilde het met het gemeenschapsgevoel niet erg lukken. Kearney betwijfelde of er sinds de slechte oude tijd ooit zoveel bewoners op het plein beneden hadden gestaan, om van al die wagens van nooddiensten nog maar te zwijgen.

Drie brandweerwagens stonden dicht bij het blok geparkeerd. Twee ambulances stonden een eindje daarachter. De politie had er een busje en vier gewone auto's staan. Toen Todd en hij daar waren aangekomen, had de dichte rook die over het complex hing een schaduw over het plein geworpen, maar die rook was nu enigszins opgetrokken en de rode en blauwe lichten flikkerden zwakjes in de zon.

Geëvacueerde bewoners stonden tussen de nieuwsgierigen uit de andere blokken beneden. Sommigen keken omhoog en schermden hun ogen af tegen de zon, zodat het leek of ze naar hem salueerden. Degenen van wie hij het gezicht kon zien, leken eerder opgewonden dan angstig. Maar ja, op een zonnige dag leken de dingen nooit zo erg, zoals een huis 's nachts veel dreigender aanvoelde. Niemand was bang.

Kearney keek naar rechts en zag nog een politiebusje het plein op komen. Het maakte een langzame draai om naast het betonnen speelterrein tot stilstand te komen. Toen keek hij op en kneep zijn ogen halfdicht. De hemel was zo helder, de kleur was daar zo intens, dat hij vonkjes voor zijn ogen zag, alsof de lucht licht uitzweette.

Aan weerskanten was alles zwart en nat. De brandweer had de galerijen en trappenhuizen in tijdelijke watervallen veranderd. Toen er een beetje wind opstak, voerde die de geur van oude houtvuren en benzine met zich mee, en ook een zweem – zwak maar onmiskenbaar – van de twee mensen die dood in de zwartgeblakerde woning achter hem lagen. Maar als je niet inademde, en niet naar de troep op de vloer keek, had het geluid van het vuile water dat naar beneden druppelde een slaapverwekkende, bijna vredige uitwerking, alsof je in een bos was.

Todd leunde op de reling van de galerij.

'Jezus.' Hij blies zijn wangen op en ademde langzaam uit. De langste zucht die Kearney in een hele tijd van hem had gehoord. 'Wat een ravage is het daar.'

'Ja. Wat denk je?'

'Ik denk dat de commandant van dienst gelijk heeft.'

Kearney knikte. 'Brandstichting.'

'Het is niet nodig om onaardig te zijn over hem, Paul.'

Kearney trok een wenkbrauw op. Todd antwoordde met een glimlach, maar hij wist dat zijn partners reactie geforceerd was.

'Doelbewuste brandstichting dus.'

De brandweer had het sein 'brand meester' al gegeven toen ze daar aankwamen, maar Todd en hij hadden moeten wachten tot ze naar boven mochten. Toen het gebouw veilig werd geacht, had de brandweercommandant van dienst hen van de situatie op de hoogte gesteld. De brand had zich voornamelijk beperkt tot de bovenste verdieping, maar had daar dan ook de meeste woningen getroffen. De schade was het ergst in de woning recht achter hen, waar de brandweer de resten van een blikje aanstekervloeistof bij de deur had gevonden.

De woning zelf was totaal verwoest, eerst door de vlammen en toen door de hogedrukstralen van de brandweerwagens beneden. Het leek nu meer op een donkere druipgrot dan op het huis dat het was geweest. Het meubilair was een verkoolde ravage, met alleen nog wat verbrande stukken stof die aan zwart uitgeslagen hout hingen, en op de vloer lag een laagje drab, met daarin oude papieren en verschrompelde boeken. Het stonk er naar as en paraffine. In de achterste hoek van de kamer was de televisie gesmolten als een kaars. Toch was het zo koud geweest dat Kearney had gehuiverd toen hij naar binnen ging, met zijn voeten in het laagje vochtige viezigheid. En nu viel er ijswater van het plafond, zo gestaag en aanhoudend als regen uit een kapotte dakgoot.

De twee lijken – vermoedelijk van Christopher Ellis en zijn vriendin

Amanda Gilroyd – lagen naar elkaar toe gekeerd op het verwrongen metalen frame van het bed. De hitte had hen geschroeid en verschrompeld, en hun tanden ontbloot, zodat ze op kleine, blinde boksers leken die klaarstonden voor een gevecht. Woedend. Toen zag Kearney dat Gilroyds voeten gekromd waren, bijna zo delicaat als die van een baby.

Hij had niet door de kamer hoeven te lopen om de handboeien te zien waarmee hun polsen en enkels waren vastgemaakt. Hij had er ook niet te veel over willen nadenken wat dat betekende. Het was tegelijk duidelijk en afschuwelijk. Je deed doden geen boeien om.

Hij nam aan dat er minstens één positieve kant aan de zaak was: voor zover ze wisten waren deze twee mensen de enige slachtoffers. Het brandalarm voor deze verdieping zat naast de voordeur van Ellis, en iemand had het aangezet. Ze hadden al met de buren van de dode man gesproken. Toen die het alarm hadden gehoord en naar buiten waren gekomen, was er nog niets van brand te zien geweest. Dat wees erop dat degene die de brand had gesticht ook het alarm had aangezet.

Kearney nam zijn armen van de reling en draaide zich om naar de deuropening.

'Waarom liet hij het alarm afgaan?' vroeg hij. 'Waarom riskeerde hij dat hij gezien werd?'

'Misschien wilde hij niet dat er meer doden vielen.'

'Misschien.'

Kearney wist dat hij doodmoe was en niet helder kon denken. Het was vreemd dat iemand de wil en de gevoelloosheid bezat om twee mensen vast te binden en levend te laten verbranden, maar het toch ook nodig vond anderen te waarschuwen en daarmee misschien zelfs hun levens te redden.

'Aan de andere kant,' zei hij, 'raakt iedereen in paniek als het alarm afgaat. De mensen rennen zo snel mogelijk naar beneden en letten dan niet goed op. Misschien dacht hij dat ze zich hem dan juist niet zouden herinneren.'

'Dat is ook mogelijk,' gaf Todd toe. 'Maar waarom heeft hij eigenlijk brand gesticht?'

Volgens het gebruikelijke scenario stichtte de dader brand om moord op een ongeluk te laten lijken. Maar dan zou hij zijn slachtoffers geen handboeien hebben omgedaan.

'Hij wilde iets verbergen,' zei Kearney.

'Het bewijs van iets,' beaamde Todd.

'Hij was er niet van overtuigd dat hij het had gevonden en moest er dus met zekerheid voor zorgen dat het verdween.'

Dat zat hem dwars. Het brandalarm – wat daar ook achter mocht hebben gezeten – wees erop dat de dader goed had nagedacht. De handboeien wezen daar ook op. Evenals het grondige werk dat hij had geleverd. Al met al leek het erop dat hier een professional aan het werk was geweest. Iemand die zoiets systematisch aanpakte.

'Maar welke rol speelt Roger Timms bij dit alles?'

Twee sporen in de Butterfly-zaak hadden hen naar de restanten van Christopher Ellis' voordeur geleid.

Ten eerste had Ellis aan het eind van vorig jaar blijkbaar een schilderij van Roger Timms gekocht. Daar was niets bijzonders aan, al hadden ze niet kunnen ontdekken wat hij precies had gekocht. Bovendien was het bedrag dat Ellis had betaald – vijfduizend pond – veel hoger dan wat Timms' kleinere kunstwerken meestal opbrachten. Het moest dus een werk zijn dat Timms in opdracht had gemaakt. Dat vond Kearney op zichzelf al vreemd. Hij stond er niet om bekend dat hij opdrachten van particulieren aannam. En voor iemand als Christopher Ellis was vijfduizend pond een gigantisch bedrag.

De tweede connectie was nog belangrijker geweest. Ze hadden Roger Timms' telefoongegevens geanalyseerd en Ellis' nummer was in de afgelopen maanden enkele keren opgedoken. Het was een interessant patroon. Aan het eind van het vorige en het begin van dit jaar was er een zekere mate van contact tussen hen geweest – vermoedelijk hadden ze toen regelingen getroffen voor wat Ellis had gekocht –, maar daarna helemaal niet meer, tot deze week, toen Timms één keer laat op de avond naar Ellis' huis had gebeld.

Het was het laatste gesprek van de lijst. Voor zover ze konden nagaan, was Christopher Ellis de laatste persoon met wie Roger Timms had gesproken voordat hij op de vlucht sloeg.

Nu waren Ellis en zijn vriendin dood.

En er was iets vernietigd.

Todd zei: 'Ik geloof niet dat Timms dit heeft gedaan.'

'Het is geen toeval.'

'Nou, soms is het wel toeval, Paul.'

Kearney was niet overtuigd. Todd wees naar de wijd open deuropening van de woning.

'Waarom zou Timms hierbij betrokken zijn?'

'Dat weet ik niet.'

'Hij zou het niet doen. Wat heeft het voor zin? Stel, Ellis heeft er iets mee te maken. Laten we veronderstellen dat hij iets van de moorden weet. Misschien is hij zelfs de man met de vingerafdrukken die we zoeken.'

'Waarom zou Timms zich daar druk om maken?' zei Kearney.

'Precies. En we hebben al genoeg bewijs tegen die kerel.'

Ook zonder de dingen die ze in zijn kelder hadden gevonden, hing het bewijs van Timms' betrokkenheid in minstens twee verschillende werelddelen aan de muur. Kearney zag geen enkele reden waarom Timms het nodig zou vinden nu nog zijn sporen uit te wissen.

'Ik ben het met je eens,' zei hij. 'Timms is op de vlucht.'

'Zo snel als hij kan.' Todd knikte. 'Laten we deze rottigheid hier aan de technische recherche overlaten en het dan op iemand anders afschuiven. Zo vlug als we kunnen.'

Hij wilde weglopen over de geschroeide betonnen galerij. Zijn voeten lieten scheve voetafdrukken in de natte drab achter. Maar in plaats van hem te volgen bleef Kearney waar hij was. Hij keek naar de resten van de woning.

'Misschien wilde hij zijn schilderij terug.'

'Dat is niet goed genoeg, Paul.'

Kearney moest bijna glimlachen. Dat hoorde bij hun onderlinge verstandhouding. Zoals Todd de verhoren meestal aan Kearney overliet, erkende die dat zijn collega er beter in was verbanden tussen dingen te leggen. Dit was precies het soort uitdaging dat hij vaak aan hem voorlegde. Kom op, overtuig me. Ondanks zijn laatdunkende toon wist Kearney wat Todd werkelijk bedoelde: ik kom er niet uit, en hoe moeilijk ik het ook vind om het toe te geven, ik heb jouw hulp nodig.

Een snipper papier zweefde geluidloos van het deurkozijn omlaag.

'Oké,' riep hij. 'En als er nu eens een derde in het spel is?'

Todd bleef nu tenminste staan, maar hij draaide zich niet om.

'Ga verder.'

Kearney wierp een laatste blik in de woning en stapte toen door de drab van de galerij naar zijn collega toe.

'We weten van Wells en Timms. Maar op grond van de vingerafdruk weten we dat er nog minstens één andere persoon bij betrokken is.'

'Ja,' zei Todd. 'Wells, Timms en Mister X.'

'Als Ellis nu eens niet Mister X is?'

Kearney was bij hem aangekomen en ze liepen samen verder.

Todd zei: 'Je bedoelt dus dat we van Wells en Timms weten, maar niet van Mister X, wie dat ook mag zijn. En dat hij hierheen is gekomen en Ellis heeft vermoord?'

'Ja.'

'En waarom dan?' Todd duwde de zware deur open. 'Er zou een motief moeten zijn.'

'Omdat Ellis wist wie hij was?'

Ze liepen de natte betonnen trap af, Todd voorop. Hij zei niets, en Kearney wist niet of dat betekende dat hij over het scenario nadacht of dat hij zijn redenering als ondeugdelijk van de hand had gewezen. Hij had zelf het gevoel dat hij het goed had, maar dat het nog niet alles was.

Wat had Ellis geweten dat zo gevaarlijk was? Niets over Timms, want ze hadden alles al wat ze nodig hadden. Het moest dus de identiteit van iemand anders zijn.

Dat moest wel.

Want wat kon Christopher Ellis anders hebben gezegd dat erger zou zijn dan wat ze al wisten?

Natuurlijk zou Ellis hun nu niets meer vertellen.

Dat besefte Kearney pas goed toen ze op het plein terug waren. De lucht hierbeneden was fris en schoon, maar het kostte hem plotseling moeite adem te halen. Net of hij niet genoeg lucht in zijn longen kon krijgen.

Iets in zijn hoofd begon te stampen.

Een paniekaanval. Dat besef vloog door zijn hoofd en maakte het alleen maar erger. Die aanvallen kwamen altijd onverwachts, dus niet eens als hij aan iets specifieks dacht. Ze borrelden op uit de spanningen die diep in hem sudderden.

Het begon met dit koortsachtige gevoel, als een spin die gevangenzat in zijn luchtpijp en met zijn poten trappelde.

Beheers je.

Hij dwong zich langzaam en regelmatig adem te halen en probeerde zich af te leiden door naar al die mensen op het plein te kijken. Hij deed een bewuste poging zijn gedachten leeg te maken. Maar iedereen die daar stond scheen naar hem te kijken. De gezichten van die mensen deden hem denken aan de kinderen in zijn droom. Ze vroegen om antwoorden. Een oplossing. Voordat het te laat was.

We zullen haar niet vinden.

Hoe meer Kearney ertegen vocht, des te erger werd het. Hij deed zijn ogen dicht en bleef heel stil staan, met pareltjes zweet op zijn voorhoofd. Op dit moment wilde hij vooral niet dat het vertrouwde beeld van Rebecca Wingate hem weer voor ogen kwam. Maar juist als je je iets niet wilt herinneren, komt het vaak...

Toen dacht hij: wacht.

Er klopte iets niet.

Even later besefte hij dat het iets in de mensenmenigte was. Hij deed zijn ogen open en richtte ze weer naar de mensen, vroeg zich af wat hij had gezien.

Een paar mensen keken naar hem, maar de meeste stonden alleen maar te praten of keken naar de resten van de woningen achter hem. Zijn blik ging van gezicht naar gezicht, en hij kon het niet vinden. Maar nu was hij er des te zekerder van.

Hij had iemand herkend.

Hij liep naar de menigte toe.

Al zag hij de persoon niet, misschien kon hij hem vinden. Het uiterlijk van de man was als een vage indruk bij hem blijven hangen, niet zozeer als een concreet beeld. Lang, bruin haar. Een ruige baard. Een gebruinde huid. Ogen die in de fractie van een seconde dat ze elkaar zagen recht in de zijne hadden gekeken. Wie de man ook was, hij had Kearney ook herkend.

Waar was hij?

'Meneer? Hebt u even?'

Shit.

Kearney bleef abrupt staan en draaide zich om naar de geüniformeerde agente die hem had aangesproken. Ze was jong en aantrekkelijk, en hij kende haar vaag, maar alleen omdat Todd een keer iets over haar had gezegd. En hij wist haar naam ook niet meer. Kearney keek weer gefrustreerd naar de menigte en beheerste zich.

'Deze meneer heeft u iets te vertellen.'

Aan haar stem te horen had ze zo haar twijfels, en toen Kearney naar de man keek die naast haar stond, begreep hij waarom. De man was ongeveer zeventig en droeg een wijd, ouderwets tweedpak met een vlekkerige, grijze trui daaronder.

Kearney zag de alcohol al voor hij er iets van rook. De drank zat in het gezicht van de man, in zijn diepe lijnen en roze ogen, in zijn gelige huid.

De gele man, dacht hij. Dat riep weer een irrationele golf van paniek op, maar deze kreeg hij gemakkelijker in bedwang. De oude man die tegenover hem stond verschilde zo sterk van het dreigende wezen in zijn nachtmerries als maar mogelijk was.

'Ja, meneer,' zei Kearney. 'Wat kan ik voor u doen?'

'Ik heb hem gezien.'

De woorden kwamen door een web van slijm heen, en de ogen van de oude man glansden toen hij naar het huizenblok wees.

'Die jongen daarboven. Ik heb hem vanmorgen gezien.'

'U hebt Christopher Ellis gezien?' vroeg Kearney. 'Of iemand anders?'

De man schudde zijn hoofd. 'Chris. We hebben hem allemaal gezien.'

'Waar?'

'Het viel ons op. Hij zat bij ons in het café, en er kwamen moeilijkheden.'

Plotseling werd dit interessanter.

Kearney knikte de agente toe en ging dichter bij de oude man staan om hem zijn volledige aandacht te geven. De paniek was er nog, maar hij deed zijn best om zich te beheersen.

Er was nog tijd. Dat moest hij geloven.

'Wat voor moeilijkheden?'

25

Ellis was dood.

Ik liep zo snel maar ook zo zorgvuldig mogelijk het plein af – ik wilde geen aandacht trekken, maar moest de afstand tussen mijzelf en die politieman zo groot mogelijk maken. Ik kende hem, maar ik wist niet meer waarvan. Ik was er vrij zeker van dat hij mij ook had herkend.

Ik kwam in de grote straat en keek om. Niemand volgde me. Boven dreef een enorme wolk van dikke, zwarte rook door de lucht weg, als iets wat langzaam naar elders ging. Toen ik hier was aangekomen, had het geleken of een hele hoek van de stad in lichterlaaie was gezet. Eenmaal op het plein zelf had ik goed kunnen zien waar het vuur was begonnen. Of was aangestoken.

En toen had ik de politieman gezien.

Het schoot me weer te binnen. Ik had met hem gepraat toen Marie was gestorven. Toen hij voor het eerst bij me kwam zitten, had ik gedacht dat hij een contactpersoon voor slachtoffers was, omdat hij zo vriendelijk was in vergelijking met de anderen. Hij zat met me te wachten en praatte zachtjes met me, en het leek wel of hij persoonlijk was getroffen door wat er was gebeurd. Pas later hoorde ik dat hij rechercheur was.

Ik kwam bij de deur van The Duncan.

Het zou alleen maar een kwestie van tijd zijn voordat het incident van eerder op de dag aan de politie werd gemeld. Iemand had Christopher Ellis' woning in brand gestoken, en toen hij voor het laatst was gezien, was hij weggerend alsof zijn leven ervan afhing. Ze zouden een vrij goed signalement kunnen geven van de man die achter hem aan zat, en de politieman die ik had gezien zou de rest zelf kunnen invullen. Als hij zich mijn naam nu niet kon herinneren, zou die hem later wel te binnen schieten.

Dat betekende dat ik bijna geen tijd meer had.

Bijna geen tijd voor wat nu een vraag zonder antwoord was, want diep in mijn hart wist ik dat ik terug moest gaan en de politieman moest vertellen wat ik wist, al had ik er geen idee van wat het betekende. Maar iets in me bleef in beweging. Mijn borst werd dichtgesnoerd en mijn hart fladderde.

Je had gelijk, had ik tegen Sarah gezegd. Je moet die dingen onder ogen zien.

Ik had dat niet gedaan, maar deed het nu wel. En ik wilde beslist zo lang mogelijk doorgaan. Ik wilde uitzoeken wat er gebeurd was en wat het betekende, en ik wilde de verantwoordelijkheid nemen voor de rol die ik daarin had gespeeld, welke dat ook mocht zijn.

Toen ik in mijn hotelkamer terugkwam, zette ik de televisie aan en vond een nieuwszender. Ik ging aan het bureau zitten en startte de laptop op. Terwijl die langzaam tot leven kwam, was er op de tv een bericht over Sarah. Ik draaide me om en keek.

Terwijl ik weg was, was er een persconferentie geweest, en ze lieten daar nu beelden van zien. Drie politiemannen zaten aan het eind van een zaal, met grote, blauwe spandoeken achter hen en microfoons en glazen water voor zich op tafel. De man in het midden droeg een pak en las voor van een papier, waarbij hij nu en dan even opkeek om de woorden te benadrukken. Op de achtergrond was het geluid van flitsende camera's te horen. Toen hij zei dat de politie geloofde dat Sarahs lijk uit het veld was verwijderd, werd dat geluid heviger. In combinatie met de flitsen klonk het of een zwerm vogels hongerig op hem aanviel.

Er volgde een handjevol vragen. Ja, herhaalde de rechercheur, ze geloofden dat het lichaam van mevrouw Pepper in het veld had gelegen en daarna door een of meer onbekende personen was verwijderd. Nee, er was momenteel geen duidelijk verband met de arrestatie van Thomas Wells, al volgde de politie verschillende sporen. Mensen die in de buurt waren geweest, werd verzocht zich te melden. Enzovoort. Er volgden beelden van het veld, en toen kwamen de presentatoren in de studio weer in beeld.

Ze vertelden niets wat ik nog niet wist.

Toen het was afgelopen, richtte ik mijn aandacht weer op de computer, die eindelijk was opgestart. Ik opende de browser en ging naar doyouwantto-see.co.uk. Er was nog steeds een kleine mogelijkheid – en daar klampte ik me aan vast – dat ik me de dingen die ik de vorige avonden had gezien verkeerd herinnerde. Ik was nog nuchter geweest toen ik de foto zag die

169

Ellis op het forum had gezet, maar daarna was ik tamelijk dronken geworden. Misschien was ik te beneveld geweest om goed te kunnen kijken. Misschien had ik me een verband verbeeld dat er niet was.

Ik zocht weer naar 'Hell_is'.

Toen het scherm weer oplichtte, stond dezelfde post nog bovenaan: 'Dode vrouw in bos'. Ik klikte erop, vurig hopend dat het anders zou zijn. Maar midden in Ellis' laatste post stond nu alleen een wit kadertje met een rood kruis erin: een verbroken link. Het beeld zat ergens opgeslagen, en de pagina vond het niet op de verwachte plaats. Een fout.

Net als het lichaam zelf was de foto verwijderd.

En Ellis' woning was uitgebrand.

'Emily Price,' zei een vrouw.

Ik schrok zo erg dat het even duurde voor ik besefte dat de stem uit de televisie kwam. Een verslaggeefster – een nuffige vrouw in een grijs pakje – stond voor de rechtbank in het centrum van de stad.

'... maar de politie ondervraagt Thomas Wells nog over de verdwijning van de achtentwintigjarige Rebecca Wingate.'

De rode banner onderaan:

MAN BESCHULDIGD VAN 'VAMPIERMOORDEN'

'De politie wil ook graag praten met deze man, Roger Timms, een kunstenaar uit de omgeving.'

Op het scherm verscheen een man met een ruig, gebruind gezicht en blondgeverfd haar dat op de kruin van zijn hoofd omhoogstak. Hij glimlachte en schudde iemands hand terwijl fotografen zich om hem heen verdrongen. Het beeld versprong en hij hief een glas naar de camera. De verslaggeefster gaf intussen commentaar.

'De politie verzoekt iedereen met informatie over zijn verblijfplaats, of die van deze auto, zich te melden. Rebecca Wingate is nog steeds verdwenen.'

Zorgen om verdwenen Rebecca.

Ik herinnerde me het voorpaginaverhaal uit de taxi van twee dagen geleden; ik had er vluchtig naar gekeken, maar vooral naar het artikel over Sarah gezocht. Op de Ridge had ik al gedacht dat de naam 'Emily Price' me bekend voorkwam. Daar had ik de naam van herkend. Van die krant.

Ik opende een nieuw venster op de computer en zocht in Google News naar 'Thomas Wells' en 'Emily Price'.

Meer dan driehonderd hits.

Ik liet ze in chronologische volgorde zetten en opende het nieuwste bericht. De naam van Emily Price stond in de laatste alinea.

'Wells wordt ook verdacht van de moorden op de tweeëntwintigjarige Melissa Noble en de zevenentwintigjarige Emily Price. Hun lichamen zijn nooit gevonden. Vandaag zei een vertegenwoordiger van de familie Noble: "Wij hopen dat de arrestatie van deze man tenminste een eind zal maken aan de onzekerheid bij de nabestaanden van al zijn slachtoffers."'

Ik las het opnieuw. Voor alle zekerheid.

Hun lichamen waren nooit gevonden.

Maar Christopher Ellis had een foto van haar online gezet. Dat betekende dat iemand haar had gevonden. En er was een spoor op de Ridge: een geheim pad dat naar de plaats leidde waar haar lichaam was achtergelaten. Je kon het alleen volgen als je wist waarnaar je moest uitkijken. Het spoor was verborgen, maar het was wel de bedoeling dat het werd gevolgd.

Ik liep naar het bed en zocht tussen Sarahs notities tot ik het papier met de tekens had gevonden. Mijn hand beefde toen ik het oppakte.

Ik verbeeldde me dit niet. Maar waarom zou iemand willen...?

Ik keek naar de laptop.

Wil je het zien?

Er kriebelde iets in mijn borst.

Was dat mogelijk? Dat mensen zulke informatie met elkaar deelden zoals ze ook foto's op het forum zetten? In plaats van beelden uit te wisselen gingen ze de echte wereld in om te kijken. Ellis had geweten waar het lichaam van Emily Price te vinden was, en toen Sarah met hem praatte, gaf hij haar de kaart.

Wat had hij gezegd over de beelden die hij van Maries dood had gemaakt – dit moest hij laten zien? En ik had gemerkt dat hij een intensieve gebruiker van de site was, iemand die graag liet zien wat hij had ontdekt. Misschien had hij het niet kunnen laten haar te vertellen wat hij wist. Dat was waarschijnlijk nog lang niet alles, maar ik vroeg me af of er nog iets anders meespeelde: of hij had gemerkt dat Sarah gefascineerd werd door de dood, zoals ik altijd had geweten. Toen Ellis haar aankeek, had hij misschien een verwante geest gezien. Twee zijden van dezelfde medaille. Ik vond dat niet zo'n prettig idee.

Ik keek weer naar de televisie. Ze waren overgegaan op een ander bericht, maar ik herinnerde me wat de verslaggeefster had gezegd. Ze waren nog op zoek naar Roger Timms. En ze spraken van 'vampiermoorden'. Dat paste bij de fles bloed die ik had gevonden – was het dus zijn rugzak die ik in de Chalkie had ontdekt?

Jezus, had James me daarheen gestuurd terwijl hij verwachtte dat ik Timms tegen het lijf zou lopen?

Dat idee stond me ook niet erg aan, en ik dacht er nog over na toen mijn mobieltje tegen mijn heup trilde.

Een telefoontje. Ik verwachtte dat het van Mike kwam, maar toen ik de telefoon uit mijn zak haalde, stond er NUMMER ONBEKEND op het scherm.

Ik wachtte even en nam toen toch op.

'Hallo?'

'Spreek ik met Alex Connor?'

Het was een mannenstem. Onbekend.

'Wie bent u?'

'Rechercheur Paul Kearney.'

Ik ging op de rand van het bed zitten.

Kearney. Zo heette hij.

Ik zag hem weer voor me en herinnerde me dat hij erg direct en intens was. Erg bij de zaak betrokken. Hij was niet groot, maar in zijn fysieke verschijning zat iets wat zowel geruststellend als intimiderend kon zijn – dat hing er maar van af hoe hij er gebruik van wilde maken. Zijn ogen hadden dat ook. Als je naar hem keek, was het of je werd gehypnotiseerd.

Ik wachtte.

'Alex?' zei hij. 'Ben je daar?'

'Ja.'

'We moeten praten. Dat zul je wel al weten.'

'Hoe bent u aan dit nummer gekomen?' vroeg ik.

'Wij zijn de politie, Alex. Doe niet zo naïef. We moeten met je praten over de dood van Christopher Ellis en Mandy Gilroyd. Ik hoorde dat je vandaag bij hun huis bent geweest. Klopt dat?'

Ik dacht daarover na.

'Ja,' zei ik uiteindelijk.

'Maar we hebben ook met je broer gepraat. Die had nogal een verhaal te vertellen, en eerlijk gezegd weet ik niet goed wat ik ervan moet denken.

Het lijkt me erg vergezocht. Hij zei dat je misschien informatie had waardoor we er meer van zouden begrijpen.'

Ik keek naar de papieren op het bed en dacht nog steeds na.

'Waar ben je?' vroeg hij.

Even later verloor Kearney zijn geduld.

'Dit is geen verzoek, Alex. Ik vraag je niet om een gunst. We onderzoeken de dood van meneer Ellis en mevrouw Gilroyd en jij bent momenteel een verdachte. Begrijp je dat?'

De kamer voelde kleiner en benauwender aan dan ooit.

Ik had een droge mond. Tijd om een besluit te nemen.

'Ja,' zei ik.

'Waar ben je? In een hotel?'

'Nee. Ik ben daar over ongeveer een halfuur.'

Hij zuchtte.

'Waar ben je nu? Ik laat je door iemand ophalen.'

'Nee,' zei ik. 'De dingen die u wilt hebben, liggen in mijn kamer. Geeft u me een halfuur de tijd, dan kom ik buiten naar u toe.'

Nu was het Kearneys beurt om even te zwijgen.

'Ik wil je helpen, Alex,' zei hij. 'Speel geen spelletjes met me. Het leven van een jonge vrouw staat op het spel. Dat weet je toch?'

'Een halfuur,' herhaalde ik. 'Het is het Everton Hotel, achter het station. Ik ben in kamer 632. U kunt bellen en het aan de receptie vragen.'

Weer een korte stilte. Hij noteerde iets, en ik dacht dat ik hem met zijn vingers naar iemand hoorde knippen.

'Dan ben ik buiten,' zei ik.

'Oké, Alex. Een halfuur.'

Ik verbrak de verbinding.

Toen liep ik naar het bed. Ik pakte Sarahs notities bij elkaar en stopte ze in mijn rugzak. Mijn hart bonkte. Een halfuur was niet lang, en het was de vraag of ik zelfs zoveel tijd had.

Wij zijn de politie, Alex. Doe niet zo naïef.

Naïef zijn was tot daaraan toe, maar toen ik het mobieltje kocht, had ik mijn naam niet opgegeven. De enige die hun het nummer kon hebben verteld, was Mike, en ik kon me niet voorstellen waarom Kearney dat niet gewoon had gezegd. Om nog maar te zwijgen van de vraag hoe die de tijd had gehad om dat uit te zoeken. Zelfs als hij zich mijn naam had herinnerd, kon die hem niet zo snel naar Mike hebben geleid.

Maar zelfs dat was niet het voornaamste.

Ik hoorde dat je vandaag bij hun huis bent geweest, zei hij. Die woorden klopten niet. We hadden elkaar verdomme recht in de ogen gekeken, maar hij had dat gezegd alsof hij het van iemand anders had gehoord.

Ik probeerde Mikes mobieltje. Het bleef even stil, en toen hoorde ik pieptonen, als een wekker die overging. Niet beschikbaar. Ik belde naar zijn huis. De telefoon ging maar over en over, en er nam niemand op.

Rustig blijven, Alex. Je weet niet zeker dat er iets mis is.

Alleen wist ik dat wel. Ik zocht vlug op internet en vond het laatste nummer dat ik nodig had.

'Hallo,' zei de vrouw. 'Politie Whitrow...'

'Mag ik rechercheur Paul Kearney?'

Ze zweeg even. 'Ik verbind u door. Een ogenblik.'

Weer twee pieptonen, en toen het nummer dat werd ingetoetst.

'Kearney,' zei een man.

Dit was een andere stem.

'Hebt u mij zojuist gebeld?' zei ik.

'Sorry – wie bent u?'

Ik hing op. Het was niet dezelfde stem geweest, en hij had echt niet geweten waar het over ging. Het was dus niet Kearney geweest die ik eerder aan de telefoon had gehad. Ik maakte de kabel van de laptop los en gooide het apparaat, nog opgeladen, in mijn rugzak. De kabel kon achterblijven. Ik klopte op mijn zakken. Portefeuille. Telefoon. Paspoort.

Volgens mijn horloge had ik nog twintig minuten de tijd voordat de man die ik had gesproken zou komen. Alleen was ik er vrij zeker van dat ik niet zoveel tijd had. Er lag een houten wig bij de deur van mijn kamer, en die trapte ik er zo hard mogelijk onder. Vervolgens liep ik naar het raam. Dat was klein, maar ik kon erdoor.

Ik nam de brandtrap.

26

Café Wetherspoons bevond zich achter het station, en de hoofdingang was in de stationshal. Ik zat bij de open glazen deuren daar. Achter me hoorde ik het kletteren van de grote zwarte borden waarop gele letters fladderden om gegevens van aankomst- en vertrektijden te laten zien. Nu en dan werd dat alles onderbroken door de pingtoon van het omroepsysteem, waarna een kalme stem bekendmaakte dat een trein vertraging had.

Toen ik op het station aankwam, was ik allereerst naar een van de munttelefoons gegaan om de politie te bellen en haar het adres van Mike en Julie te geven. Er was hun misschien iets overkomen, zei ik. Om hen haast te laten maken zei ik dat het te maken had met de moord op Christopher Ellis.

Zelfs nu hoopte ik nog dat ik het mis had.

Jezus, ze hebben een baby.

Dat was het laatste wat ik tegen de politie zei, en het was of er binnen in me iets wegviel toen ik die woorden uitsprak. Tot dan toe had ik er nog niet aan gedacht.

Nadat ik had opgehangen, had ik een mooi, onopvallend plekje gevonden. Ik was aan deze smalle metalen tafel gaan zitten. Daar wachtte ik af.

Het was druk, en daar kon ik enige troost uit putten. Het café zelf stond vol met mannen. Ze drongen naar binnen en, iets voorzichtiger, weer naar buiten, met bierglazen en flesjes tussen hun gespreide vingers. Aan de muur lieten plasmaschermen geluidloze dansvideo's zien.

Mijn aandacht was gericht op het andere eind van het café.

De wand bestond daar ook uit glas, en daardoor keek je uit op een pleintje aan de achterkant van het station. Metalen terrasstoelen glinsterden in de vroege avondzon, en aan de rand van het trottoir stonden mensen met bagage op een taxi of een lift te wachten. Voorbij dat alles, aan een bocht in de straat, was de ingang van het Everton. En op deze veilige afstand, aan het oog onttrokken door glanzende ruiten en minstens vijftig mensen, nam ik een slokje uit mijn glas en zag ik drie mannen uit mijn hotel komen.

Ik ken jou.

Ik was net op tijd gaan zitten om hen met een mooie, zwarte BMW te zien aankomen. Alle drie zaten ze netjes in het pak; ik geloofde niet dat ze van de politie waren, maar ze straalden wel een kalm gezag uit. Twee van hen waren jong en stevig gebouwd; ze hadden donker haar en droegen een donker pak. Ze zouden niet uit de toon zijn gevallen als ze naast een presidentiële colonne meedraafden, met hun vingers bij hun oordopjes. De derde was ouder, en hij droeg een pak dat net zo grijs was als zijn uitgedunde haar. Hij had dezelfde krachtige uitstraling als de anderen, maar maakte een meer ontspannen indruk. Alsof hij zich niet zo druk maakte. De eerste twee bewogen zich alsof ze wisten dat ze sterker waren dan jij, terwijl de oudere man zich bewoog alsof het er niet toe deed.

En ik herkende hem – tenminste, dat dacht ik. Hij leek als twee druppels water op de man die ik eerder die dag op de galerij had zien staan in het huizenblok tegenover dat van Ellis, de man die maar wat voor zich uit stond te staren.

Of die misschien de omgeving had verkend.

Ik begreep er nu opeens veel meer van. Hij had me naar de woning van Ellis zien gaan. Daarna was hij er zelf heen gegaan en had hij beiden vermoord. Maar voordat hij dat had gedaan, moest hij naar mij hebben gevraagd, en hoewel ik geen naam had genoemd, had ik wel naar Sarah Pepper en James Connor gevraagd. De schakel daarna ontbrak, maar op de een of andere manier hadden die namen hem naar Mike geleid, die hem had verteld wie ik was en hem mijn telefoonnummer had gegeven.

Ik zag hen nu weer naar buiten lopen. De grijsharige man ging voorop. De twee anderen liepen regelrecht naar de auto terug, maar hij bleef op het trottoir staan. Hij keek om zich heen en draaide zijn hoofd langzaam van de ene naar de andere kant. Het was een angstaanjagend klinische blik – als een bewakingscamera die een kamer systematisch in beeld brengt. Toen hij die blik op de grote ruiten van het café richtte, onderbrak hij die beweging.

Er ging een huivering door me heen.

Hij was minstens honderd meter bij me vandaan, en hij kon me onmogelijk zien: het zonlicht zou de ruiten in spiegels veranderen, zodat zelfs de mensen die dichtbij zaten niet te zien waren. Laat staan dat hij mij kon zien, helemaal achterin. Toch huiverde ik. Want hij begreep precies wat ik had gedaan en wist dat ik hier ergens was en naar hem keek. Voor zover ik kon zien, was zijn gezicht volstrekt onbewogen. Hij liet de verschillende opties door zijn hoofd gaan. Koos voor een strategie.

Ik keek terug en wachtte af wat hij ging doen.

Wie waren die mensen?

Als ik gelijk had, had deze man Christopher Ellis vermoord. Ik nam aan dat hij ook de foto van Emily Price had weggehaald die Ellis op dat forum had gezet. Ik wist niet precies waarom, maar kon op dat moment maar één verklaring bedenken: de informatie die Ellis op het forum liet zien had geheim moeten blijven.

Want er was beslist iets geheims aan het pad op de Ridge – en als Emily Prices lichaam nooit was gevonden, moest het wel geheim zijn. Het was dus verboden kennis, die alleen discreet mocht worden doorgegeven.

Hier. Wil je dit zien?

In februari had Sarah onderzoek gedaan naar geruchten over een ander slachtoffer – Jane Slater – dat op internet was verschenen. Misschien was er ook een spoor van tekens geweest dat naar haar lichaam leidde en had Ellis die foto ook op internet gezet. Om de een of andere reden had hij hem weggehaald, maar hij had de verleiding niet voorgoed kunnen weerstaan. Hij kon die dingen niet voor zich houden. Hij had het niet genoeg gevonden dat hij ze zag; hij moest ze laten zien, en misschien had dat hem het leven gekost.

Ik begreep er steeds meer van. Toen ik in The Duncan naar hem toe ging, was hij duidelijk doodsbang geweest. Ik kon mezelf er wel mee vleien dat ik zo intimiderend overkwam, maar ik dacht eerder dat hij me voor iemand anders had aangezien.

Voor een van deze mensen, wie het ook mochten zijn.

Het ijs in mijn glas rinkelde toen ik het oppakte en een slok nam.

Ik zag de man in het grijs naar de auto teruglopen en instappen. Even later reed de auto met grote snelheid weg, maar dat was bepaald niet geruststellend. Ik vermoedde dat ze rondreden, ergens uit het zicht parkeerden en naar het café kwamen om binnen rond te kijken. Ondanks alle mensen die daar waren, voelde ik me er niet veilig meer.

Ik zette mijn glas neer en ging naar buiten, de drukte van de stationshal in.

177

Ik kwam langs de munttelefoon die ik had gebruikt om de politie te bellen en dacht aan Mike en Julie. Als hun iets was overkomen, was dat mijn schuld. Ik had naar de politie moeten gaan. In plaats daarvan was ik zo vastbesloten geweest om de verantwoordelijkheid voor mijn verleden op me te nemen – om de confrontatie daarmee aan te gaan en de zaken zelf af te handelen – dat ik hen met mijn roekeloosheid in gevaar had gebracht.

Zeg tegen hem dat dit allemaal zijn schuld is, had James gezegd.

Zo langzamerhand geloofde ik dat hij gelijk had.

Ik dacht er nog steeds over na toen ik twintig minuten later in een trein zat en in zuidelijke richting uit het station vertrok. Het was niet zo belangrijk waar ik nu heen ging. Ik was van plan op een willekeurig station uit te stappen en dan wat rond te lopen tot ik een hotel vond. Een betere manier om te verdwijnen wist ik niet. Ik moest een tijdje onderduiken en nagaan wat ik kon doen.

Ik wilde niet naar de politie. Deze keer ging het er niet om of ik zelf dingen wilde rechtzetten of dat ik het aan Sarah verplicht was zelf uit te zoeken wat er gebeurd was. Het was gewoon een praktische kwestie. De man die had gebeld was niet Paul Kearney geweest, maar hij had wel van hem geweten. Voor zover ik me kon herinneren, konden Mike en Julie hem niet hebben verteld dat we elkaar ooit hadden ontmoet. Dat betekende dat de man over andere connecties beschikte, misschien binnen de politie zelf, en dat ik te maken had met een hele organisatie: mensen die snel en efficiënt informatie konden verzamelen en dan binnen enkele uren doeltreffend in actie konden komen.

Zolang ik niet wist wat er aan de hand was, wist ik niet wie ik kon vertrouwen.

Dat zei ik tegen mezelf. Maar er was nog iets anders, iets waar ik niet goed vat op kon krijgen. Vreemd genoeg moest ik steeds weer aan Kearney denken. De herinnering aan zijn ogen, de manier waarop hij me had aangekeken. Ik had het gevoel dat als ik maar lang genoeg in die ogen keek, ik erachter zou komen wat me dwars had gezeten.

In plaats van daar verder over na te denken keek ik in de trein om me heen. Het was een goedkope stoptrein en de treinstellen leken in elkaar te zijn geflanst van oude onderdelen van afgedankte bussen. De vloer was bedekt met rubber en de stoelen waren vaal en versleten. Ze stonden dicht op elkaar en naar elkaar toe, als nissen in een goedkope cafetaria. Het hele geval schommelde heen en weer terwijl het over de rails kletterde, alsof het elk moment uit elkaar kon vallen.

We reden een tunnel in, en het gekletter van de rails ging meteen over in stilte. Ik zag een bleke, gele weerspiegeling vanaf de ruit naar me terugkijken, maar enkele ogenblikken leek hij helemaal niet op mij. Het was een beetje anders, zoals de stad ook anders had aangevoeld. Doordat ik weg was geweest, was ik ook veranderd. En als ik naar mezelf keek, kon ik niet goed zien wat er mis was.

Wie ben jij?

Ik knipperde met mijn ogen, maar toen schoten we de tunnel weer uit en maakte de vreemde man plaats voor het groene waas van een hoge wal die achterwaarts voorbijvloog.

Wie ben jij?

Ik wist het niet. Ik wist niet of ik het wilde weten.

Vluchten was nooit echt de oplossing geweest; die wetenschap had ik meegebracht uit Venetië. Ik was nooit in staat geweest de lelijke dingen achter me te laten. Maar nu kwam er een afschuwelijk gevoel bij me op en vroeg ik me af of ik me misschien had vergist.

En of het me toch was gelukt iets te vergeten en of dat nu vanuit die afwezigheid langzaam en onverbiddelijk weer in zicht kwam. Een stoot die me tegen de vlakte zou slaan als hij me trof. Iets waarvoor ik niet snel genoeg kon uitwijken.

27

Het was donker in het huis toen ze daar aankwamen.

De vroege avondzon stond nog wazig aan de hemel, en Kearney meende een beetje licht te zien door de dichte gordijnen, maar evengoed zag het huis er grauw uit, alsof het vol zat met nevel die tegen de ramen drukte. Het kwam niet door de verlichting, maar door iets anders, iets wat ontbrak. Het leven in dit huis was gewoon uitgegaan, als een kapotte gloeilamp.

'De zijdeur is open,' zei Todd.

De stem van zijn collega klonk grimmig. Hij voelde het ook.

'Neem jij de voorkant,' zei Kearney.

'Weet je het zeker?'

Maar Kearney liep al over het pad. Hij draaide zich opzij om zich tussen de bakstenen muur en de grote witte auto onder de carport door te wurmen. Nu hij uit de zon was, huiverde hij. Niet alleen van de kou. Ook van spanning.

Misschien speelde er nog iets anders mee. De hoofdpijn in zijn achterhoofd klopte harder en sneller. Hij voelde zich koortsachtig. Wanhopig.

Aan de voorkant van het huis sloeg Todd op de deur.

'Meneer Halsall? Wilt u opendoen? Politie.'

Met de rug van zijn vingers duwde Kearney de zijdeur verder open. De deur bewoog geluidloos en kraakte alleen even toen hij tot stilstand kwam. Een keuken. Donker. Leeg. Hij deed zijn mond open, luisterde aandachtig en hoorde niets anders dan een zware, absolute stilte.

Hij ging naar binnen en draaide zich enigszins opzij.

'Politie. Iemand thuis?'

Niets.

Hij hoorde Todd weer aankloppen, nu luider.

De keuken was langwerpig en nieuw ingericht. Er stonden blankhouten kastjes onder een glanzend granieten aanrecht, en er hingen kastjes aan de muren. De laatste die had afgewassen, had een roze vaatdoek netjes over de gebogen kraan laten hangen. Aan het eind van de keuken keek een aquarel van Kearneys eigen gezicht vanuit de glanzende zwarte voorkant van de oven naar hem terug. Daarnaast pulseerde het lichtblauwe tijdschermpje zacht in het halfduister.

18:08.

Het klokje maakte een sprongetje: 18:09.

Kearney knipperde met zijn ogen, liep verder naar binnen en keek achter de deur: één vertrek tegelijk doorzoeken. Hij had wel meegemaakt dat iemand in een keukenkast was weggekropen, maar deze waren te klein. De deur naar de bijkeuken stond wel open. Alleen bezems en een grasmaaier met plukken gras op de bladen.

Omdat er een deuropening in de zijmuur zat, kon Kearney een blik in de huiskamer werpen. Kamerbrede vloerbedekking, beige en smetteloos. De rug en schouders van een zware leren fauteuil. Een plasmascherm. De randen van de gordijnen met een dolk van wit licht aan de zijkant, waar de stof niet precies tot de muur reikte.

Kearney liep om het werkeiland in het midden van de keuken heen en zag...

Voeten.

Twee paar voeten, een beetje uit elkaar, de hakken op de vloer. Een paar was in zwarte schoenen gestoken. Het andere paar was bloot; de teennagels waren purper geverfd.

Todd bonsde op de voordeur. De voeten bewogen niet.

'Hierheen, Todd,' riep Kearney.

Toen liep hij voorzichtig de voorkamer in.

O god.

Er lagen twee lichamen op de bank, afschuwelijk roerloos en geluidloos. Een man en een vrouw, schouder aan schouder, hun handen op hun schoot. Het hoofd van de vrouw hing naar achteren, de mond halfopen, terwijl dat van de man opzij bungelde alsof hij naar haar schouder keek. In het midden van zijn voorhoofd zat iets wat blijkbaar een schotwond was, en zijn ogen waren dicht. Achter hem was de bovenkant van de bank doorweekt met bloed.

Mike Halsall en Julie Smith.

Kearney ademde in en rook een brandlucht. Het was de geur van oud kruit. Ook hing er een zweem van het bloed dat hier was vergoten.

Blijkbaar had geen van beiden zich verzet. Hadden ze dat niet gedaan omdat...

Ze hebben een baby.

De paniek laaide in hem op. Op dat moment kwam zijn collega bij hem staan.

'Godskelere,' zei Todd.

Kearney liep door de huiskamer.

'Paul – wat doe je nou?'

'Ze hebben een kind, Todd.'

'Die twee zijn doodgeschoten. We moeten...'

'Er is hier een klein jongetje.'

Terwijl hij langs de lichamen liep, wist hij dat Todd gelijk had. Misschien was de dader nog in het huis. Op de gang bijvoorbeeld, of misschien stond hij stilletjes boven te wachten. In dat geval bracht hij zichzelf in gevaar.

Hij liep toch de gang op en ging toen vlug over de trap naar boven zonder zelfs maar even te aarzelen. Het stampen in zijn hoofd ging steeds sneller. Er is hier een klein jongetje. Die gedachte joeg hem naar boven. Op de overloop rook hij talkpoeder en douchegel.

De grote slaapkamer was duidelijk te herkennen. De badkamer ook. Kearney liep naar de laatste deur. Toen hij hem openduwde, bonkte zijn hart nog steeds. Het kloppen in zijn hoofd hield hetzelfde ritme aan.

Het was donker en stil in de kamer. Aan de andere kant hing een schimmig, gefragmenteerd mobile boven een...

Voor het eerst bleef Kearney staan.

Het bedje was net een houten kooi. Tussen de spijlen door zag hij een wit kussen en een deken. Daartussen bolde iets op. Hij ging dichterbij en liet ten slotte zijn handen op het hout rusten. In het bedje zag hij het hoofd van een baby die op zijn zij lag. De deken kwam langzaam omhoog en omlaag. En nog een keer. De baby sliep.

Er versprong iets in hem, en een ogenblik dacht hij dat hij in elkaar zou zakken. In plaats daarvan liet hij zijn onderarmen op het bedje rusten en haalde enkele keren diep adem.

'Paul?'

'Hij is ongedeerd.'

Toen Todds voetstappen op de trap te horen waren, bewoog de baby enigszins, en Kearney keek naar de muur achter het bedje. Op die muur zaten stickers. Sommige kwamen al een beetje los, alsof ze eigenlijk al te oud waren geweest om ze nog vast te plakken.

Sterren, besefte hij. Fluorescerende sterren.

Ze dreigden hem in hun greep te krijgen.

'Denk je dat het dezelfde dader is?' vroeg Todd.

Hij sprak zacht. Ze stonden buiten bij hun auto op versterking te wachten. Kearney hield de baby in een deken in zijn armen en keek naar het donkere huis voor hen. Het kind was tegen hem aan gaan liggen en maakte zich blijkbaar niet druk om wat er was gebeurd. Nu dat achter de rug was, beefde Kearney genoeg voor hen beiden. Hij zag nog maar één ding. Hij kon zijn gevoelens alleen in bedwang houden als hij zijn aandacht op het huis richtte.

Hij voelde zich rafelig.

'Paul? Die man die jou belde?'

'Ik weet het niet, Todd.'

De telefoontjes waren relatief snel achter elkaar binnengekomen en hij moest steeds weer aan de man denken die hij bij Ellis' huizenblok had gezien. Dezelfde gebruinde man met lang haar die eerder op de dag volgens getuigen vanaf The Duncan achter Christopher Ellis aan was gerend. Kearney had Todd over hem verteld, en hij kon de gedachte niet van zich afzetten dat die man de sleutel tot dit alles was, maar...

'De eerste keer vroeg hij uitdrukkelijk naar jou.'

'Ja,' zei Kearney. 'Hij dacht dat ik hem had gebeld.'

'Maar dat had je niet?'

'Jij was hier bij mij.'

'En je weet niet wie het was?'

Kearney gaf geen antwoord. Het gevoel dat hij de man ergens van kende was sterker dan ooit, maar hij kon hem niet thuisbrengen. Het was of de man op de een of andere manier was veranderd. Niet genoeg om hem helemaal aan het oog te onttrekken, maar genoeg om verwarring te zaaien in het deel van Kearneys hersenen dat meestal zo goed was in het onthouden van mensen.

Todd beet nerveus op zijn nagel. Hij hield er niet van als Kearney in gepeins wegzakte; dat zat hem nooit lekker. Even later knikte hij naar het huis.

'Geen duidelijk verband met Christopher Ellis.'

'De man die belde zei het.'

'Dat zegt niets. Geen handboeien. Geen brand. En in maatschappelijk opzicht is er een wereld van verschil tussen deze mensen en Ellis en Gilroyd.'

Kearney zei niets. Hij wist dat Todd van hem verwachtte dat hij de gebruikelijke antwoorden gaf, of ten minste dat hij met een theorie kwam, maar dat kon hij niet. Hij wist alleen zeker dat deze mensen op de een of andere manier met Ellis in verband stonden. Misschien lag het niet zo voor de hand, maar als hij wist hoe het zat, zouden de andere puzzelstukjes ook op hun plaats vallen. Hij moest het verband leggen. En gauw ook.

Kearney deed zijn ogen dicht en wiegde de baby in zijn armen. Hij rook het kind, en het was een warme geur. De geur van goede verzorging. Hij probeerde er gebruik van te maken om zich te concentreren.

'Gaat het wel, Paul?'

'Ik probeer na te denken.'

Op dat moment ging Todds mobiele telefoon.

Kearney hield zijn ogen dicht, maar iets maakte zich in hem los. Was het zover? Hij kon het niet met zekerheid zeggen, maar hij had het gevoel van wel. De afgelopen zes maanden had hij het verwacht. Telkens wanneer hij Burrows op de gang zag of langs de deur van Operatie Victor liep, de deur met het gordijn, voelde hij dat het op hem af kwam. En toch was hij elke avond doorgegaan. Hij had niet kunnen ophouden.

Want inmiddels was het toch al te laat.

Hij wilde meer tijd.

'Shit,' zei Todd. 'Het is White.'

Hoofdinspecteur Alan White: hun baas. Er was een pieptoon te horen doordat Todd de telefoon opnam. Kearney probeerde het te negeren. Probeerde na te denken.

Kom op, Paul. Je moet nu het verband leggen.

'Meneer?' Todd zweeg even. 'Ja, meneer. Hij is hier bij me.'

Daarna zei Todd een tijdje niets. Misschien duurde het maar dertig seconden, maar het leek een mensenleven. En het antwoord wilde gewoon niet komen. In plaats daarvan kon hij alleen maar Rebecca Wingate weer voor zich zien, Rebecca die haar handen naar hem uitstak. Bijna binnen bereik, maar toen – opeens – weer weg. Hij had haar niet kunnen helpen.

Kearney deed zijn ogen open.

Todd liet de telefoon in zijn zak glijden. Hij keek hem vreemd aan.

'White zegt dat je terug moet komen. Direct, zegt hij.'

Kearney knikte.

'Wat is er aan de hand, Paul?'

'Weet je wat het ergste is?' zei hij. 'Ik heb hem beloofd dat we haar zouden vinden.'

'Wie?'

'Simon Wingate. Ik heb het hem beloofd.'

Todd keek hem aan. Hij begreep het niet.

'Het is precies zoals Anna zei,' legde Kearney uit.

'Paul?'

Zijn ex-vrouw zei dat het niet het ergste van zijn verhouding was dat hij het had gedaan, maar dat hij 'Ik hou van je' was blijven zeggen toen dat echt niet meer waar kon zijn. Beloften waarvan hij wist dat hij zich er niet aan kon houden.

We zullen haar vinden.

Al die koortsachtige ochtenden kwamen weer bij Kearney op. Hoe hij vol angst en schaamte wakker was geworden, met de wens het ongedaan te maken, met de vastbeslotenheid het niet opnieuw te laten gebeuren. Maar elke nacht was het weer gebeurd. En toch had hij met Simon Wingate gesproken en hem beloften gedaan die onvermijdelijk bedrog zouden blijken te zijn als de waarheid uitkwam. Dat was het allerergste. Het was beter om helemaal niets te zeggen dan dat je woorden in gif veranderden.

Todd keek nu bijna alsof hij in paniek was.

'Paul?' zei hij. 'Wat heb je gedaan?'

'Het spijt me,' fluisterde Kearney.

Hij wist niet tegen wie hij praatte.

Een halfuur later had hij tenminste weer iets van zijn kalmte terug.

Hoofdinspecteur Alan White was begin vijftig, maar zag er jonger uit: zijn haar had inhammen, maar was nog donker, en hij had de imposante, gespierde bouw van een man die drie keer per week ging squashen en urenlang door de straten kon rennen zonder dat hij er last van kreeg. Had hij kortgeleden geen marathon gelopen? herinnerde Kearney zich. Vorig jaar misschien. Of misschien het jaar daarvoor.

Het maakte natuurlijk niet uit, maar zijn gedachten sprongen steeds in alle richtingen. White zat aan de andere kant van zijn grote eikenhouten bureau en had duidelijk moeite met dit gesprek. Vreemd dat iemand die gewoonlijk zoveel gezag uitstraalde er zo slecht aan toe kon zijn.

'Paul...'

Maar zijn stem stierf weg.

White had hem nooit eerder bij zijn voornaam genoemd. Hij gebruikte altijd achternamen, als een leraar op school. In het politiekorps was toch al geen gebrek aan alfamannetjes, maar vooral White liet je nooit vergeten wie de baas was. Hij liep streng rond en keek je dreigend aan. Soms, als je met hem in zijn kamer alleen was, kon je je heel goed voorstellen dat hij je opeens zou gaan slaan. Veel ondergeschikten waren bang voor hem, maar vandaag was hij zo gedwee dat het bijna griezelig was.

Hij weet niet hoe hij dit moet aanpakken.

Kearney had zowaar medelijden met hem.

'Paul, er is iets onder mijn aandacht gebracht.'

Het had geen zin het te ontkennen. Hij had de zaak op een afstand gevolgd en soms namen van sites gehoord. Hij kende die sites. Telkens wanneer Burrows en zijn team ergens op af gingen, hield hij zijn adem in. Hij had geweten dat dit er uiteindelijk van zou komen.

Het ergste.

'Ja, hoofdinspecteur,' zei hij. 'Ik weet het.'

White keek op. Ze zeiden dat hij met die blik van hem verf kon afschroeien, maar wat Kearney nu in die ogen zag, kwam dichter bij verwarring of zelfs gekwetstheid. Kearney dacht even aan Simon Wingate, die op dat moment waarschijnlijk nog op de receptie zat. Maar dat was te pijnlijk. Het was beter dit snel af te werken.

'Wat weet je?' vroeg White.

'Operatie Victor.'

'Ga verder.'

'Ik denk dat in het kader van dat onderzoek mijn creditcardgegevens zijn gevonden.'

'Waar?'

'Op websites,' zei Kearney. 'Privéwebsites.'

'Jezus, Paul. Noem je het zo?'

'Ik weet hoe je het ook kunt noemen, hoofdinspecteur.'

White schudde zijn hoofd. Er lag een uitdraai voor hem op het bureau en hij deed enkele ogenblikken alsof hij hem las.

'Brigadier Burrows,' zei hij, 'is op dit moment in je huis. Zijn team is gemachtigd om het huis te doorzoeken en allerlei materialen, computerapparatuur maar ook andere zaken in beslag te nemen die ze daar aantreffen. Je gaat vanavond niet terug naar huis.'

'Dat begrijp ik, hoofdinspecteur.'

'En je hoeft me niet meer zo te noemen.'

'Dat begrijp ik.'

White liet zijn ellebogen op het bureau rusten en wreef over zijn ogen. Daarbij hield hij zijn vingers recht.

Had hij de video's gezien? vroeg Kearney zich af. Waarschijnlijk niet, als Burrows nog in het huis was. Maar er zou hem zijn verteld wat het waren. Ze zouden gegevens hebben van wat er gedownload was door wie – toegangsregisters en dergelijke. Kearneys verzameling bestond uit maar drie video's in totaal, maar de hoeveelheid was irrelevant. Dit soort materiaal werd ingedeeld in de categorieën één tot en met vijf, waarbij vijf de ergste was. Hij wist dat alle drie de clips op zijn computer tot categorie vier behoorden.

En hij wist ook dat White hem straks zou vragen het uit te leggen. Hij werd misselijk bij dat vooruitzicht.

Hij zou het niet kunnen uitleggen. Het was eerder dat jaar begonnen, toen hij onderzoek deed naar de berichten dat er een foto van Jane Slater online was verschenen. Die foto was er niet geweest, maar hij had andere gevonden. En toen hij eenmaal aan het doorklikken was, had hij het niet kunnen laten om te kijken.

En toen had hij iets anders gevonden. Een korte opmerking in een reeks commentaren.

Ik zal je het ergste vertellen wat *ik* ooit heb gezien...

Daarop volgde geen video, zelfs geen foto. Het was maar een zin, maar die had een vuur in hem doen oplaaien! Toen hij die woorden voor het eerst had gelezen, was zijn hart op hol geslagen en gestokt – om vervolgens hard en snel te gaan slaan. Het koude zweet had in zijn gezicht geprikt. Hij wist niet eens wat het verhaal betekende, maar het was beslist ook het ergste wat hij ooit had gelezen. En vanaf dat moment was hij verloren geweest. Hij moest en zou het begrijpen.

Na een tijdje bracht White zijn handen omlaag en keek hij Kearney over de tafel aan. Die zag dat de verwarring op het gezicht van de man had plaatsgemaakt voor nauwverholen walging. Hij voelde de weerspiegeling van die waanzin in zichzelf. Het was de zuiverste schaamte die hij ooit had gevoeld. Hij was vuil. Weerzinwekkend.

'Waarom, Paul?' vroeg White.

En Kearney wilde het net uitleggen – White er ten minste een deel van vertellen –, toen iets in hem plotseling in verzet kwam tegen dat idee. Zijn emoties balden zich samen als een vuist.

Nee. Je gaat dit niet doen.

Je gaat hem niets vertellen.

En het maakte ook niet uit. Een man als White interesseerde zich niet voor het waarom. Hij was daar niet eens op voorbereid. De vraag was zijn eigen antwoord. De vraag naar het 'waarom' was zoiets als een video-camera die op een televisie werd gericht. Je kreeg hetzelfde beeld, einde-loos herhaald, kleiner en kleiner. Het ging helemaal vanzelf en het vormde een tunnel. Als je eenmaal in die tunnel keek, kon je niets anders doen dan er dieper en dieper in vallen.

En dus zei Kearney niets.

28

Dan Killingbeck zag zijn zoon door de achterdeur verdwijnen, achter de hond aan. Sam had zijn korte broek en T-shirt nog aan – waarschijnlijk nog met zand in de vouwen – en het leek wel of zijn dunne armen en benen aan een stuk door fladderden. De jongen was de laatste tijd zo ongecoördineerd met zijn bewegingen, dacht hij. Elf jaar oud, en zijn lichaam groeide sneller dan zijn geest kon bijhouden.

Toch was Dan in zekere zin blij dat Sam in zijn hart nog een jongen was – dat hij net zo opgewonden was geweest over Barney, die ze uit de kennel hadden opgehaald en naar huis hadden gebracht, als over de vakantie die ze net hadden gehad. Zo was hij eigenlijk met alles. Het was leuk om te zien.

Een geweldige jongen.

Dat zeiden mensen als ze hem ontmoetten. Hij was aardig en goedgehumeurd. De middelbare school werd waarschijnlijk zijn ondergang.

'Pas goed op jezelf,' riep hij.

'Ja, ja.'

De woorden zweefden in de koele avondlucht terug, eerder ademloos dan laatdunkend. Maar met Barney erbij zou Sam niets overkomen. God helpe degene die zijn zoon kwaad wilde doen als die hond in de buurt was. Zelfs Dan kwam op de tweede plaats als Sam op bezoek was. Dat was ook goed.

Hij schudde zijn hoofd en gooide zijn autosleutels op de keukentafel; ze kletterden en gleden nog een stukje door. Aan het eind van de keuken, naast de deur, was de luxaflex open. In de pikzwarte rechthoek van het raam zag hij een wazige, gele weerspiegeling van zichzelf. Hij zag zichzelf zijn leren jasje uittrekken en uit het zicht ophangen over de ronde rug van de keukenstoel.

Toen streek hij met zijn vingers door zijn haar en wendde zich af. Hij rekte zijn rug. Het was vandaag een lange rit geweest, en in sommige opzichten was hij blij dat hij thuis was, al zat het hem nooit helemaal lekker om terug te komen. Hij had Sam twee weekends per maand, en dat was prima, maar het hoogtepunt van het jaar was toch altijd de lange week die hij in de zomer kreeg, en dat was de week die net voorbij was.

In de afgelopen jaren was hij, nadat Joanne daar eindelijk mee akkoord was gegaan, met Sam naar een camping in Frankrijk geweest. Het was allemaal heel eenvoudig. Ze waren met zijn tweeën en hadden een tent en een dubbele gasbrander die hij min of meer door Sam liet beheren. Overdag zaten en lazen ze, of ze reden naar het kasteel in de buurt, of namen het pad naar het strand. 's Avonds keken ze naar films in de open-luchtbioscoop. En wat vooral zo belangrijk was: ze praatten. Soms had Dan het gevoel dat hij zijn zoon zoveel wilde vertellen, maar op andere momenten wilde hij alleen maar luisteren en denken: goh, is hij niet hart-stikke geweldig?

Ze deden er minstens twee dagen over om daar te komen en even lang om terug te komen, en Sam mocht graag lang in bed blijven liggen en uitge-breid ontbijten. Ze luisterden afwisselend naar de favoriete cd's van hen beiden, en zijn zoon moest altijd lachen als hij probeerde mee te zingen. Op de heenweg reed Dan tamelijk snel; op de terugweg rekte hij het een beetje. Zelfs vandaag, toen Sam het grootste deel van de tijd tegen het passagiersraam had geslapen, had het gezicht van zijn zoon hem doen denken aan de baby die hij ooit was geweest. Hij had langzaam gereden. Alsof ze samen niet over tijd beschikten, maar over afstand.

Nu hij terug was, liep hij uit gewoonte naar de koelkast om een biertje te pakken. Badend in het licht bleef hij staan. Normaal gesproken zou hij niet drinken als Sam erbij was – dat was een ongeschreven wet van hem, bedoeld om aantijgingen van Joanne te kunnen weerleggen. Maar toen haalde hij zijn schouders op. Eentje zou niet veel verschil maken, en Sam werd al wat ouder.

Ten tijde van de scheiding, toen de verhoudingen stilletjes giftig werden, had zijn eigen vader hem de beste raad gegeven die hij ooit had gekregen. Speel het spelletje niet mee. Zeg nooit lelijke dingen; wees gewoon een goede vader, zo goed als je kunt. Want hij was bang voor maar één ding, en dat was dat hij Sams genegenheid zou verliezen. En zelfs als hij zich eens liet gaan, was zijn zoon slim, zoals de meeste kinderen dat zijn. Dan had zelf als tiener het contact met zijn vader verloren. Hij was overtuigd geweest van allerlei dingen, maar eigenlijk alleen aan de oppervlakte, opdat zijn moeder het zou zien. Zijn vader had het allemaal stilletjes in zich opgenomen, ervan overtuigd dat Dan diep in zijn hart de waarheid wist. En natuurlijk was dat ook zo. En met Sam zou dat ook het geval zijn.

En dus draaide hij de dop van het flesje af.

Op dat moment begon Sam, die nog in de achtertuin was, te schreeuwen.

Ze botsten bij de keukendeur tegen elkaar op.

'Sam?'

Zijn zoon drukte zich dicht tegen hem aan; Dan voelde de hartslag van de jongen toen hij zijn armen om hem heen sloeg. Maar Sam probeerde zich los te trekken en wees naar de donkere tuin.

'Een monster! Het maakt Barney dood!'

'Een wat?'

'Een monster!'

Dan greep de schouders van zijn zoon vast.

'Sam. Ga nu naar binnen.'

'Het is op het veld.'

De jongen huilde, en Dan draaide hem om en duwde hem de keuken weer in. Hij hield zijn armen nog even geruststellend om hem heen en liet hem toen los.

'Het komt wel goed. Blijf jij hier.'

'Wees voorzichtig.'

'Ik red me wel.'

Dan keek naar links en rechts en zag de zaklantaarn op de koelkast. Hij had hem tevoorschijn gehaald toen hij de week daarvoor zijn bagage pakte, maar omdat hij had gedacht dat de batterij het niet zou volhouden, had hij een kleinere van boven gehaald en meegenomen. Nu drukte hij op de rubberachtige knop. Een zwakke lichtstraal viel over het gras en bleef aarzelend aan de rand van het gazon hangen. Dat was goed genoeg.

'Blijf hier.'

Hij ging naar buiten, stak zijn hand achter zich en trok de keukendeur dicht. Wat er ook gebeurde, hij wilde niet dat Sam het zag. Hij had een heel slecht voorgevoel van wat hij aan het eind van de tuin zou aantreffen. Barneys stoeierige gedrag was grappig als hij binnen speelde, maar als hij buiten was en het pad van een wild dier kruiste... dan minder. Een van de katten van de buren was een maand geleden dood aangetroffen, en Dan had zijn vermoedens gehad. De buurman ook, maar niemand kon iets bewijzen.

Niet opnieuw, dacht hij.

Alsjeblieft, God, laat het een vos of zoiets zijn.

Dan volgde het tegelpad. Hij hield de zaklantaarn op de grond gericht en scheen weer omhoog toen hij bij de omheining kwam: alleen wat paaltjes met prikkeldraad ertussen. Verderop staken de bomen als zwarte wolken tegen de donkerblauwe avondhemel af.

Hij zag niets.

'Barney?'

Maar hij hoorde wel iets. Het klonk niet als een gevecht. Barney snuffelde en gromde een beetje. Dan riep zijn naam weer en de hond blafte enthousiast terug, maar hij kwam niet, terwijl hem dat toch wel geleerd was. Hij werd door iets afgeleid.

In elk geval klonk hij niet gewond.

Dan bleef aan het eind van het pad staan en scheen systematisch met de zaklantaarn over de grond langs de onderkant van de omheining, huiverend in de bries. Hij trok zijn neus op. Er stonk iets, dacht hij. Niet verschrikkelijk, maar... bedorven.

Zijn hand bewoog niet meer toen het licht op een stuk van de omheining dicht bij de hoekpaal viel. Daar was Barney. Hij had zijn achterpoten ingetrokken en huiverde. Hij worstelde met iets.

'Barney.'

Hij zei het op scherpe toon. Deze keer keek de hond wel naar hem om; misschien kwam het door het licht. Barney liet zijn prooi los en draaide zich verwijtend naar hem om.

Dan keek boos terug.

'Huis.'

De hond ging opzij en het licht viel op datgene waarmee hij had gevochten. Dan verstijfde. Zijn hand beefde. Hij merkte niet eens dat Barney hem voorbijsloop en in de richting van het huis terugliep.

Dat huis leek hem plotseling heel ver weg.

Het eerste wat hij dacht, was dat Sam gelijk had. Het was een monster. Het gezicht was vaag menselijk, maar gezwollen en bleek, met geen andere trekken dan één reusachtige, zwarte leegte waar een oog had moeten zitten. Het ding was volkomen roerloos. Dood. De huid op zijn arm was gespikkeld, en het leek of die arm naar hem wees.

Hij slikte. Natuurlijk bestonden er geen monsters, en na de eerste schrik besefte hij waar hij naar keek. Barney moest het hebben geroken, het veld in gerend zijn en het zo goed en zo kwaad als het ging hierheen hebben gesleept.

God, dat gezicht...

Hij herkende het uit de krant.

DEEL IV

29

De volgende morgen werd ik vroeg wakker. Het kleine waterkokertje op het nachtkastje rommelde en klikte. Ik zette een kopje slappe koffie en ging met gekruiste benen op het voeteneind van het bed zitten, in het licht van de kleine televisie, wachtend op het regionale nieuws.

Het eerste item was een dubbele schietpartij in een woonwijk.

Ik nam kleine slokjes van mijn koffie en probeerde het warme vocht langs de knoop te krijgen die zich steeds meer samentrok in mijn keel. Er kwam een verslaggever in beeld. Hij stond voor het huis van Mike en Julie.

Ik knikte. In mijn hart had ik al geweten dat er iets was gebeurd, maar evengoed was het schokkend om het op het televisiescherm te zien. Het huis kwam me nu nog vreemder voor dan toen ik daar voor het eerst sinds mijn terugkeer op de stoep had gestaan.

Ik wachtte.

De verslaggever zei: 'De politie heeft ook bekendgemaakt dat er een baby in het huis is aangetroffen. Het kind is ogenschijnlijk ongedeerd en is onder de hoede van gediplomeerde verzorgsters gebracht.'

Josh. Dat was tenminste iets.

Maar toen dacht ik aan Mike en Julie en besefte dat het niets was. Het was helemaal niets.

Je had niet terug moeten komen.

Dat stemmetje had al die tijd gelijk gehad. Alles hier leek op de een of andere manier op gang te zijn gebracht door mijn vertrek indertijd, en nu had mijn terugkeer de dingen nog erger gemaakt. Ik begreep het niet helemaal, en het was waar dat het nooit mijn bedoeling was geweest, maar die feiten deden er nu niet meer toe. Misschien doen ze er nooit toe.

Los daarvan had ik al besloten wat ik nu ging doen. Mijn paspoort lag naast me op het bed; de rest was ook ingepakt. Ik ging weg. Misschien was dat ook een fout, maar soms moet je fouten maken omdat er nu eenmaal niets anders in de aanbieding is. En als er door jou uiteindelijk verschrik-

kelijke dingen gebeuren, kan dat beter zijn door dingen die je hebt nagelaten dan door dingen die je hebt gedaan.

Ik nam een slokje van mijn koffie.

Trouwens, ik kon niets anders doen.

Ik kon nu echt niet meer naar mijn broer toe gaan. De ontbrekende schakel van de ketting had ik de vorige avond gevonden. Hoe had de man in
het grijze pak de sprong kunnen maken van het bezoek van Sarah en
James aan Ellis' woning naar een gesprek met Mike?

Mijn broer had toch geen andere bezoekers gehad?

Dat was het enige waaraan ik kon denken: dat alleen Mike mijn broer in
de gevangenis had opgezocht. De vorige avond had ik me afgevraagd hoe
goed de connecties waren van de mannen die ik bij het hotel had gezien.
Blijkbaar onderhielden ze een of ander contact met de politie, en hieruit
bleek dat ze ook toegang hadden tot de bezoekgegevens van de gevangenis. Ze wisten dus van mijn afspraak.

Ik dronk het laatste restje koffie en knikte weer. Dat was allemaal volkomen waar.

Toch kon ik het gevoel niet van me af zetten dat ik de vorige avond in de
trein had gehad. Ik wist dat het idee dat ik een bezoek aan de gevangenis
zou brengen iets anders bij me had opgeroepen. Ik was niet alleen bang
voor deze mannen, maar de paniek die ik in Venetië had gevoeld, dreigde
nu ook weer bij me op te komen. En hoewel ik eraan voorbij probeerde
te gaan, moest ik er toch steeds weer aan denken.

Ik vroeg me af of ik misschien helemaal niet op de vlucht was voor de man
in het pak, maar voor iets wat James me zou vertellen, en dat er uiteindelijk niets anders voor me op zat dan het onder ogen te zien.

Kort voor tien uur liep ik over de brede, gebogen oprit van de gevangenis.

Het was weer een mooie dag. Er stond een warme, milde bries, en de
lucht rook naar het gemaaide gras van de strakke gazons aan weerskanten
van de oprit. Verderop leek de gevangenis zelf net een kasteel uit een kin-
derverhaal: een kolossaal, oud gebouw met torentjes die scherp afstaken
tegen de blauwe hemel en de witte, lieflijke wolkjes. Het was hier bijna
vredig.

Maar die knoop van emotie zat nog in mijn keel en werd strakker bij elke
stap die ik zette. Het stemmetje in mijn hoofd hield vol dat dit om allerlei redenen een gigantische fout was en dat ik dit echt niet moest doen.

En dat was het nou juist.

Je had gelijk, had ik tegen Sarah gezegd. Je moet dingen onder ogen zien. Al sinds ik hier was teruggekomen, had ik tegen mezelf gezegd dat ik de verantwoordelijkheid voor mijn daden op me nam: dat ik zou afrekenen met de repercussies van mijn daden. Maar misschien had ik dat niet gedaan. Sterker nog: ik dacht dat dit bezoek aan de gevangenis misschien wel het eerste goede was wat ik deed sinds ik terug was. Het feit dat ik het niet wilde, bewees juist iets.

Toch nam dat gevoel bij elke stap toe.

Je zou dit niet moeten doen.

De glazen deuren aan de voorkant van het gebouw gleden open en ik kwam op de receptie. Aan een bureau zat een bewaarder over papieren gebogen. Rechts van me was een gedeelte met plastic stoelen, waar mensen zwijgend zaten te wachten zonder zich met elkaar te bemoeien, als patiënten in de wachtkamer van een ziekenhuis. In een hoek zat een vrouw van in de twintig met een klein meisje dat naast haar in slaap was gevallen. Enkele oudere mensen staarden voor zich uit; een paar jonge mensen zaten languit, hun armen over elkaar, hun gezicht in zichzelf gekeerd. Bij de deur negeerde een vrouw met vermoeide ogen het kind dat voor haar zat en speelblokken op elkaar smeet.

Niemand lette op mij.

Ik gaf aan de balie mijn gegevens op, liet mijn paspoort zien en ging bij de anderen zitten. Er ging geen alarm af. Niemand keek naar me. Het enige geluid kwam van het jongetje met de blokken; elke keer dat hij ze op elkaar sloeg, ging er een schokje door mijn hart.

Kort na tien uur kwam een andere bewaarder ons halen. We werden door een gang geleid en passeerden de beveiliging. Het was nu te laat om terug te gaan. We werden naar een zaal gebracht. Die had de gladde houten vloer van een gymnastiekzaal, en de klaptafels leken net tafels voor een examen. Elk klein geluidje – geschuifel van voeten, zacht gekuch – galmde in het rond. Langs een van de wanden stond een lang, geïmproviseerd buffet met schone kopjes aan het ene en gebruikte aan het andere eind. In het midden stond een vrouw thee en koffie in te schenken uit kannen van zwart plastic.

Ik koos een tafel uit en ging zitten.

Ik was er klaar voor, wat er ook zou komen.

Een paar minuten later brachten ze de gedetineerden binnen door een deur aan het eind van de zaal. De mannen vormden een rij en gingen ieder naar een tafel om bij hun moeder, vrouw of gezin te zitten. Ze droegen allemaal vrijetijdskleding – spijkerbroek, T-shirt, trui –, maar hadden een soort hesjes, fel oranje, voor hun borst hangen, waardoor ze net bouwvakkers leken die even pauze namen.

Geen James.

Ik had me op van alles voorbereid, maar juist niet op datgene wat het waarschijnlijkst was: dat mijn broer me niet zou willen ontvangen.

Na een minuut sloeg de deur met een galmende klap dicht. Iedereen om me heen ging er eens goed voor zitten en boog zich naar voren. Al die gesprekken vermengden zich en vormden een complex geroezemoes. Ik zat heel opvallend in mijn eentje. Rechtop en gegeneerd in een zaal vol mensen die zich naar elkaar toe bogen.

Ik vroeg me nog af wat ik moest doen toen ik een man van middelbare leeftijd in een pak en met kleine, ronde brillenglazen zag. Hij stond aan de zijkant van de kamer en fluisterde tegen een van de bewakers. Ze keken allebei om zich heen. Toen de blik van de man op mij viel, bleef hij naar me kijken.

Dus dat was het.

Ik keek naar hem terug en wachtte. Wat zou ik anders kunnen doen? Even later liep hij tussen de tafels door naar me toe, en toen hij bij me was aangekomen, boog hij zich naar voren en sprak hij zachtjes, opdat de mensen om ons heen het niet zouden horen.

'Meneer Connor?'

'Ja.'

'Wilt u met me meekomen?'

De man leidde me door de gang terug en stelde zich voor als Charles Peterson. Hij zei dat hij de familiefunctionaris van de gevangenis was. Hij had aan de balie doorgegeven dat ze hem moesten bellen als ik er was, zei hij, maar om de een of andere reden was dat niet goed gegaan.

Op dat moment, toen hij zich verontschuldigde, begreep ik dat ik niet werd gearresteerd. Maar dat was dan ook het enige wat ik ervan begreep.

'Kunt u me vertellen wat er aan de hand is?'

Peterson knikte, maar vertelde het niet. 'We praten in mijn kamer.'

Hij leidde me naar binnen. De kamer was klein en netjes; er was een raam aan de achterkant en verder zag ik niet veel meer dan een bureau, stoelen en een potplant. Hij deed de deur achter zich dicht en gaf me met een gebaar te kennen dat ik kon gaan zitten. Er zoemde iets, en het was te warm in de kamer. Toen ik ging zitten, zuchtte Peterson even, en daarna draaide hij aan knoppen van de airconditioning bij het raam.

Ik werd ongeduldig. 'Wat is er aan de hand, meneer Peterson?'

Hij liet de airconditioning voor wat hij was en ging aan de andere kant van het bureau zitten. Hij liet zijn onderarmen erop rusten en keek me aan.

'Ik vind het heel erg dat ik u moet vertellen,' zei hij, 'dat uw broer gisteravond is overleden.'

Zijn stem was serieus en professioneel, met precies de juiste hoeveelheid medeleven.

'Oké,' zei ik. Toen schudde ik mijn hoofd en boog me naar voren. 'Sorry, wat zei u?'

'Uw broer,' zei hij. 'James Connor. Hij is gisteravond in zijn cel aangetroffen. Hij werd naar de ziekenafdeling gebracht, maar ze konden hem niet reanimeren. Het spijt me dat ik u dit moet vertellen.'

Rustig blijven, Alex.

Ik merkte dat mijn hart bonkte en werd daar bijna door verrast. James was dood. Maar tegelijk kon hij dat niet zijn. Want het waren alleen maar woorden, en het idee zelf wilde niet tot me doordringen. Alles in het kantoor voelde hyperrealistisch aan: verzadigd van kleur. Droomde ik dit?

Ik slikte.

Even later kwam er een beeld van James bij me op. Maar hij gooide niet met een kussen of flesje. Ik zag een kleine jongen in een korte broek die op zijn knieën op de vloerbedekking van de huiskamer zat. Ik zat naast hem, en we hadden stukken krantenpapier en met sneeuw bedekte kerstversieringen om ons heen liggen. James glimlachte in zichzelf, alsof hij net iets had uitgepakt wat hij heel graag mooi wilde vinden en zichzelf voorzichtig toestond dat hij het inderdaad mooi vond.

Mijn broer. Ik deed mijn ogen dicht.

En er kwam iets verschrikkelijks bij me op.

Je kreeg wat je wilde.

Ik was nu echt afgesneden van mijn oude leven: iedereen was weg. Met weggaan had ik dat niet voor elkaar gekregen, maar met terugkomen wel. Ik was nu helemaal alleen, precies zoals ik altijd had gewild. Die gedachte trok zich wringend in me samen.

Zeg tegen Alex dat dit allemaal...

'Het spijt me dat ik u dit moet vertellen,' zei Peterson.

Weer die zin. De woorden sneden door de nevel, en ik voelde een plotselinge aandrang om mijn hand over het bureau heen te steken en ervoor te zorgen dat het Peterson inderdaad zou spijten. Want iemand moest spijt hebben en ik geloofde niet dat ik al die spijt in mijn eentje met me mee kon dragen.

In plaats daarvan balde ik mijn vuisten op mijn schoot.

'Wat is er gebeurd?'

Petersen vertelde me dat James in het begin van de vorige avond was aangevallen. De twee daders waren op monitors van bewakingscamera's te zien geweest toen ze zijn cel binnengingen, en er waren meteen bewaarders gewaarschuwd, maar die kwamen niet op tijd om te voorkomen dat hij fatale verwondingen opliep. De twee daders waren geharde misdadigers die levenslang hadden, en het was niet helemaal duidelijk waarom ze het op James voorzien hadden. Beiden waren in hechtenis genomen en zouden binnenkort worden ondervraagd.

Ze zouden niet praten, dacht ik, en voor mij hoefde dat ook niet. De mannen die ik de vorige avond in het hotel had gezien konden niet tot in James' gevangeniscel doordringen, maar ze konden wel iemand betalen die dat wel kon. Iemand die levenslang had, bijvoorbeeld, iemand die niets te verliezen had maar misschien wel voor zijn gezin wilde zorgen.

Ze hadden James ook te pakken gekregen. Hem ook.

'Kan ik iets voor u halen, meneer Connor? Een glas water?'

'Nee.'

Peterson leunde achterover. 'Zoals ik al zei, is de politie hier in het gebouw. U kunt straks met ze praten. En ik ben bang dat er ook formaliteiten moeten worden afgehandeld. U hebt vast wel vragen, maar ik begrijp dat dit een zware schok voor u is.'

'Ik heb frisse lucht nodig.'

'Natuurlijk.' Hij liep om het bureau heen en maakte de deur voor me open. 'Er staan banken bij de hoofdingang. Als u klaar bent, kunt u op de receptie naar mij vragen. En natuurlijk ook als u intussen iets nodig hebt.'

'Dank u.'

Op de receptie gleden de deuren open. Ik liep naar buiten en knipperde met mijn ogen tegen de zon.

Mijn borst voelde hard en zwaar aan, alsof er keer op keer op geslagen was tot hij zich samentrok tot een bal. De glazen deuren gingen met zo'n zacht gesuis achter me dicht dat ik ze amper hoorde. Ik deed een wankelende stap naar voren en wist niet wat ik moest doen.

En toen pakte een hand mijn elleboog vast.

'Alex Connor,' zei de man naast me.

30

Rechercheur Todd Dennis stond in de ochtendzon bij een veld aan de rand van de stad. Officieel was het agrarische grond, maar dit stuk land lag braak en werd momenteel door niemand onderhouden. Het gras, gevoed door een hete zomer, kwam tot zijn dijen. Hij keek omlaag naar een dode man. Niet zomaar een dode man. Een groot probleem.

'Aan een geschat tijdstip zou ik wel iets hebben,' zei hij.

'Ja. Dat begrijp ik.'

O ja?

Chris Dale, de patholoog-anatoom, zat op zijn hurken. Zijn zwarte rubberen laarzen bogen bij de schenen naar buiten en knikten bij de voet. Hij hield zijn hoofd schuin en keek naar de blauwe kneuzingen op Roger Timms' gezicht. Hij nam de tijd.

Begrijp je het echt?

Ze waren ervan uitgegaan dat Timms degene was die Rebecca Wingate uit die garage had gehaald. Dat hij op de vlucht was. Als hij langer dan een paar dagen dood was, was dat onmogelijk.

En dat was hij.

Todd hoefde het niet van de patholoog-anatoom te horen om dat te weten. Het naakte lichaam van de kunstenaar lag op zijn buik bij een van de hekpaaltjes. Zijn hoofd rustte op de laagste draad van de prikkeldraadomheining. Het was of het lijk door het gras was gekropen, op een obstakel was gestuit en niet verder had kunnen komen: het had zijn kin laten zakken en was gestopt.

Gruwelijk genoeg keek het lijk met zijn gezicht in de tuin van een zekere Dan Killingbeck. Killingbeck had het de vorige avond gevonden. Of beter gezegd, zijn hond. Timms was blijkbaar veel verder in het veld achtergelaten, maar Killingbecks enorme, agressieve Duitse herder had geprobeerd het lichaam aan de pols naar huis te slepen. Toen had hij het opgegeven en de verwoeste, gezwollen arm over het prikkeldraad laten hangen, wijzend naar het huis alsof hij het beschuldigde.

Dale verplaatste zijn gewicht en keek naar de onderkant van het lijk. Zijn gezwollen heupen glansden in het gras.

Todd kauwde op zijn lip.

Achter hem bewogen zich technisch rechercheurs door het deinende grasveld, op zoek naar stukjes kleding, voetafdrukken of wat voor sporen dan ook van de man die Timms' lijk hierheen had gebracht. De technische recherche zou nog urenlang snoeppapiertjes en sigarettenpeuken bestuderen. Niet omdat die hun iets zouden vertellen, maar omdat ze er absoluut zeker van moesten zijn dat die dingen niets met de zaak te maken hadden.

De lucht was blauw en helder. De lichte bries streek zachtjes over het gras. En toch voelde Todd dat er een stille, misselijkmakende emotie in de lucht hing. Alsof er hier ondanks de zon een zware duisternis hing.

Als dat geen Kearney-gedachte was.

Dale stond op. 'Op het eerste gezicht is het een man. Zo te zien in de veertig. De doodsoorzaak is hoogstwaarschijnlijk een schotwond in het hoofd.'

'Hoe lang geleden is hij gestorven?'

'Dat is moeilijk te zeggen.' Dale tuurde naar de lucht, alsof er aan de horizon een vijand was opgedoemd. 'Het lichaam verkeert in verregaande staat van ontbinding, maar je weet wat voor weer we hebben gehad.'

'Een schatting.' Hij werd nu wanhopig. 'Alsjeblieft.'

'Twee, misschien drie dagen.'

Todd deed zijn ogen dicht en haalde langzaam adem om kalm te blijven. Op de rand dus. Evengoed was hij er zeker van dat Rebecca Wingate niet door Timms uit de garage was gehaald. In plaats daarvan was hij zelf ergens weggehaald. Iemand had hem ontvoerd, geslagen en geëxecuteerd. En diezelfde onbekende persoon zou Rebecca Wingate nu te pakken hebben.

Mister X.

Todd deed zijn ogen open. In de verte glooide het veld omlaag. Daarachter lagen de buitenwijken van de stad in de felle zon. Er hing een hittewaas over de huizen. Een geluidloze auto glinsterde. Doodse stilte.

'Dank je,' zei hij.

Hij liep weg en gaf Dale daarmee de gelegenheid zijn onderzoek voort te zetten.

De auto in de verte had hem aan Roger Timms' verdwenen busje doen denken. Dat was nog niet gevonden, en dat was in sommige opzichten ongunstig, en in andere gunstig. Zolang het nog was verdwenen, kon hij hopen dat ze tegelijk met het busje ook Rebecca en haar ontvoerder zouden vinden, en dat ze dan nog in leven zou zijn.

Die kans is klein, Todd.

Als het zo slecht bleef gaan als de laatste tijd, zouden ze het busje binnenkort ergens langs de weg vinden. Leeg. Ze zouden er niets aan hebben; het zou alleen maar een extra laag van verwarring scheppen. Weer een laag stront waar hij doorheen moest waden.

Achter hem, bij de omheining, bewaarde de dode man zijn geheimen. Voor zover er iets van zijn gezicht over was, had Timms er een bijna stompzinnige uitdrukking op. Nu hij hem daar zo zag liggen, had Todd zin om terug te rennen en tegen dat nutteloze, zwijgende ding aan te schoppen. Erop te stampen en te blijven stampen.

Wat is er met jou gebeurd?

Wie heeft dit gedaan?

Waarom?

Maar die vraag deed hem weer aan Paul denken, en daarmee kwam er een eind aan zijn woede. Hij wist dat zijn ergernis en frustratie voor een groot deel voortkwamen uit wat er gebeurd was.

White had hem de vorige avond gebeld, toen hij van de plaats delict in het huis van Mike Halsall was teruggekeerd, en hem de situatie duidelijk uiteengezet. Paul was beneden; hij was gearresteerd en legde een verklaring af. Er waren sterke bewijzen, en hij sprak de beschuldigingen die tegen hem waren ingebracht niet tegen. Paul had zijn creditcard – zijn eigen naam en zijn eigen kaart – gebruikt om toegang tot hardcore kinderporno met jonge jongens te krijgen en materiaal te downloaden. Zoals het er nu voorstond, wist Todd niet of zijn collega gevangenisstraf zou krijgen. Waarschijnlijk niet. Maar er was geen sprake van dat hij zijn baan zou houden. In feite was zijn leven voorbij.

'De stommeling,' zei White.

'Ik begrijp het gewoon niet, hoofdinspecteur.'

'Ik ook niet. Maar je weet hoe hij is, Dennis. Hij zal wel gewoon "gefascineerd" zijn geweest. Dat hoef je niet te begrijpen. Net als die verrekte popsterren die de aandacht willen trekken.'

White was vervuld van walging.

'Het maakt natuurlijk niet uit.'

En zo was het. Kearney had voor lidmaatschap en downloads betaald. Ook als hij had gezegd dat het 'onschuldige belangstelling' was, zou het hem zijn carrière en misschien ook zijn vrijheid hebben gekost, maar zelfs als het op dit soort viezigheid aankwam, waren er gradaties, en op Kearneys fascinatie stond een prijs. Hij had geld gegeven aan het uitschot dat die rottigheid produceerde. Door zijn vraag naar het product had hij het aanbod gevoed.

Natuurlijk was het nieuws als een lopend vuurtje door het korps gegaan. Toen Todd die ochtend op het bureau was aangekomen, had de emotie in de lucht gehangen; het was of de luchtdruk opeens was toegenomen. Woede. Verbazing. Walging. Afgezien van White bracht niemand het rechtstreeks ter sprake, maar hij had gevoeld dat iedereen ook naar hem keek, alsof hij besmet was doordat hij met Kearney had samengewerkt. Paul had hen verraden.

Todd was ook kwaad op hem. En toch zou hij iedereen die hij die ochtend zag bij de keel willen grijpen om hem door elkaar te schudden.

Wat? Wat heb je te zeggen?

Hij had het er vooral moeilijk mee omdat hij begreep waarom Kearney het had gedaan: dat was de tragedie. Hij kon zich gemakkelijk voorstellen dat zijn collega – nu zijn ex-collega – zich tot dat soort materiaal aangetrokken voelde. Paul zou urenlang voor het scherm hebben gezeten om naar die vunzigheid te kijken, vergeefs op zoek naar antwoorden. En toch moest hij hebben geweten dat hij het niet straffeloos kon doen. Allemachtig, hij was politieman. Het was onbegrijpelijk.

In elk geval verklaarde het waarom Kearney zich de laatste tijd zo vreemd had gedragen. Hij was moe en prikkelbaar geweest, vaak ergens anders met zijn gedachten. Hij had eruitgezien alsof er een zwaard boven zijn hoofd hing. Dat bleek zelfs toen hij de vorige dag de trap van Mike Halsalls huis op was gerend, bijna alsof hij graag doodgeschoten wilde worden.

Wat ben je toch een idioot, Paul.

Een stomme, achterlijke idioot.

Todd liep om het hek heen en door de tuin van Dan Killingbeck. Zijn auto stond aan de voorkant van het huis. Zodra hij daarin zat, trok hij het portier dicht, blij met de zware dreun, en bleef in stilte zitten.

Hij haalde zijn mobiele telefoon tevoorschijn.

Je weet hoe hij is, Dennis.

Ja, dat wist hij. En diep in zijn hart vertrouwde hij daar ook een beetje op, hoe erg hij het ook vond om dat toe te geven. Er was weleens wrevel tussen hen geweest, en Kearney had hem vaak mateloos geërgerd met zijn eeuwige behoefte om alles te begrijpen, maar dat hoorde bij hun manier van werken. Dus terwijl hij zich onwillekeurig bedrogen voelde, had hij nu ook het gevoel dat hij aan zijn lot overgelaten was.

Todd keek of er gemiste telefoontjes of nieuwe boodschappen waren. Die waren er niet. Toen opende hij zijn lijst met contactpersonen en liet de namen over zijn schermpje glijden tot hij Pauls nummer had.

Vroeger, toen ze nog maar net aan hun jacht op de moordenaar waren begonnen, hadden ze veel bovennatuurlijke onzin moeten lezen – er slingerden nog steeds een paar gênante boeken op het bureau rond. Todd herinnerde zich een daarvan in het bijzonder. Het was iets wat hij had gezien toen hij er maar wat in bladerde, maar het was echt gebeurd. Sommige dorpen hadden vroeger 'zonde-eters'. Dat waren mannen die buiten de gemeenschap woonden en bij wie iedereen uit de weg ging, totdat er iemand in een huishouden doodging. Dan werd de zonde-eter uitgenodigd en werd er een groot feestmaal aangericht. Het was de bedoeling dat ze in ruil voor dat eten de zonden van de overledene opaten, zodat de dode zonder smet of blaam in de hemel kon komen.

Kearneys afwezigheid deed hem daaraan denken, alsof het feit dat hij die vragen stelde, betekende dat anderen ze niet hoefden te stellen. En welke antwoorden hij in de loop van de jaren ook had gevonden, ze hadden hem vaak een inzicht gegeven waaraan het Todd altijd had ontbroken.

Zijn vinger bleef even boven de toets hangen. Hij wilde Paul vragen waar hij in godsnaam mee bezig was. Maar meer dan dat: hij wilde... er zeker van zijn dat het goed met Paul ging. Hij wilde weten waar Paul was en of hij iets nodig had.

Hij drukte op de toets en hield het mobieltje bij zijn oor terwijl er verbinding werd gezocht. Maar hij kreeg meteen de voice-mail; Paul had zijn telefoon uitgezet.

Todd verbrak de verbinding en liet de telefoon weer in zijn zak glijden. Hij voelde zich gefrustreerd en maakte zich nu ook zorgen. Hij moest er steeds weer aan denken hoe Paul zich de vorige avond bij Halsalls huis had gedragen. Hij had toen op de rand van iets gebalanceerd, en Todd voelde nu een sterke aandrang om hem te zoeken en te voorkomen dat hij viel. Maar als Kearney zich wilde schuilhouden, kon hij daar niets aan doen.

Waar ben je, Paul?

Hij startte de auto en reed weg.

31

'Het verbaast me dat je je mij herinnert,' zei ik.

Ik zat tegenover rechercheur Paul Kearney in een kleine cafetaria. Toen ik me in de gevangenis omdraaide en hem zag, had ik verwacht dat hij me zou arresteren. In plaats daarvan was hij met me door de stad gereden om hier te gaan ontbijten.

De cafetaria heette The Rubber Duck, alsof de situatie nog niet bizar genoeg aanvoelde. Hij was zo groot als een gemiddelde huiskamer, met ruimte voor zes ronde tafels binnen en drie buiten voor het raam achter ons. De eigenaar was op dat moment druk bezig in de keuken, waar dingen sisten en spetterden. Metaal kletterde tegen metaal.

Er was hier niemand anders en we hadden ons eten al: er stonden twee complete Engelse ontbijten voor ons. Kearney werkte dat van hem kalm en efficiënt naar binnen, alsof hij een hele tijd niets had gegeten. Ik negeerde mijn eten. Hij negeerde mij.

'Kearney?'

Niets.

De stoelen waren van riet. De mijne kraakte toen ik achteroverleunde om nog eens goed naar hem te kijken. Er was duidelijk iets mis met hem. Ik herinnerde me dat hij gespannen was, maar hij zag er nu anders uit – doodmoe en afgetobd. Zijn pak was verkreukeld; zijn haar zat in de war. Hij deed me denken aan iemand die geestelijk het spoor bijster was. Iemand die je op straat bij je schouder pakte om je absoluut iets belangrijks te laten begrijpen.

En zijn ogen.

Dat gevoel kwam weer bij me op: als ik er lang genoeg in keek, zou ik iets heel belangrijks begrijpen. Wat in mijn hoofd ontbrak, zou terugkomen. Ik was daar bang voor geweest. Maar die ogen van hem, als hij me al aankeek, waren moe en lodderig, helemaal niet zoals ik me ze herinnerde. Misschien was ik bang geweest er antwoorden in te vinden, maar die waren er niet.

'Kearney...'

'Eerst niet.' Zijn mes en vork bleven delicaat hun werk doen en hij keek niet naar me op toen hij sprak. 'Ik herkende je bij het huizenblok van Ellis, maar ik kon je niet thuisbrengen. Gisteravond wist ik het opeens weer. Ik zocht online naar "Mike Halsall" en vond een citaat van hem in een artikel over de moord op Sarah Pepper. Daarmee was voor mij het verband gelegd.'

Ik fronste mijn wenkbrauwen, want ik wist eerst niet wat dat verband was. Maar toen schoot het me te binnen: in het artikel zou James Connor zijn genoemd, en zo was hij aan mijn achternaam gekomen.

'Je hebt gisteravond gebeld, nietwaar?' zei hij.

Ik knikte.

'Dat betekent,' zei hij, 'dat je nu betrokken bent bij minstens twee afzon-derlijke moordonderzoeken. Ten eerste hebben we Christopher Ellis en Mandy Gilroyd. Je hebt Ellis aangevallen. Dat weten we.'

'Strikt genomen,' zei ik, 'viel hij mij aan.'

Kearney ging daar niet op in. 'Ten tweede hebben we Mike Halsall en Julie Smith. Je was bevriend met de slachtoffers, en je belde over hen.' Hij schudde zijn hoofd. 'Ik denk dat je diep in de problemen zit, Alex.'

'Waarom heb je me dan niet gearresteerd?'

Waarom zitten we in deze klotecafetaria?

Kearney dacht erover na.

'Omdat ik nog niet weet wat voor problemen.'

Toen werd hij weer stil. Ik keek naar hem terwijl hij at en vond dat hij er vreemde manieren op na hield. Nee, dacht ik toen, dat was niet de reden. Hij hield iets voor me verborgen. Als ik opstond en wegliep, zou hij waar-schijnlijk niets kunnen doen om me tegen te houden. Zijn verfomfaaide uiterlijk, zijn gedrag... Maar ik zou niet kunnen zeggen wat er met hem aan de hand was.

Evengoed had hij één pluspunt, als ik het goed zag. Degene die hierachter zat had blijkbaar toegang tot politiedossiers, maar als Kearney erbij betrok-ken was, zou hij me gisteravond natuurlijk zelf hebben gebeld. Dat bete-kende dat ik hem kon vertrouwen. In elk geval tot op zekere hoogte.

'Ik ben gisteravond ook gebeld,' zei ik.

'O ja?'

'Door iemand die deed alsof hij jou was.'

Nu keek hij op.

'Mij?'

Ik knikte langzaam. 'Maar Mike is de enige die mijn nummer had. Ze kwamen naar mijn hotel. Drie mannen in pakken.'

'Drie?'

'Ja. Een van hen had ik eerder gezien bij Ellis' woning. Ze hebben Ellis vermoord, en daarna hebben ze Mike en Julie vermoord. En toen gingen ze op zoek naar mij.'

Kearney keek over de tafel.

'Ik luister. Waarom doen ze dat?'

'Ik weet het niet zeker,' gaf ik toe.

Maar ik vertelde hem wat ik vermoedde. Sarah had in de maanden voor haar dood onderzoek naar iets gedaan: onlinebeelden van dood en moord. In het kader daarvan had ze met Ellis gepraat en iets gehoord wat ze niet had moeten horen. Iets wat deze mannen tot elke prijs geheim wilden houden.

Kearney fronste zijn wenkbrauwen. Ik verwachtte dat hij vroeg wat dat was, maar in plaats daarvan zei hij: 'Wanneer is ze begonnen? Met dat onderzoek, bedoel ik.'

'Eerder dit jaar.'

Hij legde zijn mes en vork neer en veegde zijn mond af aan zijn servetje.

'Waarom?' vroeg ik.

'Omdat ik in die tijd met haar heb gesproken. Beroepshalve. Ze belde me en praatte met me in de periode dat het lijk van Jane Slater werd gevonden. Waarschijnlijk al in januari. Er deden in die tijd geruchten de ronde over een foto die online te zien was. We hadden ons daar al in verdiept.'

'En jullie vonden niets?'

Eerst antwoordde Kearney niet. Toen pakte hij zijn bestek weer op en ging verder met eten.

'Nee,' zei hij. 'Nou ja. Wat denk je dat Ellis haar heeft verteld?'

Ik dacht daarover na.

Toen pakte ik mijn mes en vork op en begon te eten.

'Vertel me over Thomas Wells en Roger Timms.'

Het was een regelrechte uitdaging: ik liep niet bij hem weg, maar het scheelde niet veel. Ik was benieuwd hoe hij zou reageren. Als hij me wilde arresteren, kon hij dat doen. Zo niet, dan moest de informatie in twee richtingen stromen. Daarom maakte ik net zo weinig omhaal als Kearney. Nu was het de vraag wat hij ging doen.

Uiteindelijk leunde hij achterover.

'Goed.'

Hij begon met wat ik al op het nieuws had gezien, maar trad toen in details. Thomas Wells had de meisjes vermoord, terwijl de kunstenaar, Roger Timms, hem had geholpen en daarvoor beloond was met een deel van het bloed van de meisjes.

'Timms gebruikte het bloed om de slachtoffers voor een deel op zijn doeken vast te leggen. Zodat mensen naar een portret van een dood meisje zouden kijken dat geschilderd was met... een deel van haar, zou je kunnen zeggen.'

Hij keek vol walging, en dat nam ik hem niet kwalijk. Toch sprak het idee me ook wel aan. Het deed me denken aan wat ik had gedacht toen ik Marie online had gezien.

'Het was net of ze werden gadegeslagen,' zei ik zachtjes. 'Keer op keer.'

Hij keek verbaasd.

'Wat?'

'Oké,' zei ik, 'niet "gadegeslagen". Maar het lijkt op... video's die ik online heb gezien. Toen ik daarnaar keek, leek het wel of ik de echte gebeurtenis opnieuw afspeelde. Alsof die mensen in een soort cyclus zaten en elke keer weer doodgingen als iemand op PLAY drukte.'

Kearney staarde me aan, maar ik dacht dat zijn verbazing nu een andere reden had. Het was of er hem ook een lichtje was opgegaan, zij het niet zo helder als bij mij.

Even later fronste hij zijn wenkbrauwen en wendde zijn ogen af.

'Jouw beurt,' zei hij. 'Wat was Ellis' geheim?'

In gedachten haalde ik diep adem.

'Ik denk dat het een soort kaart was.'

'Een kaart?'

'Die naar het lijk van Emily Price leidde.'

Ik vertelde hem over de foto die Ellis online had gezet en de tekens die ik op de Ridge had gevonden. Kearney was zo verontwaardigd als ik had verwacht.

'Waarom heb je de politie niet gebeld?' zei hij.

Er flikkerde woede op in zijn ogen – een glimp van die intensiteit van vroeger – en er ging een herinnering door mijn hoofd. Vertel het me, Alex. En toen was het ook meteen weer weg. Maar wat het ook was geweest, het had mijn hart laten bonzen.

'Alex?'

'Ik wist toen niet wat het betekende.'

'Jezus...'

'Hé,' zei ik vlug. 'Het gaat erom waar die tekens heen leidden. Jullie hebben het lijk van Emily Price nooit gevonden, hè?'

'Nee. Nooit.'

'Nou, iemand wel. Ze hebben dat spoor achtergelaten opdat andere mensen haar ook konden vinden. Het lijk is nu weg. De foto ook.'

Kearney wendde zijn ogen af. Hij keek naar het restant van zijn ontbijt en zei niets. Ik kon niet nagaan of hij de pest aan mij had of gewoon nog eens over alles nadacht.

Waarschijnlijk beide.

'Kearney?'

'Laat me denken.' Hij keek me nors aan. 'Ellis heeft eerder dit jaar iets van Roger Timms gekocht. We dachten dat het een schilderij was – in opdracht gemaakt –, maar we hebben het nooit gevonden.'

Ik knikte. Dat was te begrijpen. Per slot van rekening was verboden kennis niet iets wat je zomaar weggaf. Niet als er zoveel risico's aan verbonden waren. Je wilde een waarborg hebben: iets wat je macht gaf over de andere persoon, en een reden waarom hij het niet aan de politie zou vertellen.

'Ellis kocht een kaart,' zei ik.

'Nee, Alex...'

'Ik heb op een website gekeken, Kearney. Alleen al daar waren duizenden gebruikers, die allemaal verschrikkelijke dingen wilden zien die andere mensen overkwamen. Sommigen waren ervan bezeten.'

En zelfs degenen voor wie het niet zo ver ging, voelden zich duidelijk aangetrokken tot dat materiaal. Ik had dat zelf ondervonden, en dat gevoel was nog krachtiger en duidelijker aanwezig geweest op de Ridge. Die plaats bezat een duistere elektrische lading.

Ik zei: 'Ik kan me heel goed voorstellen dat een handjevol van die mensen meer wil dan alleen een foto. Misschien zijn een paar van hen bereid zoveel te betalen dat iemand die erbij betrokken is het risico wil nemen.'

Kearney bleef zwijgen.

'Dus Timms pakt het geld aan,' zei ik, 'en hij geeft mensen net genoeg informatie om de plaats te vinden.'

'We hebben een vingerafdruk op de lijken gevonden. Van een wijsvinger.

Elke keer dezelfde.'

'Jezus,' zei ik. Dat was een macaber idee: dat iemand niet alleen betaalde om naar een lijk te kijken, maar het ook aanraakte. 'Hij liet een visitekaartje achter. Alsof hij wilde bewijzen dat hij er geweest was. Hij wilde er deel van uitmaken.'

Kearney wilde iets zeggen, maar zweeg. In plaats daarvan schudde hij alleen zijn hoofd – alsof hij zich over zijn eigen domheid verbaasde – en fluisterde iets tegen zichzelf.

'Wat?' vroeg ik.

'Kunst.' Hij schudde weer zijn hoofd. 'Het gaat nooit alleen om het schilderij aan de muur, maar ook altijd om de context. Mensen interesseren zich daarvoor.'

Ik fronste mijn wenkbrauwen. 'Luister...'

'Nee, luister jij nou even.' Kearney stond op en leunde op de tafel. 'Heb je al die notities nog waar je het over had?'

'Ik heb ze niet bij me, maar ze zijn op een veilige plaats.'

'Dat is goed genoeg. Ik wil dat je de politie belt en naar rechercheur Todd Dennis vraagt. Je kunt hem vertrouwen. Wacht hier op hem en vertel hem dan alles wat je mij zojuist hebt verteld.'

'Maar...'

'Doe het nou maar.' Kearney liep naar de deur. 'Hij kan je helpen, Alex. Ik niet.'

Ik deed mijn mond open, maar hij was al buiten. Hij liep vlug in de richting van zijn auto.

'Verdomme.'

De situatie had al vreemd genoeg aangevoeld, maar was in een fractie van een seconde volslagen surrealistisch geworden. Ik keek in de cafetaria om me heen om er zeker van te zijn dat Kearney echt was opgestaan en mij daar alleen had gelaten. Ja, dat had hij gedaan.

Rechercheur Todd Dennis. Je kunt hem vertrouwen.

Ik haalde mijn mobieltje tevoorschijn en drukte op de groene knop. Het deed er een paar seconden over om aan te gaan.

Het schermpje lichtte op.

Maar in plaats van iemand te bellen zat ik erover na te denken. Was dit wel verstandig? Zelfs als ik Kearney vertrouwde, was het maar de vraag hoeveel vertrouwen ik op dat moment in zijn beoordelingsvermogen had. Om nog maar te zwijgen van het feit dat ik nog steeds niet wist wat er aan de hand was. Als Timms de informatie had verkocht, wie waren die mannen in pakken dan? En hoe wist James van de rugzak met het briefje en de fles bloed? En...

Vertel het me, Alex.

De herinnering kwam weer bij me op. Het was Kearney die dat zei, en hij keek me recht in de ogen. En dat was ook niet in het ziekenhuis geweest. Zijn ogen waren niet zo vriendelijk of begrijpend geweest als toen.

Vertel me waar je werkelijk was.

Ik slikte.

Toen hij zei dat het artikel over Sarah Pepper het verband voor hem had gelegd, was het niet James' naam geweest die hem naar mij had geleid, maar haar naam.

Laat haar niet voor je liegen.

Een ogenblik hoorde ik alleen het kloppen van mijn hart.

Toen ging mijn telefoon.

Ik pakte hem langzaam op. Op het scherm stond NUMMER ONBEKEND, net als de vorige avond. De man van de vorige avond.

Ik nam op. 'Ja.'

Maar hij was het niet. Het was een meisje.

'Hallo?' zei ze. 'Wie is daar?'

De stem klonk verloren en ver weg. Mijn haren gingen overeind staan. Het was een geluid dat ik van een geest zou verwachten, en na al die tijd herkende ik de stem nog steeds zonder dat ik hoefde na te denken. Daarentegen kostte praten me nu grote moeite.

'Sarah,' zei ik.

32

Geheimhouding.

Het eerste teken dat de organisatie een probleem in Whitrow had, was een krantenbericht dat eerder in het jaar was geschreven. Daarin werd beweerd dat een foto van Jane Slaters lijk online was verschenen en dat de politie het gerucht niet kon bevestigen. Garland had zelf onderzoek naar de zaak gedaan en ook niets ontdekt, maar hij was minder geneigd de kwestie te laten rusten. Van een afstand had hij opdracht gegeven de surveillance op te voeren.

Na een tijdje voelde hij zich bijna gerustgesteld.

Maar toen, tegen het eind van mei, hoorde hij dat er iemand op Whitrow Ridge was gezien. Banyard was de beheerder van wat daar tentoon werd gesteld, en hij had een vrouw verscheidene keren naar de omgeving zien terugkeren. Bij een van die gelegenheden was ze dicht bij het lijk van Emily Price geweest; blijkbaar wist ze ervan. Meestal bleef ze boven staan uitkijken, alsof ze zich afvroeg wat ze met de informatie moest doen.

Garland liet het meisje discreet volgen en kwam erachter wie ze was. Twee dagen later kwamen hij en zijn team in Engeland aan. Toen hun vliegtuigje landde, wist hij bijna alles wat er over Sarah Pepper te weten viel.

Hij wist dat zij de journaliste was die het oorspronkelijke artikel had geschreven. Hij kon maar één verklaring bedenken: ze had onderzoek naar de zaak gedaan en meer succes gehad dan hij of de politie. Het betekende ook dat de geheimhouding in ernstige mate was geschonden. Deze vrouw was op zoek gegaan naar Jane Slater, maar iemand had haar over Emily Price verteld.

Garland moest weten wie.

Daarom waren ze Sarah Peppers gangen nagegaan en hadden ze geprobeerd te ontdekken hoe ze het wist. Het liefst had Garland haar gewoon ontvoerd om het haar te vragen, maar dat vond hij te riskant. Hoewel zijn bron bij de politie volhield dat Pepper geen contact met hen had opgenomen over de verblijfplaats van Price' lijk, bleef Garland voorzichtig. Het was zijn ervaring dat bronnen alleen wisten wat hun werd verteld. Het was heel goed mogelijk dat Sarah Pepper met de politie samenwerkte. Of met een andere journalist. En Garland wilde zich niet blootgeven voordat hij precies wist wat er aan de hand was.

Hij was ook nieuwsgierig naar haar bedoelingen.

Op grond van zijn onderzoek wist hij dat Sarahs moeder vermoord was, dat haar vader zelfmoord had gepleegd en dat het kind daarna zijn lijk had gevonden. Later was ze als misdaadverslaggeefster voor een krant gaan werken, en nu wist ze blijkbaar op z'n minst iets van de organisatie en had ze de politie toch niet over haar vermoedens verteld. In plaats daarvan ging ze steeds terug naar de Ridge.

Garland interesseerde zich absoluut niet voor de voorwerpen waarin de onderneming handelde, maar hij kende de klanten goed genoeg om inzicht in hun mentaliteit te hebben. Al met al wees de informatie die hij over Sarah Pepper had in een bepaalde richting. Om persoonlijke of professionele redenen voelde ze zich tot hen aangetrokken. Op grond van zijn ervaring dacht hij het eerste. En dat werd dan gerechtvaardigd door het laatste.

Hij hield de situatie nauwlettend in het oog, toen er drie dingen gebeurden die hem dwongen in actie te komen. Ten eerste maakte Sarah Pepper met hulp van haar vriend volkomen duidelijk wat ze van plan was.

De poging om hen met stukjes informatie – het hek, de wodkaflessen – uit hun tent te lokken was slimmer dan zij waarschijnlijk besefte, en onder andere omstandigheden zou het misschien ook gelukt zijn. Een persoonlijke ervaring zou snel georganiseerd moeten worden, maar dat was al eerder gedaan. Misschien was Pepper in staat geweest enkele hoofdrolspelers te fotograferen of zelfs met hen te praten.

Ze had de fout gemaakt te denken dat ze het niet al wisten. Garland had korte tijd medelijden met haar gehad. Hij had zelfs met het idee gespeeld haar gewoon haar gang te laten gaan om te zien wat ze zou doen. Hij kon zich niet voorstellen wat ze dacht dat er zou gebeuren, zelfs als haar plan succesvol was geweest. Hij vermoedde dat zij het zelf ook niet wist. Ze voelde zich gewoon gedwongen. Ze wilde het zien.

Toen gebeurden er twee andere dingen en had hij geen keus meer. Eerst nam Roger Timms contact met hen op om hun te laten weten dat er een nieuw slachtoffer was ontvoerd. Vervolgens verscheen de foto van Emily Price online. Nu was er te veel aandacht. Er waren te veel onbekende factoren. Te veel risico's.

Als het schaakbord vol en lastig wordt, zorg je dat er stukken van het bord verdwijnen. Dus het eerste wat Garland had gedaan, was Sarah Peppers wens in vervulling laten gaan.

Hij haalde de telefoon nu bij haar vandaan en stapte achterwaarts de kleine cel uit. Hij had twee mannen bij zich voor het geval ze een vlucht-poging deed, maar ze kwam niet eens in beweging. Ze bleef gewoon in het midden van de kleine, donkere kamer staan en keek hen na. Dat had hij ook verwacht. Zo was ze al geweest sinds ze haar oppikten, alsof ze wist dat die vragende blik van haar hem meer zou doen dan handen waarmee ze om zich heen sloeg.

Een van de mannen maakte de zware stalen deur dicht en deed hem op slot. Ten slotte richtte Garland zijn aandacht op de telefoon. De ontvangst was slecht doordat hij onder de grond was. Hij had Pepper niet naar de begane grond van het pakhuis willen brengen.

'Meneer Connor,' zei hij.

Er volgde een korte stilte, en toen kwam het antwoord.

'Rechercheur Kearney.'

Garland moest daar bijna om glimlachen.

'Luistert u naar me,' zei hij. 'Ik ga u een adres geven.'

'Ik wil haar weer aan de telefoon hebben.'

'Nee. Stil zijn en opletten. Rose Avenue is aan de rand van de wijk Balders. U gaat naar nummer zeventien. Als u daar bent, weet u wel wat u moet doen. U neemt het voetpad.'

'Wat...?'

'U bent daar over een uur, en u neemt alles mee. Haar onderzoeksgege-vens, haar dossiers. Alles. Als u niet komt, gaat de brief die ze in bezit had anoniem naar de politie.'

'Maar...'

En toen zweeg Connor.

'U weet toch nog wel wat u daarin schreef?' zei Garland. 'Over wat u hebt gedaan?'

Het werd stil aan de andere kant van de lijn. Maar hij was er nog; dat merkte Garland.

'Over een uur,' herhaalde hij. 'Of ze is dood. En dan moet ik zelf naar u op zoek gaan.'

Toen verbrak hij de verbinding. Het gecodeerde, niet na te trekken contact verdween knetterend in het niets. Hij liet de telefoon weer in de zak van zijn pak glijden.

Dat was dat.

Garland liep door de smalle gang en keek door het rooster in de deur van Sarah Peppers cel. Het was donker in de kamer en hier op de gang, maar hij kon haar nog net zien. Zoals hij had verwacht, was ze in het midden blijven staan, met haar armen langs haar zij. Ze keek hem met een volstrekt onbewogen gezicht aan.

Van meet af aan had hij er weinig voor gevoeld haar kwaad te doen. Niet omdat ze een vrouw was, maar omdat hij het gevoel had dat het niet zou werken: er ontbrak iets in haar. Ondanks alles wat er was gebeurd, was ze blijkbaar niet bang.

Gelukkig had hij niet zijn toevlucht tot overreding hoeven te nemen. Ze had antwoord gegeven op elke vraag die hij haar voorlegde. Voor zover hij wist, had ze maar één keer gelogen, namelijk toen ze beweerde dat ze de echte identiteit achter de gebruikersnaam 'Hell_is' niet kende. En ze antwoordde vaak met een wedervraag, en vaak gaf die hem een ongemakkelijk gevoel. Zelfs wanneer ze haar vragen niet hardop stelde, kon hij ze in haar ogen lezen.

Het gaat om geld, wilde hij tegen haar zeggen. Dat is alles.

Het kwam altijd neer op zaken.

De organisatie waarvoor hij werkte had tot bloei kunnen komen doordat ze geheimhouding serieus nam. Om de transacties te laten plaatsvinden moesten zowel de klanten als de leveranciers verzekerd zijn van absolute discretie. De kopers moesten weten dat de ervaring waarvoor ze betaalden veilig was, terwijl de verkopers moesten weten dat hun vrijheid niet in gevaar kwam. Alle betrokkenen hadden iets te verliezen. Als een van beide partijen het vertrouwen in de hoge privacynormen van de onderneming verloor, zou de hele zaak instorten.

En dus had de organisatie maar één regel: alle transacties liepen via haar. Roger Timms was bijzonder goed beloond voor de toegang tot zijn slachtoffers die hij de organisatie gaf; in ruil daarvoor werd van hem verwacht dat hij loyaal was. De onderneming verkocht die informatie vertrouwelijk door aan geïnteresseerde partijen. Om Timms' eigen veiligheid te waarborgen selecteerde ze klanten zorgvuldig. Het was niet genoeg dat ze geld hadden. Wanneer mensen dat vergaten en hebzuchtig werden, ontstonden er problemen.

Problemen als Christopher Ellis.

Problemen als foto's die online verschenen.

Timms was niet zo tegemoetkomend geweest als Sarah Pepper. Gelukkig had Garland er geen enkel probleem mee gehad hem tot praten over te halen.

Nu was zijn werk hier bijna klaar. Timms en Ellis waren dood. James Connor was tot zwijgen gebracht. Het laatste stadium van de bergingsoperatie zou in de komende uren worden voltooid, en dan zou zijn tak van de organisatie voorgoed worden afgesloten. Tegen de avond zou hij verdwenen zijn

In de cel stond Sarah Pepper nog steeds op dezelfde plaats naar hem te kijken.

Garland keek terug.

Wat haar betrof, had hij gelijk gehad, zij het niet helemaal. Dat was voor een deel bevestigd door de brief. De dood is besmettelijk, had Alex Connor geschreven. Je moest hem onder ogen zien. En zoals hij het schreef, leek het er sterk op dat ze zich haar hele leven daardoor had laten leiden.

Toch was ze anders dan de gebruikelijke cliënten.

Toen hij jonger was, had Garland in een illegaal wildreservaat gewerkt. Hij had daar gezien dat dikke toeristen geld op tafel legden om antilopen neer te schieten die in een omheinde ruimte rondliepen. Ze hoefden alleen maar te richten en de trekker over te halen. Na afloop gingen ze opgewonden en nerveus naar huis en verbeeldden ze zich dat ze jagers waren. Het was lachwekkend. Maar het waren ook goede zaken, en Garland was er goed in geworden zijn minachting verborgen te houden.

Het werk dat hij nu deed, leek er sterk op.

Toch was Sarah Pepper anders. Het leek wel of ze zonder enige bescherming in de wildernis was gaan jagen; ze was de omheinde ruimten binnengeslopen om in de ogen van die mensen terug te kijken. Er was daar geen vangnet.

En Alex Connor ook. Die was niet bang zijn handen vuil te maken.

Dat deed hem aan iets denken.

Garland maakte aanstalten weg te lopen, maar dat moest vanuit de cel te zien zijn geweest, want er veranderde iets op Sarah Peppers gezicht. Het was bijna niet waar te nemen, en haar gezicht was nu weer leeg, maar hij had het zich niet verbeeld. Een fractie van een seconde was het masker afgegleden.

Ze was bang, besefte hij. Sterker nog, ze was zo bang dat ze bevend zou instorten als ze eraan toegaf. Tegelijk was datgene wat ze nog in zich had absoluut vastberaden.

Je moet het onder ogen zien.

Garland keek nog even naar haar, sloot toen het rooster en liep weg.

33

Toen de man had opgehangen, zat ik nog een tijdje in het café voor me uit te staren. Toen plantte ik mijn ellebogen op de tafel en liet ik mijn gezicht in mijn handen zakken. Ik beefde.

Als u niet komt, gaat de brief die ze in bezit had anoniem naar de politie.

U weet toch nog wel wat u daarin schreef?

Over wat u hebt gedaan?

Ja. Ik wist het weer.

In Venetië had ik gedacht dat ik nooit ver genoeg kon vluchten om aan mijn slechte herinneringen te ontkomen. Maar dat was niet waar. Het was me gelukt iets echt te vergeten. Je kunt wel doen alsof, maar dat werkt niet, en dus was mijn geest zo slim geweest een stap verder te gaan. In plaats van het uit te wissen had mijn geest het verborgen. En de beste plaats om iets zwarts te verbergen is altijd de duisternis.

Ik had mezelf ervan overtuigd dat ik was weggegaan omdat ik me schuldig voelde over de dood van Marie. Telkens wanneer er een schaduw viel, ging ik vlug verder en zei ik tegen mezelf dat ik dat alleen maar deed omdat ze was doodgegaan en ik mijn falen niet onder ogen kon zien. Dat die te zwaar was om te dragen. Dat was slechts een van de redenen geweest waarom ik was weggegaan, maar het liep zo onontwarbaar door de rest heen dat het bij oppervlakkige beschouwing voor een oprecht excuus kon doorgaan.

En daar was het misgegaan.

Je wilt je niet herinneren hoe erg het was.

Toen ik het krantenbericht over Sarah las, had ik gedacht aan alles wat ik had verloren, maar ik had niet goed ingezien waarom het weg was. Ik had mezelf eenzaam laten worden zonder te begrijpen dat ik het verdiende om eenzaam te zijn. En ik had niet goed genoeg naar die stem geluisterd. Ik had gedacht dat het veilig zou zijn om terug te komen, want ik was de echte redenen voor mijn vertrek vergeten.

De dingen die je vergeet zijn per definitie onzichtbaar. Je merkt ze alleen op door de ruimte die ze achterlaten tussen de herinneringen waar ze tegenaan liggen. Als je je ervan afgewend houdt, werkt dat. Als je er weer naar kijkt, worden de herinneringen scherp en komt de vorm van wat ontbreekt onvermijdelijk in zicht. Het wordt steeds moeilijker om er niet naar te kijken.

Voordat ik wegga, wil ik je iets vertellen.

Iets wat je moet weten. Ik wil je vertellen over een zekere Peter French.

Dat schreef ik Sarah in de brief.

Ik wil je vertellen wat er gebeurde op de avond dat ik in de regen naar je huis kwam.

En nu zag ik het eindelijk.

Het weer hield zich die zomer aan een voorspelbaar patroon. Dagen achtereen was het ondraaglijk warm en zonnig. De zon brandde zo fel dat je dacht dat de trottoirtegels zouden barsten. Mensen lieten de deuren en ramen van hun huizen openstaan alsof het tenten waren. In het centrum van de stad gingen ze in de lunchpauze languit in het gras liggen en wuifden ze zich koelte toe met tijdschriften.

Maar vaak was er ook een omslagpunt. Dan stak er een koele bries op en pakten zich grauwe wolken samen; de lucht rook naar ozon en de horizon rommelde. Grote regendruppels spetterden omlaag, eerst tik voor tik, dan sneller en sneller, totdat het water met bakken uit de lucht viel en de hitte wegspoelde.

Ik had net over Maries verzekeringspolis gehoord en ik had het grootste deel van de dag gedronken. Om elf uur, toen de cafés hun deuren dichtgooiden, was ik dronken. Ik ging naar huis en liep heen en weer. En op een gegeven moment werd de hitte te erg en kwam er voor mij ook een omslagpunt.

Kort voor één uur die nacht stond ik met mijn rug naar The Cockerel en keek ik strak naar dat huis aan de overkant. De regen kletterde op de straat en gorgelde in de goot. Geen auto's: niet op dit tijdstip. Ik droeg een gladde, zwarte jas en stond wankelend op mijn benen. Het was of ik daar bij toeval of door tovenarij terecht was gekomen, ongeveer zoals op de dag van Maries begrafenis. Maar deze keer was Sarah er niet om me te redden.

Ik stak de straat over naar dat onschuldige huis. Het was gewoon een vierkant, halfvrijstaand huis van rode baksteen, met de gordijnen stijf dicht en afbladderende verf op de oude voordeur. Ik liep over het pad door de verwaarloosde voortuin en klopte twee keer aan.

Een bovenraam vulde zich met geel licht. Ik keek omhoog, voelde de regenspetters op mijn gezicht, ging weer voor de deur staan en wachtte af.

Voetstappen op de trap.

Even later ging het licht in de hal beneden aan.

Op dat moment zwalkten woede en verdriet door mijn binnenste, drijvend op golven van alcohol. Ik wist echt niet meer waarom ik daar was en wat ik van plan was.

Als Peter French zich uit het raam had gebogen en had gevraagd wat ik in godsnaam wilde, zou het anders zijn geweest. Al had hij alleen maar de voordeur op een kier gezet en de ketting erop gelaten. In plaats daarvan deed hij de deur wijd open en bleef omlijst door het licht in de opening staan, als een dikke, gevallen engel.

Een ogenblik deden we geen van beiden iets. Om me heen was alleen het aanhoudende sissen van de regen te horen. Ik keek hem aan en zag niet alleen de man die Maries leven en daarna het mijne had verwoest, maar ook een ongeduldige man: kwaad omdat hij gestoord was. Ik werd vooral woedend door het besef dat Peter French absoluut niet wist wat er met mijn vrouw was gebeurd. Waarschijnlijk herinnerde hij zich niet eens haar naam. Hij zou niet weten – en het kon hem ook niet schelen – dat ze bij zichzelf steeds weer opnieuw beleefde wat hij haar had aangedaan, elke dag van haar leven, op een plaats waar ik haar nooit had kunnen bereiken, vooral omdat ik dat niet goed genoeg had geprobeerd, en die nu voorgoed onbereikbaar voor me was.

Het zou anders zijn geweest als hij het nog wel had geweten.

In plaats daarvan keek hij me aan en zei: 'Wie bent u?'

En ik dacht nu na over die vraag.

Indertijd had ik me geen raad geweten met het schuldgevoel dat ik in me had. Daarna was ik dezelfde gebleven: weglopend voor wat hij had gedaan. Maar wie was ik nu?

Ik wilde geloven dat ik terug was gekomen omdat ik eenzaam was en mijn vrienden miste, en omdat het me een schuldig gevoel gaf dat ik er niet geweest was toen Sarah me nodig had, terwijl zij wel altijd voor mij had klaargestaan. Ik wilde geloven dat ik was teruggekomen om de juiste redenen, niet dat een deel van mij die redenen gewoon had gebruikt om er duisterder, egoïstische motieven achter te verbergen.

Maar ik was daar niet zeker van.

Hij wilde weten of je hem al had gevonden.

De brief. Die was volgens mijn broer de echte reden waarom ik was teruggekomen. Hij wist wat ik twee jaar geleden had gedaan en het was alleen maar begrijpelijk dat hij nu dacht dat ik was teruggekomen om mijn daad te camoufleren. Om ervoor te zorgen dat de brief niet in verkeerde handen viel. En misschien had hij gelijk.

Want ik herinnerde me dat ik in Venetië op de trappen zat en dacht: ze woonde bij hem. En na mijn aankomst had ik het huis van boven tot onder doorzocht, zonder precies te weten waarnaar ik zocht. Later, toen ik vermoedde dat Sarahs lichaam door Ellis was weggehaald, was ik hem zelf gaan opzoeken, in plaats van de politie te bellen. Zelfs toen ik de rugzak in de Chalkie had gevonden, had ik opnieuw redenen bedacht om niet naar de politie te gaan. Misschien was ik in werkelijkheid alleen maar op zoek geweest naar die brief – mijn schuld, in steen gehouwen – om hem verborgen te kunnen houden.

Ik kon het niemand vertellen; dat was nog het ergste. Beide verklaringen maakten gebruik van dezelfde taal. Verantwoordelijkheid. Schuld. Verdriet. Spijt. Daar was mijn geest in de afgelopen twee jaar zo goed in geslaagd, en als ik aan de afgelopen dagen terugdacht, besefte ik dat ik niet meer tussen mijn eigen regels door kon lezen.

Toch wilde ik geloven.

'Gaat het, meneer?'

Ik keek plotseling op. De eigenares van de cafetaria stond met een vriendelijke glimlach naast me. Blijkbaar was ik half in slaap gevallen. De herinnering aan wat ik had gedaan, had me doen wegzakken, en ik voelde me bij lange na niet in staat tot wat ik nu zou moeten doen.

'Goed,' zei ik.

Het klonk niet overtuigend, maar ze knikte. 'Mag ik?'

'Wat? O.'

Ik ging rechtop zitten, zodat ze de borden kon weghalen. Terwijl ze dat deed, schoof ik de mobiele telefoon opzij.

Sarah was in leven.

Eén uur. Of ze is dood.

De stem die geen stem was sprak weer tegen me. Hij zei dat ik moest weggaan. Dat ik er niets mee zou bereiken als ik naar die man toe ging, want
Sarah zou evengoed sterven en het had geen zin dat ik ook doodging. Niet
zoals Ellis en Mandy Gilroyd waren doodgegaan, en Mike, Julie en James.
Geen van die sterfgevallen was trouwens mijn schuld, zei die stem: mensen maken hun eigen fouten, en ze leven of sterven als gevolg daarvan. Ik
had mijn paspoort in de zak van mijn jasje. Ik kon naar het vliegveld gaan
en binnen enkele uren het land uit zijn.

Na verloop van tijd, zei die stem tegen me, zou ik dit misschien zelfs vergeten.

Maar Sarah was in leven.

Alles leidde daar steeds weer heen. Het was zo hardnekkig als een pulserende pijn in mijn hoofd. Als ik nu wegliep, zou iets in mij tegelijk met
haar sterven. Het was tot daaraan toe om de doden in de steek te laten,
maar het ging veel verder om van de levenden weg te lopen. Misschien
zou ik het na verloop van tijd kunnen vergeten, maar dan zou ik veel meer
moeten opgeven dan ik kon verliezen. Ik zou zoveel van mezelf moeten
wegsnijden dat er niets meer overbleef wat de moeite waard was.

En ik herinnerde me wat ik had gedacht: als ze nog in leven was, wilde ik
alles – wat dan ook – doen om naar haar toe te gaan.

Dat was kort voordat ik de videobeelden van Maries dood had gezien. Ik
had aan dat eindeloze moment gedacht waarop je beseft dat er iets verloren is gegaan en dat het te laat is om het te redden. Het moment waarop
je er alles voor over zou hebben om het terug te laten komen. Alles, wat
dan ook, voor één kans om dingen anders te doen.

Sarah leefde nog. Ik had nu die kans.

Ik deed mijn ogen dicht.

Na een tijdje dacht ik: we staan altijd voor elkaar klaar.

Als het andersom was geweest, had jij ook voor mij klaargestaan.

34

Veertig minuten later stond ik voor 17 Rose Avenue en vroeg ik me af wat er nu moest gebeuren. Als u daar bent, weet u wel wat u moet doen. Maar ik wist het niet.

Het was een vrij grote straat die langs een vervallen huizenblok liep. Nummer 17 was een postkantoor. Het was het laatste pand in een betonnen blok, naast bookmakers, een slijterij en een blauw, met graffiti bedekt rolluik voor wat eens een kaartenwinkel was geweest. Aan het eind zag ik een stel tieners onder de gerafelde luifel van de kaartenwinkel: een meisje dat met haar benen recht voor zich uit zat; een onverzorgde jongen die doelloos rondjes maakte op zijn fiets; een andere jongen die nu en dan tegen het rolluik schopte. Toen ik langsliep, vroegen ze me alcohol voor hen te kopen en lachten ze me uit toen ik nee zei.

Dit was beslist de plaats waar de man me heen had gestuurd, maar er ontging me iets. Hij had gezegd dat ik het voetpad moest nemen, maar dat was er niet. Met die drukke straat achter me geloofde ik niet dat iemand hier naar me toe zou komen. Ik liep te veel in de gaten. Aan de andere kant kon ik hier niet eeuwig blijven rondhangen. Wat nu?

Voor de tweede keer liep ik om de hoek van het postkantoor. Het uitzicht was hier niet verheffender dan aan de voorkant. De weg zette zich voort in de woonwijk Balders, tussen grauwe huizen met platte daken. Zelfs in de zon zagen die huizen er vaal en ziekelijk uit: de helft was dood of op sterven na dood. De verwaarloosde grasbermen waren groter dan de tuinen. En er was geen voetpad te zien. Ik had al gekeken, maar ik deed het nog een keer. Niets.

Ik draaide me om en liep weer naar voren. En toen bleef ik staan. Iemand had met verf een wit pijltje op de zijkant van een gebouw getekend. Het was me de eerste keer niet opgevallen.

Het zat ongeveer drie meter hoog, en de verf leek erg oud en verbleekt. Maar nu ik het had gezien, was het een onmiskenbaar teken. En het wees naar de woonwijk.

Nu begreep ik het. Dit was helemaal niet mijn bestemming; de man was voorzichtig. Als ik naar de politie was gegaan en haar dit adres had gegeven, zou die daar helemaal niets mee zijn opgeschoten, en nu zou meteen te zien zijn of ik gevolgd werd.

Je zou dit niet moeten doen.

Maar ik kon nu niet meer terug. In plaats daarvan keek ik naar de plastic draagtas met papieren in mijn hand. Ik haalde diep adem en ging op weg.

Ik meende nu te begrijpen wat er aan de hand was. Net als de tekens op de Ridge was dit spoor moeilijk te volgen, tenzij je het juiste uitgangspunt had gevonden en wist waarnaar je moest uitkijken. Maar als je dat wist, kon je het spoor duidelijk van het ene naar het andere eind volgen. Achteraf waren de tekens heel duidelijk.

Het uitgangspunt: Sarah was niet dood. James had niemand vermoord. In plaats daarvan hadden die twee zich de afgelopen maanden van de wereld afgesloten. Ik stelde me voor dat er een beklemmende waanzin in de lucht had gehangen. Sarahs research had een wig tussen hen gedreven: mijn broer was aan de drank geraakt en Sarah was van hem verwijderd geraakt. Het was duidelijk dat ze door een soort waanzin bevangen waren – dat was het enige woord voor wat ze hadden gedaan –, maar die waanzin had hen uiteindelijk niet helemaal uit elkaar gedreven, maar juist dichter bij elkaar gebracht.

De dingen die Ellis aan Sarah had verteld, hadden haar obsessie alleen maar erger gemaakt. Ze was gefascineerd door die mensen, maar verkeerde ook in tweestrijd over wat ze moest doen. Ik stelde me voor dat ze keer op keer naar de Ridge terugkeerde en naar de plaats keek waar Emily Price ongevonden lag. Maar toen ze daarboven was, moest ze op een gegeven moment hebben besloten wat ze ging doen. Zwart haar, verfomfaaide regenjas, herinnerde ik me. Ik had de doos met haarverf in haar nachtkastje gezien, maar was te veel door andere dingen in beslag genomen om er aandacht aan te schenken. In het licht van wat ze had gedaan, was het wel begrijpelijk. Met knalrood haar was het lastig onderduiken.

Zo had ik ook de boeken die ik had gezien – forensische handboeken en boeken met foto's van plaatsen van misdrijven – aan haar fascinatie voor de dood toegeschreven. Dat was ook zo, zij het niet zoals ik had gedacht. Ze had die plaatsen delict blijkbaar uiterst systematisch bestudeerd, niet omdat ze, zoals ik had gedacht, er graag naar mocht kijken, maar opdat

James en zijzelf een geloofwaardige plaats delict konden creëren.

Opdat ze die mensen kon ontmoeten.

En dan de daden van mijn broer.

Ik had mijn best gedaan mezelf ervan te overtuigen dat hij een moordenaar kon zijn, maar in mijn hart moet ik hebben geweten dat hij daartoe niet in staat was. In werkelijkheid had James iets gedaan wat absurd en ongelooflijk was, en ook verkeerd, maar dat had hij niet gedaan omdat hij daartoe geneigd was of omdat Sarah hem ging verlaten. Hij had haar obsessie mogelijk gemaakt door voor haar te liegen, door haar te helpen bereiken wat ze dacht dat ze moest bereiken. Dat had hij gedaan omdat hij van haar hield.

Ik kon me zijn afkeer voorstellen toen hij hoorde dat ik terugkwam. Waarom zou hij me niet haten? Ik was de broer die nooit iets verkeerds had kunnen doen en was weggelopen zodra het leven moeilijk werd. De broer die Sarah met die brief had achtergelaten, en met de inhoud daarvan. Hij had daarna altijd met de gevolgen te maken gehad. En nu was ik teruggekomen, misschien om die dingen voorgoed te verbergen en dan weer te verdwijnen.

Zeg tegen Alex dat hij naar de Chalkie moet gaan. Om te zien wat hij heeft gedaan.

Hij zal wel hebben verwacht dat ik daar Sarah zou vinden. De Chalkie lag dicht bij het veld, en ik vermoedde dat ze daar had gebivakkeerd als ze niet de wacht hield. De dingen in de rugzak waren restanten. Ze moest er weken over hebben gedaan om de hoeveelheid bloed te verzamelen die ze nodig had om het misdrijf aannemelijk te maken, en dat had ze in de tussentijd ergens moeten verbergen. Het briefje ook. Beide dingen had ze op het laatste moment meegenomen. En ze had ze in de struiken gegooid toen die mensen haar kwamen halen.

Hij had verwacht dat ik ze zou vinden, alleen was het toen te laat geweest. Maar wat er ook was gebeurd, ik zou haar nu vinden.

In het begin was de wijk gewoon vervallen – kleine, naargeestige huizen met vuile ramen en betonnen voortuinen – maar hoe verder ik liep, des te erger werden de verwaarlozing en verloedering. Er lagen zakken met vuilnis in de tuinen met gebarsten tegels, en steeds meer ramen en deuren waren dichtgespijkerd. De huizen leken steeds meer op beroepsboksers, met verband om hun hoofd en een blauw oog.

De weg kronkelde gestaag door, en ging toen plotseling, alsof hij geschrokken was, een steile helling op. En daar, op het kruispunt met een kleinere straat, vond ik een tweede teken, dat op een trottoirband was aangebracht. Een cirkel met een stip in het midden, als iets wat je door het vizier van een geweer ziet.

Ik nam de afslag en vond het volgende teken ruim twintig meter verder, waar een volgende straat naar rechts leidde. Ik volgde die en kwam steeds dieper in de wijk. Verderop slingerde een vrouw over straat die zelfs voor dit warme weer te schamel gekleed was. Ze liep langs het karkas van een oude auto, die tot op het chassis was leeggehaald en op gasbetonblokken stond. Toen liep ze de hoek om en was verdwenen.

Ik keek om me heen. Ik was nu helemaal alleen.

Het was hier zo stil. Sommige huizen stonden duidelijk leeg, maar evengoed: er speelden geen kinderen en er waren geen andere menselijke geluiden te horen. Ik hoorde een hond blaffen in de verte, maar het klonk klaaglijk en eenzaam, alsof hij ergens was achtergelaten en niet verwachtte dat iemand hem hoorde.

Ik liep langs de auto en kwam bij een kruispunt. Stukken hout lagen verspreid over het midden, alsof een vliegtuig een lege kist had laten vallen. Het volgende teken, een witte streep over twee betonplaten in het wegdek, vertelde me dat ik rechtdoor moest gaan, en dat deed ik.

De tekens leken ouder dan die ik op de Ridge had gevonden. Ik vermoedde dat de man die me had gebeld deze al bestaande tekens had gebruikt omdat de omgeving het best uitkwam; hij had in de database gekeken en een plek gevonden die hij kon gebruiken. Waar hadden ze oorspronkelijk heen geleid? Volgde ik een kaart naar het andere verdwenen slachtoffer van Thomas Wells en Roger Timms, of was ik heel ergens anders?

Hoeveel van die routes waren er eigenlijk?

Even later kreeg ik in elk geval een soort antwoord. De plaats waar ik heen ging, lag een kleine kilometer de woonwijk in, aan het eind van een doodlopend straatje dat Suncast Lane heette. De straat eindigde bij nummer tien, een leegstaand huis waarvan de ramen en deuren waren dichtgemaakt met geperforeerde metalen platen die waren vastgeschroefd. In de hoek van het benedenraam had iemand een kleine, witte halve cirkel geschilderd.

Het huis stond duidelijk leeg, maar had nog enige sfeer. Ik voelde een energie die in de lucht zoemde, zoals wanneer je dicht bij een hoogspanningsmast staat. Dit was een bestemming: een krachtige plaats. Ik vroeg me af wat ik zou vinden als ik naar binnen ging. Op grond van alles wat ik had gehoord, leek het me niet het soort plaats waar Wells en Timms een lichaam zouden achterlaten. Tot dan toe hadden ze al hun lijken in de openlucht gelegd.

In elk geval was duidelijk genoeg wat ik nu geacht werd te doen. Het beloofde voetpad lag aan de zijkant van het huis: een smal pad met een houten schutting van twee meter hoog aan beide kanten. Het ging een stuk rechtdoor en maakte dan een scherpe bocht, als een gebroken bot.

Ik ging op weg.

Het pad was amper breed genoeg om er te lopen. De houten schuttingen bogen zich hier en daar naar me toe en op andere plaatsen bij me vandaan. Ik kwam bij de bocht in het pad en ging naar rechts. Er ontbrak hier een gedeelte; de hoek was al uit het zicht verdwenen. Toen het te laat was om te blijven staan, pakte iemand mijn arm vast en trok me door de opening in de schutting.

Ik viel voorover in de wildernis. De ene man gooide me daarheen en ik zag nog net de vuist van een andere man...

Ik schudde mijn hoofd en knipperde met mijn ogen. Ik lag op mijn zij in lang, vuil gras, met vochtigheid op mijn gezicht en handen. Mijn linkerhand was verdoofd... en deed toen golvend pijn, in het ritme van mijn hartslag. Alles werd pulserend rood.

Verdomme.

'... ijp hem...'

Mijn oren galmden zo erg dat ik het amper hoorde.

Ik wist niet of ik bewusteloos was geslagen, of alleen maar neergeslagen, of wat er was gebeurd. Ik zei tegen mijn lichaam dat het rechtop moest gaan zitten, maar toen drukte iemand tegen mijn arm om me tegen te houden.

'... at is di...'

De man in het grijze pak. Alleen was hij nu rood, afstekend tegen iets groens, en galmden er zo'n zes vuurrode aura's om hem heen. Ik keek gefascineerd. Hij kwam langzaam in zicht en de kleuren trokken weg.

'Wat is dit?'

Hij hurkte bij me neer, omlijst door de felgroene bomen achter hem. Ik zag de bladeren ritselen en voelde de lichte bries.

'Ik zei: "Wat is dit?"'

Hij bladerde in de lege mappen, kranten en tijdschriften die ik in mijn tas had.

'Een verzekeringspolis,' zei ik.

Hij knikte met een onbewogen gezicht. Toen keek hij op en om zich heen. Ik had de indruk dat hij verschillende mogelijkheden overwoog en zich afvroeg wat de efficiëntste handelwijze was.

Hij gooide een tijdschrift weg en stond op. In zijn andere hand had hij een pistool met zo te zien een geluiddemper op de loop.

'Zet hem in de auto,' zei hij.

35

Kearney reed langzaam langs het huis. Hij vergewiste zich ervan dat hij het juiste adres had gevonden, reed een eindje door en keerde. Hij parkeerde in de berm, uit het zicht achter een grote terreinwagen, en zette de motor uit. Rechts, aan de overkant van de smalle landweg, was een lage heg met kronkelende takken vol stekelige bladeren en rode bessen. In de verte, voorbij de velden die achter de heg lagen, stonden afgebrokkelde, droog gemetselde muurtjes. Een mooi uitzicht. Hij had het raam omlaaggedaan en de bries voelde warm en schoon aan.

Links van hem stonden de huizen.

Hij bevond zich in een voorstad ten westen van de stad. Het was een welvarende, enigszins voorname plaats. Zo ver het land in waren de rechte lijnen en scherpe hoeken van de stadsstraten onherkenbaar gladgestreken; de bochtige wegen gingen alle kanten op, als kinderen die wegrenden, de groene velden in. Je kon een kilometer rijden voordat je bij een kruispunt kwam. De huizen waren groot en breed, en sommige kon je gerust landhuizen noemen. Ze stonden allemaal achter strakke gazons, gebogen heggen en oprijlanen van keistenen. In de tuin naast Kearneys auto stond een oude, rode telefooncel. In de volgende tuin had iemand zelfs een put laten maken.

Het was een aantrekkelijk postcodegebied. Met veel privacy.

Hij dacht dat Anna, toen ze nog samen waren, ervan gedroomd zou hebben hier ergens te gaan wonen. Je had hier de illusie dat het een mooie buurt was, al was het hier in werkelijkheid alleen maar duur. Eigenlijk was het helemaal geen buurt. En zeker geen gemeenschap. Toen hij daar met zijn handen op het stuur zat, leek het Kearney meer een plaats om je buiten de samenleving te stellen. Je af te zonderen. Een plaats waar iedereen op een afstand bleef. Waar de huizen ver uit elkaar stonden, zodat niemand door de muren heen kon horen wat er gebeurde. En waar de enige mensen die misschien iets konden horen, andere rijke mensen waren, die zelf waarschijnlijk ook zulke privédingen deden.

Beheers je.

Ja. Hij keek recht voor zich uit en probeerde zich te beheersen. Zijn stemming was die dag grillig. Hij had er moeite mee zich op gedachten te concentreren, want ze gingen steeds weer met hem aan de haal. Als hij zichzelf niet tot de orde riep, raakte alles op drift, alsof er een centrale naaf uit het lood was geslagen en er niets meer was wat hem op zijn plaats hield.

Hij keek over het weggetje naar het huis van Arthur Hammond. Het was nog voornamer dan de huizen eromheen. De grootte en privacy ervan zaten hem dwars. Je kon er eigenlijk helemaal niet in kijken. De heg aan de voorkant was in feite een muur, alleen onderbroken door een dubbel hek met subtiele kleine punten aan de bovenkant. Daaroverheen keek je schuin naar de bovenverdieping van het huis, met één leeg raam. Het huis zag eruit alsof het stiekeme activiteiten ontplooide. Je kon niet zien wat het met zijn handen deed.

Wat ga je doen, Paul?

Hij had geen idee.

Wat Connor in de cafetaria had gezegd, had hem in beweging gezet, maar hij had geen plan en was nergens zeker van. Zijn bedoelingen verschoven steeds. Misschien wilde hij Hammond alleen maar om raad vragen. Per slot van rekening had de man duidelijk iets te zeggen over de onderhavige kwestie. Over de aard van kunst en het verzamelen daarvan.

Aan de andere kant dacht hij dat er misschien nog iets heel anders aan de hand was.

Nu er een beslissing moest worden genomen, kon hij dat niet. Voor beide gedragslijnen waren veel redenen aan te voeren. Als hij gewoon bij de man op de deur klopte, wist hij niet welke vragen hij moest stellen. Als hij de deur intrapte, kon hij zich niet voorstellen wat er zou gebeuren.

De frustratie bouwde zich in hem op om even later de vertrouwde gedaante van de zelfhaat aan te nemen, zo erg dat zijn huid hem bijna pijn deed. Alsof zijn hele lichaam in een pijnlijke houding werd gehouden en hij zich niet kon uitrekken om de pijn te verlichten.

Misschien zou het anders zijn geweest als het onderzoek achter de rug was – als ze Rebecca hadden gevonden, zelfs als ze dood was. Of als hij niet in zijn hotelkamer was ontwaakt uit een nachtmerrie met de gele man, en niet de kinderen had gezien die naar hem keken. Ze hadden iets van hem geëist. Mike Halsall. Sarah Pepper... en toen had hij opeens de naam Peter

French in zijn hoofd zitten, als een geschenk dat ze voor hem hadden meegebracht.

Daar is het.

Wat ga je nu doen?

De vraag was niet veranderd.

Kijken of Arthur Hammond thuis was, besloot hij. Luisteren naar wat hij te zeggen had. Misschien wat rondkijken, of Hammond het nu leuk vond of niet.

Kearney bedacht dat de gebeurtenissen van de vorige avond ook voordelen met zich meebrachten. Omdat hij geen politieman meer was, kon hij gewoon doen wat nodig was. Hij kon de vragen stellen die hij wilde. Er telde maar één ding. Misschien kon hij zich niet houden aan de belofte die hij had gedaan, maar hij kon het altijd proberen. Hij zou haar vinden.

Hij hield een knop ingedrukt en het raampje van de auto kwam omhoog. Net toen hij het portier openmaakte, hoorde hij een gierend en schrapend geluid. Hij wachtte. Het geluid van metaal dat over beton schuurde kwam door het stille straatje naar hem toe. De poort van Hammonds kleine landhuis ging langzaam naar binnen open en kraste daarbij over de grond.

Kearney deed het portier langzaam weer dicht en wachtte af.

Even later kwam de motorkap van een auto door de poortopening. Kearney dook weg op zijn stoel. Hij bleef uit het zicht tot hij hetzelfde schrapende geluid hoorde – nu zwakker, doordat het gedempt werd door het gesloten raampje – en waagde het toen weer rechtop te gaan zitten.

Het achtereind van een gehavende, oude auto verdween door het straatje. Hij was donkerrood, maar Kearney kon het model niet onderscheiden. In plaats daarvan concentreerde hij zich op het achterraam. Hij probeerde te zien wie erin zat. De bestuurder en nog iemand, dacht hij. De tweede man zat blijkbaar op de achterbank, alsof hij een chauffeur had.

Was het Hammond?

Kearney kon het niet goed genoeg zien om het zeker te weten, maar hij dacht van wel. Verderop ging de oude auto een bocht om en verdween.

Het automatische hek van het landhuis viel knarsend weer dicht.

Kearney bleef een ogenblik zitten en vroeg zich af wat hij moest doen. Moest hij toch het huis proberen? Hij had al geen garanties gehad, en nu waren er minstens twee mensen minder in het huis. Toch wist hij niet goed raad met wat hij had gezien. Een rijke man in een gedeukte oude auto. Op het eerste gezicht was het onschuldig... maar er kon ook iets verborgens aan de hand zijn, nietwaar? Iets geheimzinnigs, iets wat niet door de beugel kon.

Waar ga je heen? vroeg hij zich af. In je vermomming.

Kearney nam een besluit en startte de auto. Hij zou voorzichtig moeten zijn, in elk geval de eerste kilometers. Een eindje achterblijven. En er het beste van hopen.

Hij zou een beetje geluk moeten hebben.

36

'Wat was dat voor een huis?' vroeg ik.

Ik zat op de achterbank van de auto, ingeklemd tussen twee mannen. Ze waren allebei jong en volstrekt onverbiddelijk. Ze hielden me op een efficiënte, professionele manier vast, maar schonken me verder geen enkele aandacht. Ze keken alleen maar doelloos door het getinte glas naar de schemerige straten buiten. Een derde man reed. Hij liet zijn hand losjes op het stuur rusten.

De oudere man in het grijze pak zat voorin op de passagiersplaats. Ik kon alleen zijn achterhoofd zien. Dat was kogelvormig en zijn grijze haar was uitgedund, zodat je de ruwe, gelooide huid eronder zag, alsof hij een groot deel van zijn leven in warmere luchtstreken had doorgebracht, waar de zon op zijn hoofd had gebrand.

'Wat was daar?' vroeg ik.

'Niets.' Hij klonk zo ongeïnteresseerd dat ik er niet eens zeker van was dat hij het tegen mij had. 'Het is een van onze oudere plaatsen. Dat is alles.'

'Wie zijn jullie in godsnaam?'

Hij hield zijn hoofd een beetje schuin, maar gaf geen antwoord.

Even later vroeg ik: 'Waar brengen jullie me heen?'

Niets. De andere mannen wilden blijkbaar ook niet praten.

Tenminste, nóg niet.

Ik zette die gedachte uit mijn hoofd.

De auto schommelde een beetje; de hand van de bestuurder bewoog nauwelijks. We reden in een laag tempo en deden niets om de aandacht te trekken. Ik keek zo veel mogelijk naar de winkels en huizen die we passeerden en zag mensen zorgeloos over de zonnige trottoirs lopen.

Het deed me eraan denken hoe ik twee dagen geleden door het centrum van de stad had gereden, toen ik nog het gevoel had dat ik de situatie beheerste. Ik had toen naar de politie moeten gaan. Voordat deze mannen Mike en Julie hadden vermoord. Voordat ze mijn broer hadden vermoord.

We reden ongeveer twintig minuten, en tegen de tijd dat we op onze bestemming kwamen, huiverde ik. De auto stopte op een lichte helling en wachtte tot een gele slagboom omhoog was gekomen. Toen we waren doorgereden, hoorde ik hem achter me dichtklappen.

Ik wist niet in welk deel van de stad we waren, maar dit leek me een fabriekscomplex. De auto reed door, ging een hoek om, en ik zag rijen andere auto's geparkeerd staan. De oudere man schonk er geen aandacht aan, maar de twee aan weerskanten van me keken belangstellend naar buiten, alsof ze wilden zien wie er waren. We lieten die auto's achter ons, gingen weer een hoek om, waarbij er glas onder de banden knerpte, en nog eens, en ik besefte dat we langzamer gingen rijden. We reden achter een rij gebouwen langs.

Op de helft daarvan was er een open garagedeur. Die leek breed genoeg voor drie of vier auto's. Er stond een man naast, ook in een pak. Hij had zijn handen op het rolluik en boog zich naar voren, als een monteur die een rookpauze neemt. Toen hij onze auto zag aankomen, liet hij het rolluik los en kwam hij naar buiten. Vervolgens gaf hij ons een teken dat we langs hem konden rijden.

'Wat is er aan de hand? Waar zijn we hier?'

Geen antwoord.

We reden naar wat de achterkant van een pakhuis bleek te zijn – een grote overslagruimte. Er waren daar kranen en haken die aan katrollen hingen, en aan de ene kant was een oprit. Langs de muren liepen dikke buizen. Alles was vaalgroen, en de verf leek hier en daar wel een centimeter dik, met aderen en bulten van uitlopers en hangers.

Het enige andere voertuig was een gedeukt, wit busje dat naast de oprit stond. We stopten dichtbij.

De handrem ratelde en de motor ging uit.

Ik kon mijn hart horen kloppen in mijn oren.

'Wat is dit hier?'

Niets. Maar ik hoorde andere geluiden: gekletter en geschraap in de verte; iets wat klonk als een motorzaag die zich verwoed gierend door hout heen werkte. Alsof er een werkplaats in de buurt was.

Dat alles galmde door de ruimte, maar mijn hart overstemde alles. En ik voelde me misselijk. Ademhalen lukte bijna niet meer. Deze mannen hadden zoveel mensen gedood, en nu zouden ze mij ook doden, en Sarah, _n...

Beheers je.

De deuren gingen aan beide kanten open en de man aan mijn rechterzijde trok me die kant op. Ik bood geen weerstand. Hij liet zijn vingers op mijn schouder rusten, de muis van zijn hand op mijn rug, om me naar voren te duwen. De tweede man liep om de auto heen.

Er ging een keihard, gierend geluid door de lucht. Het rolluik zakte langzaam omlaag, ratelend op zijn glijders. Een wig van zonlicht op de betonvloer trok zich naar het luik terug.

Straks zat ik hier in de val.

Nee.

Ik ging eerst op de man aan mijn linkerkant af, alleen omdat ik hem met mijn rechtervuist kon raken. Zijn ogen gingen dicht toen de hoekstoot doel trof, en hij maakte het geluid dat de soldaten maakten wier keel werd doorgesneden op de video die ik had gezien – een kort kreungeluid van angst, schrik en pijn. Zijn tanden klapperden tegen elkaar en hij viel opzij.

De tweede man reageerde snel, en zijn vuistslag smakte mijn eigen linkerhand tegen mijn gezicht. Omdat ik hem niet eens kon zien, dook ik weg en mikte ik blindelings met een uppercut op zijn hoofd. Ik raakte hem onder zijn kin en zijn hoofd klapte achterover. Het was niet hard genoeg. Hij ging niet tegen de vlakte, maar deed een stap opzij om zich te herstellen en zich te verdedigen.

Evengoed kon ik nu wel naar de garagedeur rennen.

Tien meter, duiken en omrollen, en dan nog die kerel die buiten stond. En dan was ik weg.

Misschien had ik het kunnen redden. Maar de vuistslagen die ik had uitgedeeld, hadden een vuur in me doen oplaaien, iets heets wat helemaal van mijn hart naar mijn huid brandde. In plaats van te rennen ging ik weer op de man af. Ik haalde uit met een linkse directe, die op zijn vuisten terechtkwam, en gaf hem toen de hardste rechtse hoekstoot die ik in huis had. Ik legde mijn hele lichaam erachter. Mijn broer had van ons tweeën altijd de meeste kracht gehad, en ik wou dat ik daar nu ook iets van had. Maar nu even geen finesse. Ik dacht aan het hoofd van die oude boksbal met de scheur in de hals, en balde al mijn spieren samen terwijl hij...

Mijn stoot kwam hard aan en gaf me een goed gevoel.

De man stond op en dekte zich in, maar hij was aan het wankelen gebracht. Ik haalde met willekeurige stoten naar hem uit, en hij deinsde terug en deed wanhopige pogingen zich te dekken. Mijn adem kwam er in kleine stootjes uit, alsof ik een rietje in mijn luchtpijp had, maar er ging een absurde opwinding door me heen. Ik scoorde nog een voltreffer en de man struikelde over zijn eigen voeten en ging tegen de vlakte. Elke stoot voelde aan als pure haat.

'In godsnaam.'

De man in het grijze pak zuchtte. Ik keek naar hem. Hij had niet eens zijn pistool uit zijn jasje gehaald. De bestuurder van de auto was naar de garagedeur gelopen en stond daar nu met zijn armen over elkaar, maar ze keken geen van tweeën bezorgd.

Omdat de oudere man dichterbij was, ging ik op hem af. Een domme, neerwaartse rechtse. Hij ontweek hem en sloeg me toen hard tegen de zijkant van mijn hoofd. Ik raakte uit balans en had nog tijd om te denken dat de man geen schijn van kans maakte, maar toen werd mijn pols verdraaid. Onwillekeurig, zonder dat ik er invloed op had, draaide mijn lichaam zich van de greep op mijn pols vandaan. De man verplaatste zijn lichaam enigszins, gebruikte mijn pols als draaipunt en werkte me helemaal tegen de grond. Met mijn gezicht omlaag.

Verdomme.

Ik keek naar de overslagruimte. De eerste man die ik had geraakt stond nog voorovergebogen, steunend op zijn knieën. Zijn bloed spatte op de vloer. De tweede stond nu versuft overeind. Zijn gezicht was knalrood, alsof hij een klap had gekregen en niet wist wat hij moest doen.

Het stelde niets voor, maar toch wekte het een gevoel bij me op. Al was het alleen maar dat ik iets van mijn emotie tegen iemand anders had gericht. Ik had naar de deur kunnen rennen, en misschien had ik dat moeten doen. Maar op dat moment kon het me niet schelen.

Even later kletterde de garagedeur ergens uit het zicht tegen de grond en toen werd alles stil.

37

Kearney was hen kwijt.

Van ergernis sloeg hij met zijn hand op het stuur.

Het was moeilijk geweest Hammonds auto op de landweggetjes te volgen, gewoon omdat er zo weinig ander verkeer was dat hij op een afstand moest blijven. Telkens wanneer hij bij een kruispunt kwam, moest hij een beetje geluk hebben. Hij moest maar hopen dat minstens één richting hem genoeg zicht bood om hem een keuze te laten maken. Als de gedeukte oude auto niet op een recht stuk weg te zien was, nam hij de andere weg. Vervolgens voerde hij de snelheid op om zich ervan te vergewissen dat hij goed had gekozen en maakte de afstand dan weer groter.

In theorie zouden die landweggetjes het grootste probleem zijn. Als hij eenmaal op de grote wegen was, op weg naar de stad, kon hij een paar auto's tussen hen in laten rijden en hoefde hij zich niet meer zo druk te maken. Dan kon hij de afslagen die Hammonds chauffeur maakte, ver van tevoren zien. Het ging juist mis toen ze in de buurt van het stadscentrum kwamen en door een grote woonwijk reden.

De auto was net een hoek om gegaan en opeens verdwenen.

Er strekte zich een lange, lege weg voor Kearney uit.

Hij ging langzamer rijden en stopte langs de kant, met de richtingaanwijzer nog aan. Hij wreef over zijn voorhoofd en trok een grimas. Toen deed hij met nieuwe moed zijn ogen open.

Kom op. Je bent hen nog niet kwijt.

Er stonden hier vooral woonhuizen. Ze stonden met hun borst vooruit dicht naar het trottoir toe. Links van hem was er een muur van bomen, met verderop nog meer huizen. Nergens zag hij een pad naar een huis, en Hammonds auto stond niet in de straat geparkeerd.

Er moest dus iets anders zijn.

Kearney zette de motor uit en stapte uit de auto. Hij deed het portier met een klap achter zich dicht en liep door de straat. Onder het lopen keek hij naar weerskanten, en een eindje verderop, aan de linkerkant, vond hij wat hij zocht. De bomen onttrokken hem voor een deel aan het oog: een gele slagboom over een asfaltweg. Die weg was breed genoeg voor een truck met oplegger.

Het wegdek liep om de zijkant van de slagboom heen. Kearney wierp nog een laatste blik om zich heen voordat hij het volgde, maar ze konden nergens anders heen zijn gegaan.

De weg leidde naar een fabriekscomplex, dat veel groter was dan je vanaf de straat zou zeggen. Hij liep langs pakhuizen en fabrieksgebouwen zonder bovenverdieping, met wanden en hellende daken van golfplaat. Er was een drukkerij. Een pakhuis met bruidskleding, waar buiten trouwjurken in cellofaan aan rekken hingen. Een halfopen metalen rolluik. Hij keek naar binnen en zag koelkasten die als ontblote tanden opgestapeld stonden.

En verderop stond een rij geparkeerde auto's, schuin ten opzichte van de weg. De meeste waren goedkoop, maar twee waren glanzend en duur: zwart en glinsterend in de zon. Hammonds oude auto stond helemaal aan het eind. De chauffeur zat er nog in. Hij las een krant die over het stuur lag. De achterbank was nu leeg.

Kearney liep zo nonchalant mogelijk door. Het gebouw links, waarbij de auto's geparkeerd stonden, was het grootste van het complex. Het was helemaal zwartgeverfd, met een gebogen bord boven de twee grote deuren, waarvan er een werd opengehouden met een roestige gereedschapskist. Het bord zelf was oud, de verf verbleekt en vaag, maar hij kon een rode hamer met daaronder een houten blok onderscheiden. De witte letters vertoonden de sporen die de tijd erop had achtergelaten en waren nauwelijks nog zichtbaar.

VEILINGHUIS TOOLEY.

Op het metaal naast de deur was een schoolbord geschroefd:

14.00 UUR. KLEINE VOORWERPEN.

Kearney liep een betegelde hal in die naar tabak en oude kleren rook. Hij wist niet wat hij zou zeggen als hij Arthur Hammond tegenkwam, maar gelukkig was de man niet te zien. Er stonden alleen een paar groepjes oudere mannen met verweerde, grimmige gezichten.

Aan het eind van de kleine hal leidde een deur naar een grotere ruimte, waar Kearney stoelen zag die in rijen waren neergezet. De meeste daarvan waren al bezet, opnieuw voornamelijk door mannen, hun handen gevouwen over hun dikke buik. Er kwam een diep, constant geroezemoes uit die ruimte, als van mensen in een kerk die wachten tot de dienst begint. Rechts was er weer een deur. Op het bord daarboven stond: BEZICHTI-GINGSKAMER.

Kearney keek op zijn horloge. Het was bijna twee uur, maar nog net niet. Er waren nog twee achterblijvers in de bezichtigingskamer, maar Hammond was nergens te bekennen. Kearney liep naar binnen, niet alleen uit belangstelling, maar ook om niet gezien te worden. Een van de andere mannen hier was al oud. Hij hield zijn geniete catalogus in beide handen op zijn rug en liep aandachtig langs de artikelen. De andere man was klein en dik; hij schommelde van het ene been op het andere en zijn onderlip trilde.

Ze maakten geen van beiden een erg enthousiaste indruk, en op het eerste gezicht kon Kearney dat wel begrijpen. Zo te zien was hier weinig van waarde – tenminste niet in zijn ogen. Lelijke porseleinen beeldjes. Oude, gekromde pijpen. Porseleinen kopjes met sierlijke oortjes. Enkele klokken, waarvan een in de vorm van een poppenhuis. Het leek niet het soort koopwaar dat een verzamelaar als Arthur Hammond zou aantrekken, zelfs niet als hij een heel onschuldige smaak had.

Is hij de eigenaar van dit veilinghuis?

Dat was een mogelijkheid. Kearney had geen idee, maar het leek hem wel het soort bedrijf waarmee Hammond zich zou inlaten.

Dus misschien was hij zijn tijd hier aan het verspillen. Hij dacht nog steeds na over die vraag toen een zwaargebouwde man in een zwart pak om de hoek van de deur keek.

'We beginnen, heren.'

De twee anderen liepen naar de deuropening.

Je bent hier nu toch, dacht Kearney.

Hij manoeuvreerde zich tussen de twee mannen en liep met hen mee.

243

38

Ze lieten me aan de andere kant van de overslagruimte zitten, wijdbeens op de vloer. Ook hadden ze me handboeien omgedaan, waarvan de ketting om een van de dikke buizen heen was geleid die van het plafond tot in de betonvloer omlaagliep.

Nadat ze me hadden vastgezet, hurkte de man in het grijze pak met zijn handen op zijn dijen voor me neer. Zijn knokkels waren enorm groot en ik dacht dat hij me een stomp zou geven. In plaats daarvan keek hij me alleen maar nieuwsgierig aan, zijn hoofd een beetje schuin, alsof hij niet wist wat hij nu weer had gevangen. De woede die ik eerder had gevoeld, trok geleidelijk weg, als de werking van een pil. In plaats daarvan kwamen pijn en angst.

'Waar is ze?'

Dat was eigenlijk alles wat ik wilde weten.

Maar hij schudde zijn hoofd, stond op en liep weg.

De mannen met wie ik had gevochten waren hersteld en stonden op een afstand bij het busje. De tweede van hen keek met onverholen haat in mijn richting. Ik dwong me recht terug te kijken. Rot op. Maar de oudere man legde een hand op de borst van hen allebei en vormde een stevige 'W' tussen hen in.

'Niet nu,' zei hij.

Ze verlieten de overslagruimte via een zijdeur, op weg naar de voorkant van wat dit ook maar voor een gebouw mocht zijn.

Afgezien van dat kletterende geluid in de verte was het nu stil. De auto waarmee we waren binnengekomen, stond een paar meter bij me vandaan en tikte zacht door het afkoelen van de motor. Het busje stond een eind verderop. Beide voertuigen hadden net zo goed in een andere wereld kunnen staan.

Ik ging zo goed mogelijk na hoe strak de handboeien zaten, maar ik kon nergens heen. Vooral ook door de pijn in mijn pols. De man had hem niet gebroken, maar er was wel iets gescheurd, en dat werd met de seconde erger. Het was een pulserende pijn die steeds heviger werd. Ik hoefde alleen maar mijn handen te bewegen of de pijn vlamde al op. Het had geen zin dat ik mezelf verwondde zonder daar iets mee op te schieten, maar ik probeerde het toch: ik zette mijn tanden op elkaar, trok aan de boeien...

En zakte in elkaar.

De buis achter me trilde zachtjes: een zacht gerommel tegen mijn rug. Hij was koel, maar ik had het verontrustende gevoel dat hij op een gegeven moment gloeiend heet kon worden. Daar moest ik maar niet aan denken.

De garagedeur zat potdicht. Er gluurde nog geen straaltje zonlicht onderdoor. Trouwens, een van de mannen stond buiten – evengoed kon er iemand anders voorbijkomen, of misschien door de deur die verder naar binnen leidde. Misschien waren er mensen dichtbij genoeg om me te kunnen horen.

'Hé!' riep ik.

Het woord galmde door de ruimte. Het voelde gevaarlijk aan, want het streek nergens neer, maar bleef in de lucht hangen.

'Kan iemand me horen?'

Geen reactie.

Ik probeerde het nog een keer. Ditmaal schreeuwde ik zo hard als ik kon: 'Hé! Is daar iem...'

Maar mijn stem zakte een beetje in, en de woorden gingen verloren. Ik hoestte, want ik had een kriebel in mijn keel. Vocht tegen de wanhoop. Ik wilde het net opnieuw proberen toen ik het hoorde.

Een enkele, gedempte kreet.

Ik hield op met bewegen.

Het was een dierlijk geluid geweest, maar ik wist meteen dat het van een mens was. Iemand die in zo grote nood verkeerde dat hij of zij niet eens meer goed kon ademhalen. Mijn hart bonsde ervan. En even later hoorde ik een vreselijk bonkend geluid. Het klonk als iemand die in paniek verkeerde: vechtend om in leven te blijven, niet in staat zich goed te bewegen. Maar het klonk allemaal gedempt. Het geluid werd door iets gesmoord.

'Sarah?'

Ik keek door de overslagruimte, van het ene naar het andere eind, maar zag niets. Het geluid kwam uit deze ruimte, maar er was hier niemand

Toen viel mijn blik op het witte busje en bleef daarop rusten. Een diep afgrijzen maakte zich van me meester. Het chassis van het busje trilde enigszins, boog door bij de wielen. Er zat daar iemand in, iemand die verwoede pogingen deed vrij te komen. Die persoon was daar al die tijd al geweest en was wakker geworden van mijn geschreeuw.

De persoon hyperventileerde. Het was een wanhopig geluid: zo veel mogelijk lucht naar binnen zuigen om te kunnen...

Opnieuw die kreten uit het busje. Opnieuw gesmoord.

Het busje van Roger Timms, dacht ik. Er ging een huivering door me heen. Toen ik de vorige avond in mijn hotelkamer het nieuws had gehoord, had de verslaggever gezegd dat de politie nog op zoek was naar dat busje.

Steeds meer zorgen om verdwenen...

'Rebecca?'

Er kwam geen antwoord uit het busje, maar degene die erin zat, bleef schreeuwen, en het busje schommelde nu heftig. Jezus. Als zij het was, werd ze al dagen vermist en zat ze vastgebonden onder god mocht weten wat voor omstandigheden, misschien zelfs al die tijd. Geen wonder dat ze in paniek was geraakt door dat geschreeuw van mij.

'Wees maar niet bang, Rebecca.'

Het was een domme opmerking, maar ik voelde een wanhopige aandrang om haar gerust te stellen. Het lukte niet. Ze geloofde me niet of was al zo ver dat ze alleen nog maar angst en afgrijzen kon voelen.

Ik probeerde de handboeien opnieuw, ditmaal roekelozer: ik draaide mijn handen ertegenaan, ging na hoeveel speling er was, zocht naar... iets. Maar toen liet ik me weer zakken. Mijn pols brandde en ik zag sterretjes.

Toen ik weer riep, zat er een brok in mijn keel.

'Het komt goed.'

Maar mijn woorden bleven in de lucht hangen en er kwam nog steeds geschreeuw uit het busje.

39

Garland ging achter in de zaal zitten en zag de veilingmeester die voor Hammond werkte zijn plaats achter het spreekgestoelte innemen. De man was heel oud, maar bedreven in wat hij deed, en hij had zich voor de gelegenheid gekleed in een zwart krijtstreepjespak met twee rijen knopen en met een rode roos op de lapel. Achter hem hing een scherm waarop de operateur foto's van nutteloze, goedkope voorwerpen liet zien, waar de aanwezige mannen vervolgens op gingen bieden, vaak met de bedoeling ze in de komende weken of maanden voor een hogere prijs door te verkopen.

In de ogen van Garland was het net zoiets als met een klein bedrag op paarden wedden. Toch nam iedereen hier de gang van zaken heel serieus. De veilingmeester speelde daarop in en trok een passend ernstig gezicht. Garland sloeg zijn armen over elkaar en keek naar het publiek.

Hij bestudeerde de gezichten een voor een.

Voordat hij bij de organisatie was gekomen, was hij een tijdje militair geweest, en daarna huurling. Hij had met een klein team van gelijkgezinde Amerikanen in het voormalige Joegoslavië gevochten en daar mensen gedood voor geld. Bij een van die gelegenheden hadden ze een klein dorp moeten doorzoeken om een handjevol soldaten te vinden; de mannen hadden hun uniformen uitgetrokken en zich in het volle zicht tussen de dorpelingen verstopt.

Garland had er maar een paar minuten over gedaan om hen eruit te pikken. Nadat ze de soldaten van de burgers hadden gescheiden, hadden ze hen op hun knieën op een rij gezet in een modderig veld en hen in hun achterhoofd geschoten. Een voor een, maar snel en professioneel; er had hooguit een seconde tussen de schoten gezeten. Sommigen hadden gehuild, anderen waren alleen maar bevend blijven zitten en hadden niet eens hun handen achter hun hoofd kunnen vouwen. Maar ze waren niet verbaasd geweest. Ze hadden zich doodmoe in het dorp verstopt zonder enige reële hoop op succes, in de wetenschap dat ze zelfs in de alomtegenwoordige mist van wanhoop en verslagenheid meteen zouden opvallen. Sommige uniformen kon je gewoon niet uittrekken. Mannen als Garland roken altijd hun eigen soort.

Zoals altijd was het alleen een kwestie van geld; hij had die soldaten niet gehaat. Eigenlijk had hij wel een zekere mate van respect voor hen kunnen opbrengen. Dat ze beefden en huilden, deed geen afbreuk aan zijn respect, want wie zou dat niet doen? Het had hen niet gered, maar ze begrepen de gevolgen van hun daden. Ieder van hen was zelf ook iemand die mensen doodde. Ze hadden hard gevochten om tot deze dood te komen. En dus had de kortstondige muziek die op die dag over het veld had gedaverd, niet vals geklonken.

Hier in de veilingzaal waren de mannen – en één vrouw – heel anders dan de rest. Het zou Garland geen moeite hebben gekost hen eruit te pikken, zelfs als hij hun gezichten niet in zijn geheugen had zitten. Ze zaten er gewoon anders bij dan de andere mensen hier. Toch dachten ze dat ze goed vermomd waren. Ze dachten dat ze alleen al door hun kleding in deze menigte konden opgaan.

Dat was natuurlijk niet helemaal hun fout. Het hoorde bij de mythe die hun was aangepraat. De mythe van de veiligheid.

Toch was het vooral iets anders wat hen van de mannen in dat veld onderscheidde en waardoor hij geen respect voor hen kon opbrengen. Die mannen hadden vuile nagels gehad, terwijl deze mensen niets hadden. Ze dachten graag aan duisternis en dood, maar nooit aan de gevolgen. Waarschijnlijk zagen ze hun kleffe interesse als iets diepgaands – alsof ze onderzoekers waren – terwijl ze in werkelijkheid in een cocon leefden en ervoor betaalden dat pakketjes verdorvenheid achter het membraan werden achtergelaten, zodat ze er vanaf een veilige plaats naar konden kijken. Na afloop wasten ze hun handen en gingen ze weer aan het werk, met de gedachte dat ze macht en distinctie bezaten.

Net als het wildreservaat waar hij had gewerkt, was het belachelijk.

Maar het was goed zakendoen.

Hij concentreerde zich daar nu op en hield zijn gezicht onbewogen, zoals altijd wanneer hij met cliënten te maken had. Zijn walging zat diep begraven. Het deed er niet toe hoe hij over deze mensen dacht. Hij werd ervoor betaald om hier te zijn.

De gedachte aan geld...

Hij keek naar het achterhoofd van Arthur Hammond.

Het was bijna voorbij, zei Garland tegen zichzelf. Het was zijn taak geweest de rommel op te ruimen in deze tak van de organisatie, en daarvoor had hij die rommel eerst moeten verspreiden, zodat hij kon zien wie de veroorzaker was. Nu was alles duidelijk. Timms' hebzucht was de hoofdoorzaak geweest, maar Christopher Ellis was niet de enige die er gebruik van had gemaakt. Voordat hij stierf, had Timms nog een naam genoemd, een bekendere naam, misschien in de ijdele hoop dat hij daarmee zijn leven kon redden.

Garland onderzocht de bewering via zijn politieconnectie, en het was waar: er was een vingerafdruk op het voorhoofd van Jane Slater gevonden. Dat was een persoonlijke noot van Hammond geweest, maar de ervaring was niet officieel geregeld.

Mensen werden hebzuchtig.

Hij keek op zijn horloge. Over een paar uur zou hij in een privévliegtuig zitten en dit alles achter zich laten. Het kon hem niet gauw genoeg gebeuren.

De veilingmeester sloeg drie keer met zijn hamer om de aanwezigen tot stilte te manen. De slagen galmden door de zaal.

'Dames en heren. Welkom bij veilinghuis Tooley voor onze wekelijkse verkoop van kleine schatten en verzamelobjecten. Willen degenen die van plan zijn te bieden ervoor zorgen dat ze geregistreerd staan en een bordje hebben ontvangen?'

Garland smoorde een geeuw en keek naar links langs de achterste rij. Hij zag de man aan het eind, herkende hem meteen, en keek toen weer naar voren alsof er niets was gebeurd.

De politieman. Paul Kearney.

Alleen had Garland van zijn connecties gehoord dat Kearney geen politieman meer was. Wat deed hij hier?

De mogelijkheden klikten in zijn hoofd.

Eigenlijk was er maar één logische oplossing: Kearney was een van de cliënten gevolgd. Vermoedelijk Hammond, want de anderen kwamen van ver.

Garland dacht na. Hij had geen reden om aan te nemen dat de politie iets vermoedde. Zelfs als dat zo was, was het onwaarschijnlijk dat ze Kearney hierheen hadden gestuurd, want hij was geschorst. Daaruit volgde dat hij hier op eigen houtje was.

Interessant.

Wat wist Kearney en wat wilde hij bereiken? Tijdens de veiling zelf vond er niets illegaals plaats. Als die voorbij was, zou Kearney beslist niet worden toegelaten tot de deur achter in de zaal, waar de andere cliënten nonchalant naartoe zouden lopen. Er was geen gevaar dat hij zich met de gang van zaken bemoeide of een scène maakte.

Hoewel Garland dit scenario graag had vermeden, zou zelfs de politie problemen hebben. Als je Banyard niet meerekende, die met iets anders bezig was, had hij maar zes mannen in het gebouw. Niettemin waren die mannen – als ze tenminste goed uit hun ogen keken – van een heel ander slag dan de mensen met wie de politie meestal te maken had. Ze waren ook alle zes zwaarbewapend. Als puntje bij paaltje kwam, zou niemand hen tegenhouden als ze wilden vertrekken. Of het leger zou al ingeschakeld moeten worden.

Garland wierp nog een blik opzij en volgde Kearneys blik naar de voorkant van de zaal.

Ja, Kearney keek naar Arthur Hammond.

Interessant, dacht Garland opnieuw.

Maar weinig meer dan dat.

'Kavel nummer een,' zei de veilingmeester.

Hij gaf een teken aan de operateur. En terwijl er een foto van een zilveren dienblad op het scherm achter de man verscheen, leunde Garland in zijn stoel achterover en smoorde weer een geeuw.

40

Ik wist niet hoe lang het duurde voordat ze terugkwamen. Het voelde aan als minstens een halfuur, maar waarschijnlijk was het langer. De man in het grijze pak liep voorop, en hij werd gevolgd door vijf mensen die ik nooit eerder had gezien. Het waren vier mannen en een vrouw, en ze waren allen informeel gekleed. Ten slotte kwamen er nog twee mannen in pakken binnen. Ze deden de metalen deur achter zich dicht, vergrendelden hem en gingen als schildwachten aan weerskanten staan.

De man op wiens tanden ik had ingeslagen, was opvallend afwezig – misschien vonden ze dat hij er te belabberd uitzag voor dit gezelschap. Want hoe informeel de vijf nieuwkomers ook gekleed waren, ze hadden wel een bepaalde uitstraling. Ze hadden het zelfvertrouwen en de aanmatigende houding die je kreeg als je rijk en machtig was. Ze zagen er allemaal uit alsof ze het gewend waren dat hun bevelen werden opgevolgd. Ik hoefde niet in hun portefeuilles of kleerkasten te kijken om te weten dat er zojuist veel geld was binnengekomen.

In het begin merkten ze me niet op. Hun aandacht werd te veel in beslag genomen door de man in het grijze pak. Hij leidde hen naar de achterkant van het busje en ze gingen in een halve kring om hem heen staan.

Ik keek van het ene gezicht naar het andere. Het had eigenlijk geen zin dat ik die gezichten in mijn geheugen prentte, maar om de een of andere reden wilde ik dat toch proberen. Er was een lange, bleke man met gemillimeterd haar en bobbelige acnelittekens op zijn wangen. De man naast hem was kleiner en had een gebruinde kleur en een keurig verzorgd baardje. De volgende was een kale man die eruitzag als een wetenschapper, met kleine, ronde brillenglazen en rimpels in zijn voorhoofd. De vrouw was steviggebouwd en had een dik gezicht; haar haar had een scheiding in het midden en was met veel lak tot een grijze kegel gemodelleerd die op haar schouders rustte. Ten slotte was er een oudere, bijna aristocratische man. Hij had een snor en droeg een vest, en hij veegde met een zakdoek over zijn voorhoofd.

En ze keken alle vijf nerveus. Ondanks de macht die ze onder normale omstandigheden misschien hadden, kon ik zien dat ze zich hier niet helemaal op hun gemak voelden. Maar misschien hoorde dat bij de ervaring waar het hen om begonnen was. Misschien, dacht ik, waren ze opgewonden. Ze keken allemaal naar het busje, en ik twijfelde er niet aan dat ze precies wisten van wie het was geweest en wat de inhoud was.

Je kon je gemakkelijk voorstellen dat een handjevol mensen op zoiets af kwam. Mensen die genoeg wilden betalen om het risico aanvaardbaar te maken.

Maar toen ik dat tegen Kearney zei, had ik het over mensen die naar dode lichamen wilden kijken. Dit was iets heel anders, en ik kon me niet voorstellen wat er in hen omging. Sommigen hadden een bijna kinderlijke uitdrukking op hun gezicht. Ik vroeg me af wat ze in de echte wereld deden. Wisten hun familieleden en collega's wat ze deden als ze uit het zicht waren?

'Dames en heren,' zei de man in het grijze pak. 'We komen nu bij de laatste kavel van de dag.'

Een tijdje voordat ze terugkwamen, was Rebecca Wingate stil geworden, maar nu ze de stem van de man hoorde, schreeuwde ze weer. Het moet dicht bij het busje nog gruwelijker hebben geklonken, maar de vrouw die ernaast stond glimlachte zelfs. Er zat een ijzige flikkering in haar ogen.

De man in het pak klopte een keer op de zijkant van het busje.

'Ik weet dat u allen in de loop van de jaren Thomas Wells en Roger Timms hebt gevolgd. Sommigen van u zijn echte kenners.' Hij keek van de een naar de ander. 'Anderen zijn verzamelaars. Maar u weet allemaal dat hun carrière nu helaas voorbij is. Wij hebben u hier vandaag als gewaardeerde cliënten uitgenodigd om u nog één ervaring aan te bieden.'

Hij zweeg even en keek naar het busje. Maar hij hield zijn gezicht strak en professioneel en liet niet blijken dat hij iets merkte van de geluiden en bewegingen die van binnen kwamen.

'Voor de verzamelaars onder u kan dit als een bijzonder uniek stuk worden beschouwd: werk in uitvoering. Voor anderen zal het eenvoudigweg een gelegenheid zijn die zich maar eens in hun leven voordoet. Bij de verkoopprijs zijn de oorspronkelijke nummerborden inbegrepen. En natuurlijk de gehele inhoud van het voertuig zoals die was toen wij het aankochten.'

Sommigen van die schoften grijnsden daar zelfs om. Ze ontspanden nu: de woorden van de man in het grijze pak stelden hen gerust. Hij keek van de een naar de ander en zei:

'We zullen het bieden laten beginnen bij vijftigduizend.'

Niemand van hen kwam in beweging.

'Hebben we vijftigduizend om mee te beginnen?'

De wetenschapper knikte bijna onwaarneembaar – en toen een tweede keer, nu krachtiger, alsof de beweging eerst misgegaan was en hij het nog een keer moest proberen.

'Vijftig,' zei de man. 'Hebben we zestig?'

Nu was de vrouw aan de beurt. Ze bewoog haar vingers bij haar zijde. Een koningin die het teken geeft voor iemands executie.

'Zeventig?'

De bleke man knikte.

'Tachtig?'

Ze veilden haar. Het gebeurde voor mijn eigen ogen, maar toch kon ik het bijna niet geloven. Zelfs vanaf de andere kant van de ruimte hoorde ik hoe Rebecca Wingate zich verzette in het busje. Toch waren deze mensen kalm en gevoelloos aan het bieden op het recht om... haar in eigendom te hebben. Gewoon omdat ze Roger Timms' laatste slachtoffer was.

Ze zouden haar laten sterven om ernaar te kunnen kijken en het gevoel te hebben dat ze deel uitmaakten van iets groters. Om de moord op haar te kunnen aanraken – zoals een van hen, nam ik aan, met zijn vinger op de voorhoofden van vroegere slachtoffers had gedrukt.

'Honderdduizend?'

Het was bijna onbegrijpelijk.

Maar het ging door.

De bleke man trok zich terug bij tweehonderdduizend. De vrouw en de man met de baard namen het beurtelings op tegen de wetenschapper tot tweehonderddertigduizend, maar toen zwegen zij ook.

'Tweehonderdveertigduizend?'

Nu knikte de kleine man in het vest. Hij was de laatste van de vijf die zich in de strijd mengde en hij maakte de meest nerveuze indruk: hij veegde nog steeds met die zakdoek over zijn gezicht. Zijn voorhoofd glom in het licht, en zijn gezicht was bleek en doodserieus. Was dit zijn eerste keer? vroeg ik me af. Of betekende dit voor hem gewoon meer dan voor de anderen?

'Tweehonderdvijftigduizend?'

Een korte stilte. Het duurde even voordat de wetenschapper knikte.

'Tweehonderdzestig?'

De kleine man gaf meteen een teken, ditmaal met meer zelfvertrouwen.

'Tweehonderdzeventig?'

Ditmaal een langere stilte. Toen knikte de wetenschapper opnieuw.

Ik keek naar hen terwijl ze het uitvochten. Ondanks de perioden van stilte ging het bieden helemaal door tot driehonderddertigduizend. Telkens wanneer de man in het vest het bod met tienduizend verhoogde, leverde de wetenschapper zichtbaar strijd met zichzelf.

Al die tijd hoorde ik Rebecca Wingate spartelen in het busje.

'Driehonderdvijftig?'

De man in het grijze pak keek heen en weer tussen de leden van de groep om elk van hen nog één kans te geven om mee te bieden. Niemand van hen deed dat; ze hadden hun limiet bereikt. Het kleine mannetje in het vest keek nu naar het busje.

Hij keek er aandachtig naar.

'Iemand nog een bod?'

'Hier.'

Mijn stem galmde door de ruimte. De aanwezigen draaiden zich bijna als één persoon om en zagen me voor het eerst. Een ogenblik keek het kleine mannetje zo geschrokken dat ik dacht dat hij naar de deur zou rennen.

En toen riepen ze:

'Wat is dit nou?'

'Wie is dat?'

'Wat denk je...'

De man in het pak stak zijn hand op om hen gerust te stellen. Hij keek niet eens in mijn richting.

'Rustig maar,' zei hij.

'Wat bent u van plan, meneer Garland?'

Dat had het kleine mannetje in het vest gezegd. Hij was zelf een stap naar voren gekomen. Zijn gezicht was rood aangelopen. Daarstraks had hij een timide indruk gemaakt, maar iets was heel snel bij hem opgekomen. Zijn woede laaide op als een aangestreken lucifer.

De man in het pak – Garland – keek op hem neer.

'Wilt u mijn naam niet gebruiken, meneer Hammond?' Hij zweeg even. Toen draaide hij zich om naar mij. 'U hoeft zich geen zorgen te maken over meneer Connor. Hij zal met niemand praten over de gebeurtenissen van vandaag.'

'Driehonderdvijftig,' zei ik. 'Serieus.'

'Is dat legitiem?' vroeg de wetenschapper.

Garland keek me nog even aan. Hij had de brief gelezen. Ik had niet alleen over Peter French geschreven, maar Sarah ook alles verteld over het verzekeringsgeld dat ik na Maries dood had gekregen, en ik hoopte dat hij zich dat herinnerde. Ik dacht van wel. Zijn gezicht was een beetje veranderd. Het kwam nu dichter bij de nieuwsgierigheid die ik had gezien toen hij me aan de buis vastmaakte.

Even later wendde hij zich weer tot de groep.

'Hebben we driehonderdzestig?'

Hammond wond zich op. 'Dit is belachelijk. We komen hier te goeder trouw, met kwalificaties. Wat...'

'Hé, rot op,' riep ik.

'Meneer Connor heeft het geld,' zei Garland. 'Het is aan hem wat hij ermee doet.'

'Maar geld is niet genoeg!'

Garland dacht daarover na. 'Hij heeft andere kwalificaties.'

Het was duidelijk dat Hammond opnieuw wilde protesteren, maar hij keek van mij weer naar Garland en zag de onverzoenlijke uitdrukking op diens gezicht. De zakdoek ging weer omhoog. Zijn hand beefde enigszins.

Goed, dacht ik.

'Hebben we driehonderdzestig?'

Hammond knikte. 'Ja.'

'Hebben we...'

'Vierhonderdduizend,' zei ik.

'Allemachtig!'

'Meneer Hammond.' Garland wees nu zelfs met zijn vinger naar hem, en het kleine mannetje kromp ineen. Hij liet zijn vinger heel langzaam weer zakken. 'Vergeet u niet waar u bent en tegen wie u het hebt. U moet zich aan de huisregels houden. Begrijpt u dat?'

'Ja. Natuurlijk.' Hammond keek even naar mij en richtte zijn blik toen weer op het busje. 'Vierhonderdvijftig.'

'Vijfhonderd.'

Ik wist niet wat ik deed. Ik dacht dat ik wist wat Garland met mijn 'kwalificaties' bedoelde, maar hij had ook gezegd dat het aan mij was hoe ik mijn geld besteedde, en daarmee impliceerde hij iets. Ik zou hier nooit met Rebecca Wingate weglopen. Maar hoewel Hammond met onverholen haat naar me keek, was duidelijk dat hij het er moeilijk mee had. En dat stond me wel aan.

'Vijfhonderdvijftig?' zei Garland.

Niets. Ik bleef Hammond aankijken.

'Meneer Hammond?'

Toen haalde Hammond diep adem en keek Garland weer aan. Hij knikte een keer nadrukkelijk.

'Vijfhonderdvijftig.'

Dat was te hoog voor mij. Ik had best kunnen doorgaan, alleen om het kleine mannetje dwars te zitten, maar toen Garland naar me keek, besloot ik dat niet te doen. Misschien alleen omdat het om een of andere domme reden belangrijk voor me was dat ik eerlijk bleef. Het zou me niet redden, maar hiermee onderscheidde ik me tenminste van deze mensen, hoe weinig betekenis het ook had.

'Meneer Connor is aan het eind van zijn financiën gekomen.' Garland keek de andere leden van de groep weer aan om hun de kans te geven ook nog een bod uit te brengen. 'Is iemand anders bereid verder te gaan?'

Het was duidelijk dat hun limiet allang was overschreden; Hammond en ik hadden hen ver achtergelaten. Ik keek hem aan en wilde hem dwingen mij ook aan te kijken. Maar nu hij de kavel had bemachtigd, was zijn aandacht op het busje gericht.

'Uitstekend,' zei Garland. 'De kavel is verkocht voor vijfhonderdvijftigduizend pond. Gelukgewenst, meneer Hammond.'

De wetenschapper klopte Hammond op zijn schouder, en toen kwamen de anderen een voor een naar hem toe om hem de hand te schudden. Geleidelijk keek hij opgelucht. Het drong tot hem door dat hij had gewonnen. Ik zag hem glimlachen en hen bedanken, maar toch was duidelijk dat hij werd afgeleid. Zijn blik ging steeds weer naar zijn buit.

Terwijl de anderen wegliepen en Garland een hand gaven op weg naar de deur, stak Hammond zijn hand uit naar de zijkant van zijn busje. Hij streek er zachtjes over, bijna met verwondering.

'Geluk gewenst,' riep ik.

En hij maakte een abrupte beweging, alsof hij geschokt was. Keek me weer aan. Ik deed mijn best hem met mijn ogen duidelijk te maken hoe graag ik hem te pakken zou krijgen.

Garland liep naar het busje terug en stak zijn hand uit.

'We moeten de betaling nog even regelen, meneer Hammond. Als u...'

Zijn stem stierf weg, maar de betekenis was duidelijk. Bij de deur had een van de andere mannen een laptop geopend op een tafeltje. Hammond richtte zijn blik op mij, en toen hij nog eens goed naar me keek – zoals ik daar aan die buis geketend zat –, besefte hij dat ik geen bedreiging voor hem vormde. Het was zijn overwinning: hij was degene die hier straks weg zou rijden, en ik zou blijven waar ik was en wachten tot het voorbij was.

'Ja.'

Hammond lachte me onvriendelijk toe.

'Natuurlijk.'

41

Todd werd omringd door de geesten van kinderen.

Alleen waren dit kinderen die nooit hadden geleefd. Hij zat in het kantoor van de kinderpolitie, het zenuwcentrum van Operatie Victor. Op de planken langs de muren draaiden pc's met allemaal hun eigen monitor en server, en op elk van de harde schijven zat een witte sticker waarop met markeerstift een naam was geschreven. Het waren de namen van gefingeerde kinderen. Denkbeeldige identiteiten die nergens in de echte wereld bestonden – alleen in deze computerkasten, en in de gedachten en dromen van mannen die over het hele land in duistere kamers zaten.

Bij wijze van contrast waren de lichten in dit kantoor altijd aan. Dat was niet een kwestie van gezondheid of veiligheid. Todd begreep precies wat erachter zat: je wilde niet in het schemerduister naar een felle monitor zitten staren, niet als je dit soort werk deed. Het scherm zou gevaarlijk aanvoelen. Hij zat bij een rechercheur die Robert Cole heette. Cole zat half achterovergeleund in een draaistoel. De rechercheur hield een pen dicht bij zijn mond en tikte er nu en dan mee tegen zijn tanden. Zo te zien voelde hij zich volkomen op zijn gemak en had hij helemaal geen probleem met de zacht gonzende activiteit om hen heen. Er hing een poster boven zijn bureau: een afbeelding van een pijp met de woorden '*Ceci, ce n'est pas une pipe*' eronder. Dit is geen pijp.

'Wel,' zei Cole, 'wat kan ik voor je doen, Dennis?'

'Het gaat over Paul. Paul Kearney.'

'Ja. Dat dacht ik al.'

Todd boog zich naar voren. Hij voelde zich ongemakkelijk. Hij wist niet precies wat hij hier kwam doen of wat hij hiervan verwachtte.

Hij zei: 'Ik weet dat het een lopend onderzoek is. Maar...'

'Maar was hij je collega.'

'Ja.'

'Nou, zoals je al zei: het is een lopend onderzoek.'

'Dat weet ik. Ik vroeg me alleen af hoe het er nu mee gesteld is.'

Cole knikte een keer. 'Ik kan je een beetje in vertrouwen vertellen, maar je moet beseffen dat het niet, eh...'

Nu was het zijn stem die wegstierf, maar hij maakte een licht handgebaar en Todd begreep het. Dit was off the record: een professionele gunst die niet opnieuw ter sprake zou komen, niet voordat de informatie die ze hadden verzameld was geanalyseerd en in steen gehouwen, niet voordat duidelijk was wat de aanklachten werden.

'Ik begrijp het.'

'We hebben hier een aantal sites in verschillende stadia gevolgd. Het is een delicate zaak. Ik kan je vertellen dat Kearneys creditcard voor verscheidene sites is gebruikt.'

Todd wreef zijn handen over elkaar. Wilde hij dit weten?

'Wanneer is het begonnen?'

'Ongeveer in het begin van het jaar. Blijkbaar is hij de sites in de afgelopen zes maanden steeds meer gaan gebruiken. De laatste tijd is hij elke avond urenlang online.'

'Hij werd er meer en meer door geobsedeerd?'

'Dat patroon zien we vaak.'

'En toch heeft hij niet meer dan drie video's gedownload?'

Cole tikte een keer met de pen. Gaf geen antwoord.

'Ik wil het niet goedpraten,' zei Todd.

'Niet meer dan drie,' beaamde Cole. 'Maar dat waren wel drie bestanden die hij absoluut niet mocht bezitten en waarvoor hij geld heeft betaald. Daarmee...'

'Daarmee heeft hij de vraag en dus ook het aanbod vergroot,' zei Todd. 'Ik weet het.'

Toch was dat niet zijn probleem. Er viel niets in te brengen tegen wat Cole had gezegd: Kearney was verschrikkelijk in de fout gegaan. Wat hem dwarszat, was het gedrag zelf. Iets had zijn collega ertoe gebracht die sites af te schuimen, en naarmate de tijd verstreek, was het steeds meer een obsessie voor hem geworden.

Toch had hij maar drie bestanden gedownload. Het leek wel of hij naar iets had gezocht. Paul had natuurlijk altijd naar het 'waarom' gevraagd, maar deze keer was die vraag misschien concreter geweest dan gewoonlijk. Hij had niet zomaar naar willekeurige gruweldaden gekeken om te proberen ze te begrijpen. Hij had niet zomaar van alles verzameld. Het was meer doelgericht geweest.

'Die drie bestanden,' zei hij.

'Ja.'

'Leken ze op elkaar?'

Cole keek hem even aan. Weer een tikje met de pen.

'Alsjeblieft,' zei Todd.

'Ja. Het waren verschillende jongens, maar de video's maakten deel uit van dezelfde serie.'

'Serie?'

'Ik weet het. Het klinkt afschuwelijk. Maar we horen vaak geruchten over die dingen, en nu en dan komen we ze tegen.'

'Wat was er in deze serie te zien?'

'Weet je zeker dat je het wilt weten?'

Nee, daar was Todd niet zeker van.

'Ja,' zei hij.

Cole legde de pen op het bureau en boog zich naar voren.

'De werkwijze bij deze video's was normaal. Gewone kinderen werden willekeurig uitgekozen. Jongens werden op straat ontvoerd en gruwelijk misbruikt, in alle gevallen door dezelfde persoon, en dat misbruik werd op film vastgelegd. Vervolgens werden de jongens teruggebracht naar de omgeving van de plaats waar ze waren ontvoerd. Dat werd ook in beeld gebracht. Ze lieten het zien in plaats van aftiteling.'

Jezus christus, dacht Todd.

'Wanneer was dat?'

'Dat hangt ervan af naar wie je luistert. Ze zeggen dat het verscheidene keren is gebeurd in het eind van de jaren zeventig en het begin van de jaren tachtig. Verspreid over het hele land.'

'Je zei: "ze zeggen dat"?'

'Ja.' Cole knikte. 'Tot voor kort wisten we alleen van horen zeggen iets over die films. Vroeger werd die serie ter sprake gebracht, maar alleen zoals ze over snuff-films praten. Ze hebben een keer zo'n film bij iemand thuis gezien, maar ze weten niet meer waar. Een vriend van een vriend heeft hem gezien. Het verhaal wordt rondverteld.'

'Het is me het verhaal wel.'

'Ja.' Cole knipperde met zijn ogen. 'Dat ben ik helemaal met je eens. Maar dit verhaal blijkt waargebeurd te zijn.'

Todd schudde zijn hoofd en keek naar de vloer. Hij wreef nog steeds zijn handen over elkaar, alsof hij ze aan het wassen was.

Hij had geweten dat het erg zou zijn, maar op de een of andere manier was het nog erger dan hij had verwacht. In elk geval bevestigde het zijn vermoedens. Dit klonk precies als iets waardoor Paul zou worden gefascineerd. Die had het waarschijnlijk gezien, was geschokt geweest en had zich toen geroepen gevoeld er onderzoek naar te doen. Hij had naar voorbeelden van het absolute kwaad gezocht om het te kunnen doorgronden.

Todd zei: 'En daarom heeft hij er maar drie gedownload.'

'Ja. Blijkbaar is het erg moeilijk om er iets van te vinden. Maar die had hij: drie video's van De gele man.'

Todd keek op. 'Sorry?'

'De dader die in de video's te zien is,' zei Cole. 'Zo noemden ze hem altijd en daar kwam de titel vandaan. De serie wordt De gele man genoemd.'

42

De nummerborden van het witte busje waren verwisseld.

Desondanks wist Kearney wat hij zag toen hij het van het fabriekscomplex zag vertrekken. Het was het verdwenen busje van Roger Timms, vermomd om niet op te vallen tussen de andere auto's in het verkeer. Zoals Hammond en de rest andere kleren hadden aangetrokken om zich in het veilingpubliek te mengen.

En Hammond zat nu achter het stuur.

Kearney bleef omlaagkijken, met zijn hand in de buurt van de autoradio, en het witte busje reed hem voorbij. Blijkbaar had Hammond hem niet gezien.

Ben je er niet helemaal met je gedachten bij?

Kearney zette zijn tanden op elkaar. De chauffeur die de verzamelaar had gebracht, was al in een andere richting vertrokken. En nu ging Hammond er met zijn buit vandoor.

Toen het busje de hoek om was, startte Kearney de motor. Hij veronderstelde dat Hammond naar zijn landhuis terugging, maar moest daar zekerheid over krijgen. Er was tegemoetkomend verkeer, maar hij negeerde dat en reed dwars over de weg om te keren. Er loeide een claxon, en hij zag iemand gebaren naar hem maken. Woedend. Kearney keek onbewogen terug. Hij schakelde en reed achter het busje aan.

Het busje, en wat erin zat.

We zullen haar vinden. Dat beloof ik je.

Hij zag de achterkant van het busje weer. Het reed zo'n honderd meter voor hem en naderde een rotonde. Kearney besloot het aan de kant te zetten. Hij had daar het gezag niet meer voor – niet officieel –, maar dat zou Hammond waarschijnlijk niet weten. Hoe langer hij wachtte, des te groter was de kans dat Rebecca iets ergs overkwam, vooropgesteld dat ze nog in leven was.

Vooropgesteld dat ze echt in het busje zat.

Toen de eigenlijke veiling voorbij was, was Kearney zo discreet mogelijk blijven hangen. Hij was van de zaal naar de gang gelopen, en toen weer terug. Hij had gezien dat een man naar een deuropening aan het eind van de zaal liep en was doorgelaten. Hij had Hammond niet die kant op zien gaan, maar nu hij om zich heen keek, zag hij dat de man er ook niet meer was – en hij was niet door de voordeur weggegaan.

Aan weerskanten van de achterdeur stond een man in een pak.

Kearney had zich niet met geweld toegang verschaft, want hij wilde geen aandacht op zich vestigen. Eerst moest hij weten wat er aan de hand was. In plaats daarvan was hij weer naar buiten gegaan en langs de zijkant van de gebouwen gelopen.

Achter de gebouwen lag een smal pad, met daar weer achter een braakliggend terrein en een schutting. Zo te zien had het complex geen tweede uitgang. Verderop, bij wat volgens zijn schatting de achterkant van het veilinghuis was, werd een metalen rolluik neergelaten. Een van de mannen in zwarte pakken stond daarbuiten en praatte in een mobiele telefoon. Hij keek net de andere kant op.

Kearney had zich teruggetrokken voordat hij gezien was. Hij was naar zijn eigen auto teruggelopen en had daarin zitten wachten.

Hammond was met de anderen achter de coulissen verdwenen. Even later was hij met het busje van Roger Timms tevoorschijn gekomen. En dus moest Rebecca in dat busje zijn. De oude man had haar... gekocht, en hij nam haar nu mee naar huis om de ellendige verzameling die hij opbouwde compleet te maken.

Het busje ging op de rotonde naar rechts.

Kearney kwam daar enkele ogenblikken later aan, maar hij kon niet meteen doorrijden: er reden te veel auto's voorbij, en ze reden allemaal zo hard dat hij het niet kon riskeren zich ertussen te wringen.

'Kom op,' zei hij.

Er kwam een opening in het verkeer en hij maakte er gebruik van: te hard, met gierende banden. Hij raakte op de rotonde bijna de macht over het stuur kwijt. Opnieuw klonk er ergens achter hem een woedend claxongeluid. Hij reed nu op een lang, hellend stuk weg dat Hammond had genomen, maar het witte busje was ver voor hem uit, glanzend in de zon met ongeveer tien auto's tussen hen in. En er was hier zoveel tegemoetkomend verkeer dat Kearney niet kon inhalen.

Kalm blijven en opletten.

Op de volgende rotonde ging Hammond naar links. Op het eerste gezicht

reed hij terug over de route die zijn chauffeur had gevolgd om bij de veiling te komen. Dat betekende dat hij Rebecca bijna zeker naar zijn huis
bracht. Maar als hij dat niet deed, raakte Kearney hem kwijt.

Dat joeg een steek van angst door hem heen. Plotseling zat hij heel dicht
op de auto die voor hem reed.

Twintig tergende seconden later kwam hij bij de rotonde. Toen hij naar
links ging, was het busje nergens te bekennen.

Rechts kwam de weg die naar Hammonds huis leidde. Toen hij daar bijna
was, nam Kearney een besluit: hij mocht het niet riskeren een fout te
maken. De straat was hier breder, en hij zwenkte naar rechts en gaf gas om
de rij auto's in te halen. Hij wist waar Hammonds huis was en kon verderop nog een straat naar rechts nemen, als het moest. Maar hij moest er
zeker van zijn dat de man niet ergens anders heen ging.

Terwijl hij midden over de weg reed, met één hand aan het stuur, pakte
hij zijn telefoon en klapte hem open. Hij zette hem aan en wachtte. Hield
zijn blik gericht op de witte lijnen die onder zijn auto door flitsten. Links
van hem flikkerden remlichten. Rechts loeide de ene claxon na de andere.

Hij drukte op de sneltoets van Todds mobieltje.

Auto na auto...

Als Hammond niet was afgeslagen, had hij hem inmiddels moeten zien.
Shit.

'Paul.'

'Todd – luister. Ik denk dat ik Rebecca heb gevonden. Ik denk dat
Hammond haar heeft.'

Stilte.

'Je bedoelt Arthur Hammond? Paul...'

Het zou te lang duren om het uit te leggen. Hij onderbrak hem.

'Zeg, ik weet dat hij haar heeft. Todd, alsjeblieft. Je moet direct mensen
naar zijn huis sturen.' Het volgende kruispunt naderde. Hij ging langzamer rijden en gaf richting aan. 'Ik volg hem nu. Hij brengt haar naar zijn
huis.'

'Je zou niemand moeten volgen, Paul.'

Todds stem klonk niet goed, vond hij – maar dat was ook te verwachten
na alles wat hij had gedaan. Kearney schudde zijn hoofd. Op dit moment
ging het er alleen maar om dat Todd luisterde.

'Luister nou: Hammond rijdt in het busje van Roger Timms.' Een opening in het verkeer. Hij slingerde opzij en raakte de trottoirband. Het chassis schommelde, en toen reed hij weer. 'De nummerborden zijn verwisseld, maar ik weet dat het zijn busje is. En hij heeft Rebecca achterin.'

Stilte op de lijn.

'Ben je daar nog?' vroeg hij.

'Wat is het nummer?'

Goddank. Kearney noemde het nieuwe nummerbord op uit zijn hoofd.

'Hij neemt haar mee naar huis. Naar zijn huis terug.'

'Oké. Doe niets stoms.'

'Het spijt me, Todd,' zei hij. 'Het spijt me zo.'

'Paul...'

Maar Kearney verbrak de verbinding en gooide de telefoon op de passagiersplaats. Hij moest zich nu concentreren. Verderop moest hij naar rechts. De banden gierden weer, en toen had hij beide handen aan het stuur en drukte hij het gaspedaal tegen de vloer.

43

Garland nam geen risico's met mij. Twee van zijn mannen hielden me vast toen hij de handboeien achter de ketting vandaan haalde en ze vervolgens weer dichtklikte achter mijn rug. Ze trokken me overeind en hielden mijn bovenarmen stevig vast. Hij ging wat verderop staan en haalde het pistool uit zijn jasje.

Onderzocht het.

Nu iedereen weg was, was de overslagruimte stil en leeg. Alleen dat ratelen van metaal was nog in de verte te horen. Ik kon de ruimte voelen waar het busje had gestaan. Het gevoel dat er iets ontbrak.

'Waarom doe je dit?' vroeg ik.

'Het is puur zakelijk.'

'Zakelijk.' Ik probeerde te lachen, maar kon het niet.

'Natuurlijk.' Hij fronste zijn wenkbrauwen, was toen klaar met het inspecteren van het pistool en keek naar me op. 'Je vriendin stelde dezelfde vraag. Ik vind het jammer dat ik jullie beiden moet teleurstellen. We leveren alleen maar een dienst. We regelen ervaringen voor mensen die over voldoende middelen beschikken. Dat is alles. Ik begrijp het net zomin als jij.'

'Je verhandelt mensen voor geld.'

'Geen levende mensen. Tenminste, meestal niet. Als iedereen zich professioneel gedraagt, zijn wij waarschijnlijk het enige bedrijf ter wereld dat niemand kwaad doet.'

'Rebecca Wingate leefde nog,' zei ik. 'Ze is een mens.'

Hij schudde zijn hoofd.

'Je begrijpt niet wat hier gebeurt.'

'Ik weet dat je een moordenaar bent.'

'Alleen wanneer het moet, Connor. En trouwens, jij bent het ook.'

'Nee.' Het was idioot, maar ik ontkende het toch. 'Ik niet.'

'Je bent het wel degelijk.'

Met zijn vrije hand greep Garland in zijn jasje en haalde iets uit de zak.

Het was een velletje A4-papier, dat in vieren was gevouwen. Hij wreef het open tussen zijn vingertoppen. Het was aan beide kanten beschreven. Mijn brief.

'Je vriendin had dit bij zich toen ze haar stunt uithaalde,' zei hij. 'Blijkbaar vond ze het belangrijk.'

Ik zei niets.

'Je weet wat dit is?' vroeg hij.

En zelfs nu kon ik niet toegeven wat daarin stond; ik voelde dat ik het wilde weigeren. Het was belachelijk. Je had gelijk, had ik tegen Sarah gezegd. Je moet het onder ogen zien. Toen ik die woorden opschreef, was ik van plan precies het tegenovergestelde te doen, en dat deed ik nu ook.

'Ja,' zei ik.

'Het is een bekentenis, nietwaar?'

'Ja.'

Maar in werkelijkheid was het iets veel ergers.

Je had dus gelijk. De dood is echt een monster, en dat moet je onder ogen zien. Doe je dat niet, dan verspreidt dat monster zich. Het besmet alles om je heen. Ik zag het niet onder ogen, en toen is dat precies gebeurd.

Toen ik hoorde hoe lang Marie van plan was geweest te doen wat ze deed, kon ik die wetenschap niet aan. Ik kon niet accepteren hoe vreselijk ik tekort was geschoten ten opzichte van haar. Hoe had ik het niet kunnen weten? En dus vluchtte ik weg van de verantwoordelijkheid en probeerde ik die op iemand af te schuiven. Ik overtuigde mezelf ervan dat het de schuld van die man was. Voor een deel was dat ook wel zo, maar dat was niet de reden waarom ik naar zijn huis ging en deed wat ik deed. Ik gaf de schuld alleen aan hem om daar zelf niet onder gebukt te hoeven gaan.

Maar wat zij deed was mijn schuld.

Je had niet tegen de politie moeten vertellen dat ik die avond daar bij jou was. Ik vroeg je dat toen je de waarheid niet kende, en dat was verkeerd van me. Je hebt er recht op om die waarheid nu te horen en anders over de dingen te gaan denken. Daarom laat ik deze brief voor je achter. Er is in die opslagbox meer bewijs dan de politie onder mijn naam kan vinden. Je moet zelf weten wat je ermee doet. Welke beslissing je ook neemt, het zal de juiste zijn.

Je verdient het vooral om te weten dat je altijd gelijk hebt gehad.

Ik stel alles op prijs wat je voor me hebt gedaan, en dat je hebt geprobeerd me te helpen. Ik hoop dat je het kunt begrijpen en het me vergeeft.

Alex

Ik herinnerde me het verachtelijke gevoel dat ik had toen ik dat schreef, het gevoel dat ik mezelf opofferde. Welke beslissing je ook neemt, het zal de juiste zijn. Toen ik het huis had verkocht, pakte ik mijn bezittingen in en bracht ze naar een opslagbox, waar ik ze niet meer hoefde te zien. De brief was een voorbeeld van hetzelfde gedrag. In feite had ik mijn schuldgevoel tot een keurig hoopje woorden bijeengeveegd en iemand anders ermee laten zitten, zodat het niet meer mijn verantwoordelijkheid was. Zodat het niet mijn schuld zou zijn als ik mezelf niet aangaf.
Zodat ik onbekommerd kon weggaan.
Garland vouwde de brief op en stak hem weer in zijn jasje. Daarna knikte hij de twee mannen toe. Ze liepen bij me vandaan, en hij kwam naast me staan en drukte de loop tegen mijn zij.
Hij oefende niet veel druk uit, maar het bezorgde me toch een tintelend gevoel, alsof er een elektrische lading in zat. Tegelijk pakte hij mijn arm vast. Opnieuw was het een heel lichte aanraking, maar ik raakte er toch door uit mijn evenwicht.
'Vertel me eens,' zei ik. 'Als ik hoger had geboden dan die kerel, die Hammond, had je me dan laten winnen?'
'Nee.'
'Je gebruikte mij alleen om een hogere prijs te krijgen.'
'Het is puur zakelijk.' Hij haalde zijn schouders op. 'En in feite doe ik hier opruimwerk. Meer niet.'
De druk op mijn arm nam iets toe, en toen drukte het pistool een beetje harder in mijn zij. Dit was het dus. Ik wilde mijn ogen dichtdoen, maar deed dat niet.
'Lopen,' zei Garland.

44

Hij bracht me naar de kelder van het gebouw waarin we waren.

Daarbeneden was het vreemd. De muren en vloeren waren van natuur-steen – ruwe blokken – en de grond was vochtig, hier en daar bijna bemost. Ik dacht dat ik ergens water hoorde druppelen. De gang was donker, alleen verlicht door zwakke, ontoereikende gloeilampen die aan lussen snoer hingen. In plaats van een door de mens gemaakte fundering leek het wel een natuurlijke onderaardse grot, enigszins aangepast voor bepaalde doeleinden. Om de een of andere reden moest ik aan spookhui-zen denken die op de grond van een oude begraafplaats waren gebouwd. We gingen een hoek om en ik rook benzine.

Er stonden hier grote stalen vaten langs de gang. Trommels. De paniek laaide in me op, en ik hield de pas een beetje in. Hij wilde me hierbeneden levend verbranden. Maar het pistool porde in mijn rug, en ik liep door.

'Luister eens...'

'Stil.' Hij dempte zijn stem. 'We zijn er.'

Rechts van ons was er een opening tussen de vaten, en ik besefte dat die ruimte was opengelaten om toegang te verschaffen tot iets wat eruitzag als een deur. Hij was van donker metaal, en de contouren gingen verloren in het halfduister, maar op ooghoogte zat een paneel. Garland schoof het met zijn vingertoppen opzij en er kwam een stalen rooster in zicht, onge-veer zo een als waar je een sigaret op uitdrukt.

'Je vriendin,' zei hij.

Eerst bewoog ik niet. Toen besefte ik waartoe hij me in de gelegenheid stelde en deed ik een stap.

Sarah.

Ze lag op een matras achter in een kleine cel en droeg een vuile, blauwe spijkerbroek en een zwarte blouse die opging in de duisternis om haar heen, zodat het leek of ze maar half gevormd was. Haar lange armen waren iets lichter: op elkaar gelegd om als hoofdkussen te dienen. Haar gezicht ging grotendeels verloren onder een bos ravenzwart haar, dat op zichzelf alleen waarneembaar was door de lichte huid die erdoorheen schemerde. Toch had ik na de eerste verwarde ogenblikken aan dat laatste genoeg om te weten dat het Sarah was.

Ze sliep.

Er kwam een waas van tranen voor mijn ogen. Ik dacht aan de foto in de krant, waarop ze er zo jong en argeloos uitzag. Glimlachend, haar hoofd een beetje opzij, leunend tegen mijn schouder. Ze was nog steeds dezelfde vrouw, maar ze was veranderd zoals alles was veranderd. Ik denk dat het me vooral dwarszat dat ze sliep. Ze leek zo vredig, alsof ze nooit iets anders had gekend dan een vuile, kleine cel

Je hebt altijd gelijk gehad.

Toen ik dat had geschreven, had ik aan dat jonge meisje gedacht over wie Sarah me had verteld, en aan de lessen die ze had geleerd en in haar leven had gebruikt. Ik denk dat ik haar wilde geruststellen, maar eigenlijk was het alleen maar egoïsme van mijn kant. Ik had moeten weten dat Sarah die woorden dicht tegen haar hart zou drukken, als een hunkering. Want als je zegt dat je naar iemand had moeten luisteren, zeg je alleen maar dat hij harder had moeten praten.

Het spijt me zo, dacht ik. Het spijt me zo.

'Waarom heb je haar nog niet doodgemaakt?'

Garland dacht daarover na.

'Toen ze voor het eerst naar een van onze vertoningen kwam, moesten we weten wie ze was. En daarna was er steeds weer een andere reden. Als het je een beter gevoel geeft: jij was een van die redenen. Als ik jou gisteren niet bij Ellis' huis had gezien, zou ze nu dood zijn geweest.'

Het gaf me geen beter gevoel.

'Je had het over "onze vertoningen".'

'O ja?'

'En in de auto had je het over "een van onze plaatsen". Meervoud.'

Garland zei niets.

Ik denk dat ik het al had begrepen, maar zijn woordkeuze bevestigde het. Dit ging niet alleen over Thomas Wells en Roger Timms. Als mensen ervoor wilden betalen om hun slachtoffers te zien, wilden ze dat ook voor de slachtoffers van andere moordenaars. Blijkbaar was er geld te verdienen met het aanbieden van zulke 'ervaringen' en had Garlands organisatie genoeg middelen opgebouwd – in god mocht weten hoeveel tijd – om tot expansie te kunnen overgaan. De moorden hier vormden maar een klein

270

deel van hun activiteiten en hadden om allerlei redenen tot problemen geleid.

'Dus wat zat erachter?' vroeg ik. 'Had het met Timms te maken?'

'Met hebzuchtige mensen. We hebben Timms altijd goed betaald, maar blijkbaar was het niet genoeg. Hij bracht iedereen in gevaar, en dat kunnen we niet hebben – niet voor onszelf en niet voor onze cliënten.'

Ik knikte. 'Dus dat bedoel je met opruimen.'

'Dat gebeurt er als je je gedwongen ziet een onderdeel van je organisatie af te sluiten. Je ruimt alles zorgvuldig op. Je redt wat gered kan worden. Je werkt het dood gewicht weg.'

Dood gewicht. Hij had het over iedereen die hij uit de weg had moeten ruimen om de organisatie te beschermen. Mijn broer. Mike en Julie. En hij zou mij ook doden, nam ik aan – mij en Sarah.

Sarah lag nog te slapen in de cel. Het kostte me moeite adem te halen toen ik naar binnen keek, maar haar lichaam ging zacht op en neer in haar slaap. In vergetelheid.

Misschien was dat het beste.

'Je vergeet iets,' zei ik.

'Wat?'

'Ik heb nog het researchmateriaal dat Sarah heeft verzameld.'

Dat was alles wat ik had. En Garland was blijkbaar niet onder de indruk.

'Jullie hebben geen van beiden iets ontdekt.'

'Daar zou ik maar niet op gokken.'

'Ik gok nergens op.' Hij schudde zijn hoofd. 'Mijn werk hier is klaar. Hammonds geld is naar een groot aantal buitenlandse rekeningen verdwenen en is nooit meer terug te vinden. Dit gebouw zal tot de grond toe afbranden. En binnen twee uur zit ik in een privévliegtuig.'

'En de politie?'

Hij schudde weer zijn hoofd. 'Die zal tot de voor de hand liggende conclusies komen.'

Zoals hij het zei, klonk het alsof de zaak daarmee was afgesloten, en ik besefte dat we aan het eind van het gesprek waren gekomen. Ik had het gevoel dat ik in paniek zou moeten raken, misschien om me heen moest slaan, iets heldhaftigs moest proberen, maar toen ik naar Sarah keek, trok mijn keel zich samen. Ik wilde nu alleen nog maar dat het voorbij was. Ik wilde dit niet meer voelen.

Garland greep in zijn jasje en haalde de brief weer tevoorschijn.

'Ik wil dat je me precies vertelt wat er met Peter French is gebeurd,' zei hij. 'En waar we dat "bewijs" kunnen vinden waarover je schrijft.'

'Waarom?' zei ik. 'Wat maakt het uit?'

Eerst gaf Garland geen antwoord, alsof hij daar niet zeker van was. Toen besefte ik dat hij zorgvuldig zijn woorden koos.

'Hammond zei dat geld niet genoeg was, en hij had gelijk. Dat is een van de redenen waarom wij kunnen opereren: iedereen die erbij betrokken is, heeft iets te verliezen. Het is puur zakelijk.' Hij zweeg even. 'En ik denk dat jij over de kwalificaties beschikt, Connor.'

Ik draaide me langzaam naar hem om.

'Daarom wil ik dat je het me vertelt,' zei hij. 'Want ik wil dat we beiden heel goed begrijpen welk aanbod ik je ga doen.'

45

Arthur Hammond liep naar de keuken en schonk zich een whisky in. De ijsblokjes tikten tegen elkaar toen hij dronk en rinkelden daarna in het glas. Over zijn pols liep een condensdruppel, die als een spin onder de manchet van zijn overhemd kriebelde.

Hij schonk nog een keer in.

Zijn hand beefde. Op de terugweg was hij zo opgewonden geweest dat hij zich bijna niet op het verkeer had kunnen concentreren. Terwijl hij zijn whisky dronk en van de brandende zijdezachtheid genoot, bonkte de stilte in het huis in het ritme van zijn rustige hartslag. Het was een onheilspellend gevoel, alsof er iets zwaars en kolossaals vanuit de verte naderde, met de dreunende stappen van het beest in zijn oren.

Hij was het bijna misgelopen.

De ijsblokjes rinkelden bij de herinnering.

Hij was nog steeds woedend op de man die daar geweest was. Hij was eigenaar van dat veilinghuis; hij had Garland alleen toestemming gegeven om het te gebruiken omdat de schoft hem een bijzondere, eenmalige betaling had aangeboden. Een betaling waarvan hij wist dat Hammond er geen weerstand aan kon bieden.

Emily.

Als hij had geweten wat er zou gebeuren – dat hij buitensporig veel zou moeten betalen – zou hij hebben geweigerd. Niet eens wat hij wilde. Hij verdiende het te krijgen...

Hammond schudde zijn hoofd.

In elk geval zou Garland nu met die man afrekenen. Hij kon de nodige troost putten uit die gedachte. Natuurlijk zou hij niets extravagants doen; Garland was in de allereerste plaats een zakenman. Het zou dus een kogel in het hoofd worden terwijl hij nonchalant voorbijliep. Een wolkje bloederige, branderige rook. Weg. Garland zou waarschijnlijk niet eens achter zich kijken.

Dat had jij ook kunnen zijn, Arthur.

Ja, dat had gekund. Hij glimlachte. Voelde zich opgelucht. Er had altijd het gevaar bestaan dat Garland van zijn ongeoorloofde transacties met Timms wist: de schending van het indirecte aankoopsysteem. Hij nam aan dat er hard zou zijn ingegrepen. Toch was hij gegaan. Hij had het risico genomen. Deels omdat hij dit object zo graag wilde hebben, maar ook omdat het de aard van de ervaring was. Het was een van de dingen die het zo aantrekkelijk maakten je ziel te verkopen: de koper had altijd de macht om die ziel te nemen, als hij dat wilde.

Het glas was leeg. Hij zette het op het aanrecht, waar het de blauwe lampjes onder de kasten weerspiegelde. Na afloop nam hij er misschien nog een. Intussen had hij werk te doen. Hij maakte de zijdeur open en liep de garage in. Hij moest het nieuwe object bij de andere installeren, in de galerie onder het huis.

Het duurde niet lang. De metalen kist stond op geïmproviseerde glijders achter in het busje en liet zich gemakkelijk op de wachtende trolley zetten. Het was een zwaar ding, maar toen hij eenmaal op de trolley stond en hij zijn geringe gewicht erachter zette, was het gemakkelijk om ermee te manoeuvreren. Hij duwde hem naar de lift die in de hoek was gebouwd. In de beperkte, oranjebruine ruimte van de lift nam hij even de tijd om naar de kist te kijken. Die had de vorm van een doodkist, al was hij iets groter en was er een rooster van luchtgaten in het midden van het deksel geboord. Hij krabde er met zijn nagel over, en de kist reageerde door gebonk en kreten te laten horen. Op weg naar beneden besefte hij dat hij haar kon ruiken: ze had zichzelf bevuild. Het stond hem tegen en wond hem tegelijk op. In vroeger tijden was er vaak walging bij hem opgekomen, maar die had het altijd afgelegd tegen zijn fascinatie. Hij had zich soms door die gevoelens heen moeten werken, maar ze bleven belangrijk en hij had ze nooit genegeerd. Per slot van rekening maakte elke deuropening deel uit van de kamer erachter.

Een verdieping lager gleden de dikke deuren open. Hammond ging schuin achter de trolley staan en duwde hem de lift uit. En daarna duwde hij hem verder. De wielen klikten en piepten.

Het souterrain had een hamervorm. In feite was het alleen een lange gang met een grote kamer helemaal aan het eind. Onderweg lagen er kleinere kamers aan de gang, maar die werden gebruikt voor individuele objecten – afzonderlijke werken –, met uitzondering van een kamer aan het eind, waar een douche was gemaakt. Elke kamer had zijn eigen lichtschakelaar. Ze waren allemaal in duisternis gehuld nu hij door de gang liep, onder de gloeilampen die hier en daar aan het plafond hingen en de helft in het donker lieten en de andere helft in licht lieten baden.

Het decor was rommelig. Hij had nooit geprobeerd hier een van de schone, witte ruimten van te maken die hij in zijn openbare galerieën had. Toen hij het huis had gekocht, had deze verdieping uit niets dan kale vloerplanken en afbladderend behang bestaan. Hij had aan een vergeten verdieping in een hotel moeten denken. Hij had de lift laten bouwen en licht en klimaatbeheersing laten installeren, maar verder had hij alles gelaten zoals het was. Het voelde goed aan: je ging met de lift naar beneden en kwam in een andere wereld, heel anders dan de glanzende moderniteit van het huis boven.

'Ssst,' zei Hammond tegen de kist.

Dat had geen uitwerking. Hij reed hem de grotere kamer in.

Aan het ene eind hing een groot projectiescherm en er stond een stoel vanwaar hij naar zijn filmverzameling kon kijken. Onder spotjes aan de muren bevonden zich allerlei objecten. Het nieuwste was een sporttas, klein en ingezakt, met het veiligheidslabel nog op zijn plaats. Hammond manoeuvreerde onhandig met de trolley om hem naast de tas tegen de muur te zetten.

Toen deed hij enkele stappen terug.

Hij keek naar het verschil tussen die twee dingen: het contrast tussen het zware, dikke metaal van de kist en de kleine, ingezakte tas. Er ging een opwinding door hem heen die niet in woorden uit te drukken was. Een inzicht. Je kon het niet uitleggen; het was iets wat je alleen kon meemaken door daar te staan en ernaar te kijken.

En dus deed hij dat. Hij bleef roerloos en geluidloos staan en luisterde naar de bonkende geluiden die uit de kist kwamen. Er hing een tinteling in de lucht. Zijn keel, nog brandend van de whisky, was nu bijna zo strak samengetrokken dat slikken hem moeite kostte.

Het was het geluid van een mens die pijn leed en bang was dood te gaan. Een ogenblik had Hammond een vertrouwde gewaarwording uit de menselijke samenleving: de hardnekkige stem die tegen hem zei dat hij met een medemens begaan moest zijn. Maar empathie was niet meer dan een aangeleerde reactie, en als je haar overwon, werd je sterker. Hij kende de triviale lessen al die ze op scholen leerden, en de kennis die in deze kamer was aangeboden, was anders en eerlijker. Die kon je op geen enkele ande-re manier verwerven. Je moest dit aanraken. Als je dat deed, voelde alles aan de oppervlakte veilig aan, maar zag je vanbinnen alles vanuit een per-spectief waarvan je nooit had kunnen dromen dat het mogelijk was.

Een glas whisky.

Maar hij kon niet wachten. Hij moest haar zien. Hij moest zijn vingertop op haar voorhoofd leggen en deel uitmaken van dit belangrijke ding.

Hij stak zijn bevende handen naar het deksel uit. Hammond spreidde zijn armen om het aan weerskanten vast te pakken. Duimen aan de voorkant; vingers aan de zijkant. Het was vreselijk zwaar. Hij moest door de knieën gaan en kracht zetten met zijn hele lichaam om de kist open te krijgen. Toen de scharnieren bewogen, kwam de stank als een verstikkende wolk naar buiten en werden Rebecca Wingates wanhopige kreten nog helder-der.

Hammond strompelde geschokt achteruit.

Twee dingen waren hem heel erg duidelijk. Ten eerste dat Garland hem niet ongestraft had gelaten. Ten tweede dat Rebecca Wingate haar kreten toch niet alleen uit doodsangst slaakte, maar ook omdat ze in de kist opgesloten zat met dat walgelijke ding, dat nu overeind kwam.

46

Toen Kearney voor het huis van Arthur Hammond stopte, hoorde hij geen sirenes. Het landweggetje was zo leeg en stil als de vorige keer dat hij hier was geweest.

Waren ze überhaupt wel op weg?

In elk geval was hij niet van plan te blijven wachten. Rebecca was daar nu ergens, en hij liet haar geen seconde langer alleen. Hoe dichterbij hij kwam, des te groter werd de aantrekkingskracht die hij voelde. Het was of zijn hart met het hare verbonden was door emotioneel weefsel. Nu hij zo dichtbij was, voelde hij als het ware dat beide harten in zijn borst sloegen.

Hij liet zijn auto schuin in de berm staan. Liet de richtingaanwijzer knipperen en het portier aan de bestuurderskant openstaan, een curve van metaal die diep in het gras stond.

Het was een warme, heiige middag, met een zacht gonzende hitte in de lucht. Kearney liep naar het hek en pakte het vast. Het geschilderde metaal voelde ruw aan. Het leek surrealistisch. Het huis daarachter wekte nu een heel gewone indruk, met zijn rij potplanten buiten, zijn gewelfde deuropening en brede ramen. Ergens in de reusachtige heg zongen zelfs vogels.

Sommige dingen waren zo gruwelijk dat je dacht dat ze alleen in het donker konden gebeuren, of op muffe plaatsen, zoals de garage die Timms had gehuurd. Vuile oude huizen. En als ze recht voor je gebeurden, en je ze niet meer kon ontkennen, wendde je geest zich ervan af om zijn toevlucht tot de normaal lijkende wereld te nemen.

Weet je zeker...

Ja, hij wist het zeker. Trouwens, het deed er niet toe. Hij schudde aan het hek, duwde het van zich af, richting pad, en wist dat hij zich niet meer alleen door zijn verstand liet leiden. Het beeld van Rebecca's gezicht vulde zijn gedachten op. Er was hem één laatste kans gegeven om haar te vinden, en wat er ook gebeurde, hij zou die kans grijpen.

Toen het hek schurend over de grond openging, werd er een verbinding verbroken en voelde hij een lichte tinteling. Ongetwijfeld wilde dat zeggen dat er in het huis een alarm afging. Hij zou snel moeten zijn.

Een grote, dubbele garage stond links tegen het huis aan, maar de metalen deur was massief en liep door tot aan de grond. Waarschijnlijk kon je hem openmaken met dezelfde afstandsbediening die ook voor de poort bedoeld was. Kearney liep door en probeerde de voordeur. Het verbaasde hem niet dat die op slot zat. Omdat de deur hem te zwaar leek om hem te kunnen intrappen en hij geen zin had zijn been te breken bij een poging daartoe, ging hij een stap terug, pakte een van de potplanten op en gooide hem door een benedenraam.

De explosie verbrijzelde de rust en stilte. Het was een geluid vol scherpe randen en tinkelende punten. Toen het was weggestorven, hoorde Kearney alleen nog het schelle, snerpende geluid van het huisalarm.

Als de politie nog niet op komst was, kwam die nu zeker.

De resten van de ruit vormden puntige, glazen tanden langs de kanten. Binnen zag hij een halfduistere huiskamer. De potplant was tegen de onderkant van een rode bank blijven liggen, en de roomkleurige vloerbedekking was bezaaid met aarde, bloemen en glas. Kearney gebruikte een tweede potplant om scherven glas uit het kozijn te slaan, waarna hij zich vlug naar binnen hees.

Binnen klonk het alarm veel harder. Het geluid trilde intens en hing zo dicht als mist in de lucht, zodat het was of je ermiddenin stond. Voorbij de huiskamer flikkerde er een rood licht op de donkere gang.

'Hammond!' riep hij. 'Waar ben je?'

Maar hij kon zichzelf amper horen. Toen hij de gang op kwam, waar de herrie alles overstemde, drukte hij huiverend zijn handen tegen zijn oren.

'Hammond?'

Omdat de kamer aan het eind van de gang felverlicht was, liep hij daarheen en keek voorzichtig langs het deurkozijn. Een keuken. Alles netjes en schoon, met veel glanzende apparaten uit het ruimtetijdperk. Het aanrecht baadde in een zacht blauw licht. Kearney zag de open fles whisky staan, naast een breed glas met enkele halfgesmolten, doorzichtige kiezels van ijs op de bodem.

Hij had op zichzelf getoost.

'Hammond, ik kom je halen, vuile psychopaat.'

Hoewel de man overal in het huis zou kunnen zijn, voerde Kearneys instinct hem naar een zijdeur die op een kier stond aan het eind van de keuken. Die deur leidde naar de achterkant van de garage, waar plafondspotjes kegels van licht op het witte busje van Roger Timms wierpen.

Beide achterportieren stonden open. Kearney liep naar het busje toe en keek erin. Er was daar alleen een aantal metalen rekken die met bouten aan de vloer waren bevestigd, ongeveer als ladders. Het was duidelijk dat daar iets had gelegen. Het was op glijders gezet om er gemakkelijk uitgehaald te kunnen worden.

Rebecca.

Waar had hij haar heen gebracht?

Hij keek om zich heen en zag de zilverkleurige deur achterin. Kearneys blik ging van het gesloten metalen oppervlak naar het gladde beton onder zijn voeten.

Net als Timms mocht Hammond zijn onnatuurlijke neigingen graag onder zijn huis verborgen houden. Lage plaatsen voor lage emoties.

Er was één knop om de lift te laten komen. Die lichtte oranje op toen hij erop drukte. Er kwam een zacht gerommel van beneden, en toen kletterde de machinerie: wielen en kettingen hesen de liftkooi naar boven.

Is er een andere uitgang?

Als die er niet was, moest Hammond nog daarbeneden zijn.

De deur gleed open en hij keek in de lege, metalen lift. Smal, maar diep. Kearney stapte erin. Er waren maar twee knoppen, en hij drukte op de onderste.

De deur sloot zich en de lift ging naar beneden.

In de seconden waarin de lift onderweg was, kwamen er beelden opzetten in zijn hoofd. De verbrande lichamen van Ellis en Gilroyd, haar voeten gekromd als die van een baby. Zoals Mike Halsalls hoofd opzij had gehangen, omlaagkijkend. De schotwonden. Geboeide polsen.

Simon Wingates gevouwen, biddende handen.

Rebecca's gezicht.

De deur gleed weer open. Een lege gang.

Kearney stapte de lift uit en kwam in een benauwende lucht die naar schimmel en nat, afbladderend behang stonk. Hierbeneden was het vochtig en onaangenaam, zoals wanneer je na een hevige regenbui je hand in de rottende plantenlaag van een bos stak. Hij verwachtte min of meer planten tegen de muren te zien groeien, maar er waren alleen kleine rottende plekken. Alsof er schimmel op het oude behang was gespoten.

'Hammond?'

Geen antwoord.

Maar het was hier niet stil, merkte hij: er kwam geluid uit de kamer aan het eind van de gang. Het klonk gesmoord en koortsachtig. Even later besefte hij dat het een vrouw was die probeerde te schreeuwen, en zijn hart maakte een sprongetje als een pistool dat werd afgevuurd. Voor hij er erg in had, rende hij door de gang. Langs donkere nissen. Onder lampen die oplichtten en verzwakten als hij eronderdoor rende...

We zullen haar vinden...

... en de kamer in. Hij hield de pas in toen hij daar aankwam, maar niet genoeg om zichzelf tegen te houden.

Dom.

Hij draaide zich om toen hij binnenkwam. Te laat, maar hij keek toch of er beweging was. Die was er niet. Niemand die bewoog.

Hij zag Arthur Hammond meteen. Helemaal aan het eind zat de man onderuitgezakt in een stoel, met zijn rug naar de rest van de kamer toe. Alles werd hier verlicht door oranje gloeilampen aan de muren, en Hammonds lichaam stak daartegen af, alsof hij voor een open vuur zat en levend geroosterd werd. Een deel van zijn hoofd ontbrak; de rest lag op de vloer en zat tegen de zijmuur. Zijn ene hand lag in zijn schoot, en de andere bungelde tegen een houten poot van de stoel.

Kearney rook kruitdamp.

Hij keek om zich heen. Langs de muren stonden objecten op kleine voetstukken.

De kreten kwamen van de andere kant. Kearney negeerde Hammond voorlopig en liep naar dat deel van de kamer. Een metalen doodkist. Het deksel was omhooggetild en stond tegen de muur erachter.

Toen hij erin keek, zag hij haar wel, maar meteen in een waas van tranen.

Ik beloof het je.

Rebecca Wingate was in leven, maar ze kon hem niet zien. Er zat zwart afplakband om haar ogen en om het onderste deel van haar gezicht, onder de neus. Er was een spleetje gemaakt op de plaats waar haar mond zat. Haar handen waren op haar schoot gebonden, en Kearney kon zien dat ze een verschrikkelijke verwonding aan haar rechterarm had. Het leek wel of een gruwelijk monster een hap uit haar elleboog had genomen en de arm bijna in tweeën was geknapt. Maar de huid bij de wond zag er verbrand uit, en hij kon het ruiken. Het was helemaal geen beet. Op één klein punt was bloed aan haar onttrokken, en daar verspreidde zich nu een infectie. Maar ze leefde nog.

'Het komt goed met je,' zei hij. Ze schrok toen ze zijn stem hoorde. 'Ik ben van de politie.'

Ze maakte geen geluid meer, maar haar lichaam beefde. Hij moest Todd weer bellen om een ambulance te laten komen.

'Het komt goed met je. Dat beloof ik je.'

Toen hoorde hij een lichte klik achter hem.

Kearney verstijfde.

Er drong nog een geur tot hem door: sterk en op de een of andere manier nog viezer dan de stank van Rebecca's ontstoken arm. Hij besefte dat er daar nog iets was. Het stond een eindje achter hem. Hij voelde dat het daar was.

Dom.

Hij was zo ongeduldig geweest om hier te komen – bij Rebecca – dat hij niet in de donkere nissen had gekeken toen hij voorbijrende. En hij had ook niet goed genoeg over Hammond nagedacht, besefte hij. Het leek op zelfmoord, maar de man had niets in zijn handen en er lag geen pistool op de vloer. Iemand wilde het op zelfmoord laten lijken. En de lift was nog beneden geweest toen hij aankwam. Dat betekende dat die persoon er ook nog was.

Moest hij zich omdraaien?

De gele man.

Die gedachte was irrationeel, maar kwam toch bij hem op. En hij was er bijna zeker van. Misschien was het niet dezelfde man die daar nu stond, maar dat deed er niet toe. Beiden waren het schaduwen: misschien werden ze geworpen door verschillende dingen, maar ze stonden voor hetzelfde vuur.

Wilde hij het zien?

De afgelopen zes maanden had hij zich daardoor gedreven gevoeld. Ik zal je het ergste vertellen wat *ik* ooit heb gezien. Hij had de daaropvolgende beschrijving van De gele man-serie gelezen, en iets goeds in hem was verduisterd. Iets was gevlucht, en daarvoor in de plaats was een gevoel van afgrijzen gekropen. Eerst had hij zich willen verzetten – hij had tegen zichzelf gezegd dat hij het niet moest doen –, maar het was hopeloos: zodra hij wist dat die video's bestonden, had iets hem gedwongen ernaar op zoek te gaan. En waarom? Dat wist hij nog steeds niet. In drie video's van De gele man had hij nog steeds niet de antwoorden gevonden die hij zocht, maar daardoor was hij alleen maar harder gaan zoeken. En net als een videocamera die op een televisie was gericht, was de vraag een tunnel geworden. Hij was erin gevallen en hier terechtgekomen.

Draai je dan om, zei hij tegen zichzelf.

En dat begon hij te doen. Maar nu het zover was, besefte hij dat hij het niet meer wilde. Welke antwoorden er daar ook te vinden waren, hij wilde niet dat het zijn laatste gedachten op de wereld waren. In plaats daarvan keek Kearney naar Rebecca Wingate. Hij glimlachte naar haar.

Dit heb ik tenminste bereikt, dacht hij.

Uiteindelijk had hij haar tenminste ook gevonden.

Kearney deed zijn ogen dicht en wachtte af.

47

'Is het hier?' vroeg Garland.

Ik knikte.

We waren gestopt bij een klein kantoor aan de rand van de stad. Ik zat met Garland op de achterbank van de eerste van twee auto's, die allebei zwart waren met getinte ruiten. Voorin zaten twee mannen, maar het waren niet de twee met wie ik in het veilinghuis had gevochten. Misschien zaten zij in de tweede auto, die nu achter ons stopte.

Sarah zat daar ook in – niet dat ik haar door het glas kon zien. In het veilinghuis hadden ze mij al in deze auto gezet voordat ze haar tevoorschijn haalden. Ik had zo goed mogelijk naar haar gekeken. Ze liep rustig door de overslagruimte en stapte moeiteloos in de auto, alsof er geen vuiltje aan de lucht was.

Nadat ik met Garlands aanbood akkoord was gegaan, had hij me weer naar boven gebracht en hadden ze de laptop weer tevoorschijn gehaald om mij de betaling te laten doen. Vierhonderdduizend pond in ruil voor het leven van mijn vriendin.

Toen ik de vereiste informatie invoerde, had ik me even afgevraagd of ik een fout maakte. Garland kon ons net zo goed gewoon doden; dat zou voor hem wel zo gemakkelijk zijn. Maar ja, als hij het geld wilde, kon hij het vast wel zonder veel moeite van me loskrijgen. En als hij ons wilde vermoorden, kon ik niets doen of nalaten om hem daarvan te weerhouden.

Er was ook nog het kleine detail van het bedrag dat we hadden afgesproken. Geen vijfhonderdduizend, maar vierhonderdduizend. Hij nam niet alles, en dat wees erop dat hij mij – ons – genoeg geld liet houden om te kunnen vluchten.

Afgezien van dat alles zat er niets anders voor me op dan hem te vertrouwen.

Het was vooral vreemd dat ik verwachtte een kogel in mijn achterhoofd te krijgen zodra het geld in de ether was verdwenen. En die kogel kwam niet. Garland keek aandachtig naar het scherm om er zeker van te zijn dat de overboeking tot stand was gekomen en knikte toen de man achter de computer toe. Het apparaat werd uitgezet. Toen bracht Garland me zonder nog een woord te zeggen naar de auto en moest ik daarin wachten.

En daarna waren we hierheen gereden.

Het opslagbedrijf Pro-Storage. Een doodgewoon gebouw met banken buiten, een receptie binnen en daarachter een groot aantal opslagboxen. In een daarvan zat alles wat ik had gehouden toen ik het huis had verkocht waarin ik met Marie had gewoond. Het was de tweede keer dat ik hier vandaag kwam. Ik was hier eerder op de ochtend ook al geweest, voordat ik naar de gevangenis ging. Toen had ik de laptop en Sarahs researchmateriaal hierheen gebracht. Dat alles kwamen we nu halen, maar het was niet het enige waar we voor kwamen.

'Ja,' zei ik. 'Hier is het.'

'Nou dan.'

Garland maakte het portier aan mijn kant open en liet mij zelf aan de andere kant uitstappen.

Het was een grote weg: er vloog verkeer voorbij en niet ver bij ons vandaan zaten mensen op een terrasje. Ik had kunnen rennen of vechten – een scène maken en proberen weg te komen. Maar dat had geen zin. Garland had nog steeds het pistool in zijn jasje en de andere mannen waren ook allemaal gewapend. Met vechten zou ik niets bereiken, behalve dat Sarah en ik om het leven kwamen, en misschien ook nog iemand anders.

En als dat toch zou gebeuren, dan liever door iets wat ik had nagelaten dan door iets wat ik had gedaan.

Even later, toen ik mijn naam in het register had gezet, stonden we in een kleine opslagbox achter in het complex. Daar zat alles in wat ik niet had weggegooid toen ik het huis verkocht; de resten van mijn oude leven. Nooit helemaal weg, alleen naar binnen geduwd, uit het zicht.

'Vlug, alsjeblieft.'

Ik knikte.

Het geld was alleen maar het eerste deel van onze transactie geweest. Het tweede deel betrof iets minder tastbaars, zoals met al zijn klanten het geval was.

Alle betrokkenen hebben iets te verliezen.

Je zou kunnen zeggen dat ze hun ziel moeten inzetten.

Ik pakte een kleine doos van de bovenste plank. Hij was erg licht. Toen ik hem openmaakte, ging Garland een stap achteruit en stak zijn hand in zijn jasje, klaar om zijn pistool te trekken als het nodig was. Dat was begrijpelijk. Per slot van rekening had ik hem over Peter French verteld. Hij wist dus wat er in die doos zat en waartoe ik in staat was.

Tenminste, blijkbaar wel. Maar toen ik naar het mes keek, vond ik het een absurd idee dat ik had gedaan wat ik had gedaan. Ik stak mijn hand in de doos en pakte het mes op, en mijn hand scheen zich helemaal niet te herinneren dat hij het al eerder had vastgehouden. Het was me een raadsel, evenals het bloed dat nog een dun korstje op het lemmet vormde.

Daaronder lag een oude regenjas.

Ik herinnerde me dat Peter French zijn ogen stijf dichtkneep, alsof hij van dichtbij was neergeschoten, en dat hij toen op de gang in elkaar was gezakt. Hij had daar op zijn zij gelegen en het bloed had zich stilletjes, onverbiddelijk vanuit het midden van zijn borst over de vloerbedekking verspreid. Ik besefte meteen wat ik had gedaan. Er was geen voldoening of opluchting bij me opgekomen. In plaats daarvan trok er een kil gevoel door me heen.

Ik schudde mijn hoofd.

'Het verbaast me dat je die dingen hebt gehouden,' zei Garland.

'Eerst niet.'

Ik herinnerde me dat ik in blinde paniek was weggerend en willekeurig hoeken was omgeslagen. Het mes zat in mijn jaszak. Dat gaf niet, want mes en jas zaten toch al onder het bloed. Marie. Ik kon haar niet uit mijn hoofd zetten. Ik ben zo verschrikkelijk tekortgeschoten ten opzichte van jou. Op een gegeven moment was ik in de buurt van een braakliggend terrein. Ik stopte de jas en het mes in een oude band en had dus alleen een T-shirt aan toen ik bij Sarahs huis kwam.

De volgende dag had ik mes en jas weer opgehaald. Ze lagen boven in mijn huis toen rechercheur Kearney me zijn vragen kwam stellen. Dat zal ook een poging zijn geweest om mezelf van blaam te zuiveren, evenals de bekentenis die ik aan Sarah schreef. Hij had alleen maar hoeven te vragen of hij mocht rondkijken. Ik zou ja hebben gezegd, en dan zou het allemaal voorbij zijn. Maar hij vroeg het niet, en dus was het niet mijn schuld.

Garland had een koffertje meegebracht. Hij legde het nu op de grond, maakte het open en haalde er een grote, doorzichtige ritstas uit. Die gaf hij aan mij.

'Stop ze hier in. Voorzichtig.'

Ik deed wat hij zei en gaf hem de ritstas terug.

Hij haalde de brief uit zijn jasje – de bekentenis – en legde hem bij het mes in de tas. Ik wist niet hoeveel juridisch gewicht die dingen in de schaal legden, maar ik vermoedde dat het genoeg was. Dat was dus mijn ziel. Toen hij de ritstas in het koffertje deed, dacht ik: daar lijkt het op.

Hij klapte het koffertje dicht.

'En dit researchmateriaal?'

De laptop en Sarahs mappen zaten nog in mijn tas, op de onderste plank. Ik pakte ze eruit en gaf ze aan hem.

'Dank je, Connor. We zijn bijna klaar.'

'Goed.'

'We doen het als volgt. Als ik weg ben, wacht je hier één minuut. Dan ga je naar buiten, en daar wacht je vriendin dan op je.'

'Ik begrijp het.'

'Eerst moet ik je herinneren aan de situatie waarin je verkeert. Je kunt twee dingen doen. Ten eerste kun je naar de politie gaan en hun vertellen wat je weet. Ze zullen je niet geloven. En zelfs wanneer ze je geloofden, kan ik je verzekeren dat ze ons nooit vinden.' Hij wees naar het koffertje. 'Bovendien krijgen ze dan het bewijsmateriaal dat ik in bezit heb.'

'Ik begrijp het.'

Ik had hem niet alleen bewijs tegen mezelf gegeven. De brief was ook belastend voor Sarah, want hij bevestigde dat ze voor me had gelogen. Al zou de politie haar nog wel heel wat meer vragen te stellen hebben, als het ooit zover kwam.

'Ten tweede,' zei Garland, 'kun je vluchten.'

Hij greep in zijn jasje. Toen zijn hand weer tevoorschijn kwam, had hij er een paspoort in. Dat gaf hij aan mij.

Ik pakte het aan en keek op de achterpagina. Sarahs foto. Op die foto had ze knalrood haar, precies zoals ik me herinnerde. Ik wist niet of paspoorten automatisch ongeldig werden verklaard, en of mensen echt opletten als je ze liet zien, maar misschien lukte het hiermee. Misschien niet op een vliegveld, maar wel op een veerboot. Honderdduizend pond en voet op buitenlandse bodem. Het was een kleine kans, maar het was iets. Het was genoeg om te kunnen vluchten.

'Wat daarna gebeurt, is je eigen verantwoordelijkheid,' zei hij.

'Ja.'

'Ze is... beschadigd. Je moet haar dus aan het verstand brengen wat jullie te doen staat. Dat kan moeilijk zijn, maar ook zij is jouw verantwoordelijkheid. Begrijp je dat?'

'Ja.'

Garland keek me nog even aan, pakte toen het koffertje en de tas op en liep zonder nog een woord te zeggen bij me vandaan.

Ik keek op mijn horloge.

Eén minuut.

Terwijl ik wachtte, keek ik in de opslagbox om me heen. Dozen met bezittingen stonden hier lukraak door elkaar. De meeste dingen waren van Marie geweest. Kleren, boeken, sieraden. Ik had mijn eigen dingen gemakkelijk kunnen weggooien, maar ik had wel veel moeite gehad met de gezamenlijke bezittingen en de voorwerpen die alleen van haar waren geweest. Nu ik om me heen keek, verbaasde het me dat ik me de inhoud van de dozen nog heel goed kon herinneren.

Maar dat was een deel van het probleem, nietwaar? Ze waren ingepakt en uit het zicht opgeslagen, maar of het nu dozen zijn of bezittingen, of een video, of zelfs alleen maar een herinnering, het feit dat je niet naar iets kijkt, wil nog niet zeggen dat het er niet is.

Marie.

Ik keek weer op mijn horloge. Het was tijd om weg te gaan.

Toen ik weer naar buiten ging, wierp ik een laatste blik achterom. Toen doofde ik het licht en deed ik de deur op slot.

Sarah wachtte buiten op me. Gewoon een meisje in het zwart. Ze zat ineengedoken op een van de banken, alsof ze zich tegen de kou beschermde, al was het helemaal niet koud. Ik ging tegenover haar zitten en ze keek naar me op.

Beschadigd, herinnerde ik me.

Blijkbaar sliep ze half en keek ze me door het waas van een droom aan, maar na een tijdje glimlachte ze. Heel vaag, maar een glimlach was het.

'Alex?' zei ze.

'Ja.' Ik deed mijn best om ook te glimlachen. 'Ik ben het.'

En toen stak ik mijn hand uit en legde hem zorgvuldig over de hare.

48

Todd Dennis liep door de gang van het ziekenhuis. Hij streek met zijn grote vingers door zijn haar en probeerde zijn frustratie in toom te houden.

Waarschijnlijk kwam het wel goed met haar.

Dat was het voornaamste. Ze hadden haar gevonden.

Maar dat was niet de hele waarheid. Hij had door het draadglazen ruitje van de onderzoekskamer naar Rebecca Wingate kunnen kijken. Ze was alleen nog maar een dunne vorm die gemodelleerd was uit een beddenlaken, met een plastic masker dat het grootste deel van haar gezicht bedekte en een waaier van sluik haar op het kleine kussen. De arts naast hem zei dat ze er slecht aan toe was en voorlopig niet aanspreekbaar zou zijn. Straks gingen ze haar opereren. Het stond vast dat ze haar rechterarm zou verliezen.

Dus eigenlijk kon je niet zeggen dat ze haar op tijd hadden gevonden.

Jij hebt haar helemaal niet gevonden.

Hij had zin om met zijn vlakke hand tegen de muur te slaan.

Na Pauls telefoontje was Todd vlug in actie gekomen, maar niet vlug genoeg. En nu het allemaal voorbij was, kwamen er allerlei vragen bij hem op. Had hij daar eerder kunnen zijn? Had het anders kunnen aflopen? Hij herinnerde zich hoe wanhopig Kearney had geklonken, en hij wist niet of hij iets had kunnen doen. Want Paul zou daar altijd als eerste zijn geweest. En hij zou nooit hebben gewacht.

Toch wist hij nog steeds niet waarom Paul zo zeker van Hammond was geweest, of wat er was gebeurd in de tijd die aan de dood van hen beiden voorafging. Dat betekende dat hem iets was ontgaan. Iets waarvan hij nooit zou weten dat hij het had kunnen doen.

Hij kon daar nu niet aan denken. Nog niet.

Todd bleef bij een koffieautomaat staan en deed er geld in. Toen de koffie tevoorschijn kwam, keek hij er vol walging naar. Het bekertje was heel klein, en het was van zulk dun, beige plastic dat hij zijn vingertoppen eraan brandde. Hij blies er zachtjes op onder het lopen.

Even later bleef hij bij een kleine spreekkamer dicht bij de receptie staan.

Simon, zei hij tegen zichzelf; zo heette de man.

Terwijl Kearney de afgelopen week elke ochtend met hem had gepraat, was Todd hem steeds uit de weg gegaan. Hij had er nog steeds niet veel zin in, maar nu Paul er niet meer was, had hij als het ware het estafette-stokje overgenomen.

'Simon.' Todd sloot de deur en deed zijn best om te glimlachen. 'Hoe gaat het?'

Simon Wingate zat op het eenpersoonsbed langs de muur van het smalle kamertje. Het zwart van zijn pak stak af tegen het vaalgroene beddengoed en het witte, papieren laken dat over het bed was gelegd. Hij hield zich zo krampachtig aan de rand vast dat zijn knokkels er wit van waren, en hij keek naar de kleine trolley tegenover hem. Toen hij opkeek, vond Todd dat hij nooit eerder iemand had gezien die zo moe en afgetobd was. Zelfs Kearney niet. Maar het was ook of er een lichtje in hem brandde. Misschien was dat het gevoel dat hij toch gelijk had gehad. Hij zag eruit alsof hij een hele tijd buiten in de vrieskou had gestaan, geduldig wachtend op een warmte waarvan niemand anders had geloofd dat die ooit zou komen.

'Hoe gaat het met haar?' vroeg Wingate.

'Heb je haar nog niet gezien?'

'Door het raam. En ze zeiden...'

Zijn stem stierf weg. Todd knikte zo meelevend als hij kon. Dat had Paul nooit begrepen als hij met mensen als Simon Wingate praatte. Eigenlijk kon je niets zeggen. Zelfs bij zeldzame gelegenheden als deze had je niets anders te bieden dan de schamele troost dat het allemaal weliswaar heel erg was, maar dat het veel erger had kunnen zijn en ze eigenlijk ongeloof-lijk veel geluk hadden gehad.

'Maar ze leeft nog, Simon,' zei hij. 'Verlies dat niet uit het oog.'

'Ik weet het.'

'Je moet het ergste hebben gevreesd.'

Wingate fronste zijn wenkbrauwen. Toen schudde hij zijn hoofd.

'Nee,' zei hij. 'Hij beloofde me dat jullie haar zouden vinden.'

Het duurde even voor Todd besefte dat Wingate het over Paul had. Hij zei niets.

'Waar is hij?' vroeg Wingate. 'Rechercheur Kearney, bedoel ik.'

Todd merkte dat hij vanbinnen leeg was. Niet nu, zei hij tegen zichzelf.

'Je hebt niet gehoord wat er is gebeurd?'

'Nee. Ik wil hem graag bedanken.'

Eerst wilde hij de vraag ontwijken, alleen al omdat het te vroeg was om met zekerheid te kunnen zeggen wat er in de kelder van Arthur Hammond was gebeurd. En ook omdat dit niet het moment voor dat gesprek zou zijn. Toch vertelde hij het, omdat hij wist dat Kearney, als die nog leefde, nu naast deze man zou zitten. En of hij er nu goed aan deed of niet, hij zou hem de waarheid vertellen.

Todd leunde tegen de muur.

'Ik weet niet wat ik moet zeggen.'

Uiteindelijk vertelde hij Simon Wingate wat ze wisten, en een beetje van wat ze vermoedden. Over Thomas Wells en Roger Timms en hun motieven om de meisjes te ontvoeren, en over Arthur Hammond, die op de een of andere manier bij dat tweetal betrokken was. Rebecca was in zijn huis gevonden. Daar hadden ze ook het stoffelijk overschot gevonden van wat blijkbaar een ander slachtoffer was. Hij vertelde er niet bij dat het lichaam bijeengeraapt was en als een handvol afval in een sporttas was geprop.

Rechercheur Paul Kearney had ontdekt dat Hammond erbij betrokken was en was naar zijn huis gegaan. Blijkbaar was Kearney door Hammond doodgeschoten, waarna Hammond het pistool op zichzelf had gericht.

Terwijl hij dat vertelde, vroeg hij zich af hoe Pauls laatste ogenblikken in Hammonds ondergrondse galerie waren verlopen. In de afgelopen zes maanden was Kearney wanhopig op zoek geweest naar iets. De gebeurtenissen die uit die obsessie waren voortgekomen, hadden Paul uiteindelijk naar het huis van Arthur Hammond geleid; daardoor was Rebecca's leven gered. Todd hoopte dat Paul voor zijn dood in elk geval nog had geweten wat hij had gedaan. Dat hij zijn belofte was nagekomen.

Hij vertelde Simon Wingate daar niets van, zoals hij ook niet vertelde dat Kearney uit het politiekorps was gezet. Als Paul zich niet had gerehabiliteerd door wat hij had gedaan – als er zoiets mogelijk was –, verdiende hij het op zijn minst dat deze man goede herinneringen aan hem bewaarde.

En dus vertelde hij hem alleen de dingen die belangrijk waren. Rebecca Wingate was in leven. En dat was ze doordat Paul Kearney naar haar had gezocht en haar had gevonden.

49

Nu en dan komt die vroege herinnering aan mijn broer bij me op. Dan zie ik James weer met een rood gezicht tegen zijn moeder schreeuwen, zijn zelfbeheersing verliezen en een kussen naar haar gooien.

En ik herinner me dit:

Ik ben drie of vier, en ik huil harder dan ik ooit zou doen. Als James de kamer uit is gestormd en de deur achter zich dicht heeft gesmeten, slaat mijn moeder haar arm om me heen en houdt ze me even dicht tegen zich aan. Dan geeft ze me een extra kneepje en gaat de trap op naar de kamer van mijn broer. Ze praat tegen hem, zo zachtjes dat ik het niet kan verstaan, maar ik kan horen dat hij huilt, en zij misschien ook.

Ze laat me niet lang alleen, maar wel lang genoeg om me te laten beseffen dat ik alleen ben en dat ik dat niet zou moeten zijn. De leegte beneden voelt zwaar aan.

Er ontbreekt iets.

Na een tijdje ga ik op de vloer van de huiskamer zitten, pak wat speelgoedjes op en laat ze tegen elkaar tikken. Een ervan is een rode Lego-auto, en ik herinner me even dat ik buiten op het pad ben. Een man die ik ken zit in de auto op het pad, en ik sta in de deuropening. James staat naast de man bij de auto, en hij snikt en houdt het portier vast aan het open raam. Mijn moeder probeert James terug te trekken, maar dat lukt niet.

Nieuwsgierig laat ik de speelgoedjes tegen elkaar tikken.

De man haalde James' vingers rustig van het portier weg, en toen ging het raampje omhoog. En ik herinner me dat de auto achteruitreed. Er was een gierend geluid te horen, denk ik, maar ik weet niet zeker waar dat vandaan kwam: van de auto of van iets anders.

Iets brengt me ertoe het speelgoed op te bergen: in de houten kist terug, zoals me is geleerd. En dan klim ik op de bank en maak me daar zo klein mogelijk. Er gaan enkele minuten voorbij, en dan valt me opnieuw de leegte op. Er ontbreekt iets, maar ik weet niet precies wát. Ik weet wel dat ik heel kwaad op James ben omdat hij zo driftig werd en met dat kussen gooide, dus misschien is dat het.

Ik besluit niet meer met de rode auto te spelen, al zeg ik dat niet in precies die termen tegen mezelf. Ik geloof dat hij uiteindelijk nooit weggegooid is, maar naar de bodem van de kist is gezakt doordat er niet meer mee werd gespeeld. En er liggen altijd zoveel dingen bovenop dat ik hem niet meer zie.

Toen ik Sarah buiten de opslagbox ontmoette, was ze verdoofd en vergeetachtig, niet helemaal zeker van wat er was gebeurd, alsof ze net uit een lange droom was ontwaakt en zich niet kon herinneren waar of wanneer ze in slaap was gevallen. Ze sprak erg weinig. Toen we die middag weggingen, volgde ze me gewoon en bleef ze angstvallig aan mijn zijde. Wat onze reisplannen betrof, vroeg ze me waar we heen gingen, maar niet waarom.

Pas twee dagen later, toen we in Venetië waren, bracht ze James voor het eerst ter sprake.

We hadden het grootste deel van de middag maar wat door de stad gelopen, opgaand in de menigte, en stonden op een gegeven moment op een vlakke, stenen brug. Het kanaal strekte zich bochtig voor ons uit. Het water beneden zag er donker en drabbig uit, ingeklemd tussen de huizen aan weerskanten. Er lag daar een bootje; het dobberde aan zijn lijn, met de neus het water in. Verderop kwam het kanaal uit in een zonovergoten, oogverblindend lichte ruimte, al was niet meteen duidelijk hoe je daar zou kunnen komen. We stonden tegen de stenen leuning van de brug en luisterden naar het kabbelen van het water.

En toen zei Sarah: 'Ik mis hem.'

Ik keek naar haar opzij. Ze staarde naar het water in de verte, met een paar lokken ravenzwart haar voor haar gezicht, dat strak en gekweld keek, als een gezicht dat in een krachtige, ijzige wind gekeerd is.

'Ik weet het,' zei ik.

'Wat is er gebeurd, Alex?'

'Weet je het niet meer?'

Ze schudde haar hoofd, maar ik wist niet of ze ja of nee zei. Ik dacht erover na.

Ik begreep veel van wat er was gebeurd, maar niet alles. En toch wilde ik dat. Ik wilde weten wat Sarah en James van plan waren geweest. Het was duidelijk dat er een vorm van waanzin over hen was gekomen. Ze hadden samen in dat huis opgesloten gezeten, en hun wederzijdse behoeften en ondersteuning hadden laag voor laag de grondslag gelegd voor wat ze hadden gedaan. Aan de andere kant wist ik niet hoe ze ooit hadden verwacht dat het zou aflopen, wat ze hadden gedacht dat er uiteindelijk zou gebeuren.

Ik vroeg me af of er ergens in het huis nog een brief was, een die ze samen hadden geschreven en ergens hadden verborgen – bijvoorbeeld onder in een doos – en die ik niet had gevonden doordat ik niet hard genoeg had gezocht. Een brief die misschien alles uitlegde en, voor het geval Sarah iets overkwam, precies uiteenzette in hoeverre zij verantwoordelijk was voor de gebeurtenissen van de afgelopen weken. En ik vroeg me af of ze zich ooit gedwongen zou voelen terug te gaan, hetzij om hem voorgoed te vernietigen, hetzij om de waarheid van wat daar geschreven stond onder ogen te zien: het bewijs van de vreselijke rimpelingen die de dood had verspreid.

Maar voorlopig dacht ik dat ze behoefte had aan iets anders.

Ik draaide me weer om en gooide een steentje in het water.

'Je deed onderzoek naar een organisatie,' zei ik.

'Ja. Dat weet ik nog.'

'En je kwam te dicht bij ze.' Ik dacht daarover na en zei: 'Ze hebben jou ontvoerd en James vermoord. Ze hebben je een paar dagen gevangengehouden en probeerden er in die tijd achter te komen hoeveel je over hen wist.'

Ze zei niets.

'En uiteindelijk kwam het goed,' zei ik. 'Ik ging op zoek naar je, en ze lieten ons beiden gaan.'

Ik keek haar weer aan.

'Maar het betekent wel dat we nooit meer naar huis kunnen.'

Ze knikte en huilde toen zachtjes. Even later sloeg ik mijn arm om haar heen. Het was niet helemaal goed, en ik wist dat het niet altijd genoeg zou zijn, maar wat ik zojuist had gezegd, was tenminste iets. Het was de kern van een verhaal dat ik haar steeds weer kon vertellen en geleidelijk kon uitbreiden, tot het onuitwisbaar over het echte verhaal heen was gelegd en de ontbrekende delen niet meer te zien waren.

En elk woord ervan was de waarheid. De beste plaats om iets zwarts te verbergen is altijd de duisternis.

In de week na onze aankomst zocht ik steeds in de internationale kranten naar berichten over wat er was gebeurd. Sarahs verdwijning was nog steeds in het nieuws, maar kreeg steeds minder aandacht. James' dood werd gemeld, en die van Mike en Julie, al bracht de pers die twee verhalen niet met elkaar in verband. Omdat zich in geen van beide zaken nieuwe ontwikkelingen voordeden, verloren de media hun belangstelling.

Rebecca Wingate stond nog steeds in het middelpunt van de belangstelling.

Ik las dat ze in het landhuis van Arthur Hammond was gevonden, nadat hij daar zelfmoord had gepleegd. Haar toestand was nog steeds kritiek, maar stabiel, en aangenomen werd dat ze zou herstellen. Een van de kranten bevatte enkele opmerkingen van haar man, die zich lovend uitliet over de zoektocht van rechercheur Paul Kearney naar zijn vrouw en blijk gaf van zijn verdriet om Kearneys dood.

Ik las alle berichten zorgvuldig door en probeerde kalm te blijven. Aangenomen werd dat Kearney door Hammond was doodgeschoten en dat de zakenman enkele seconden daarna zichzelf van het leven had beroofd. De kranten noemden Kearney een held: een politieman die onder diensttijd vermoord was.

Er was maar één bericht dat van dat standpunt afweek. Daarin werd gesuggereerd dat hij ten tijde van zijn dood geschorst was en dat er een onderzoek werd ingesteld naar niet nader genoemde beschuldigingen. Maar er werd geen verklaring gegeven, en dat aspect van het verhaal verdween de volgende dag uit het nieuws. Het paste bij wat ik me herinnerde van mijn ontmoeting in die cafetaria, maar zelfs als het waar was, geloofde ik dat de algehele teneur van de berichten juist was. Wat voor onderzoek er ook naar hem was ingesteld, iemand die sterft verdient het om in de herinnering voort te leven met het beste wat hij heeft gedaan, niet met het slechtste.

De politie vond ook een aantal andere belastende voorwerpen in Hammonds huis, waaronder verscheidene illegale video's, en bevestigde dat zijn vingerafdruk overeenkwam met de afdrukken die op de slachtoffers van Thomas Wells en Roger Timms waren aangetroffen.

En in zijn kelder vonden ze ook het stoffelijk overschot van Emily Price. Ik dacht vaak aan Emily. Het had maar weinig gescheeld of ik had haar die dag gevonden en de man ontmoet die haar had meegenomen. Ik was blij dat ze uiteindelijk gevonden was. Ze was aan haar nabestaanden teruggegeven, zodat die haar een rustplaats konden geven en daar een zekere troost uit konden putten.

Natuurlijk wist ik dat het officiële verhaal niet waar was. Het was allemaal Garlands werk geweest. Al begreep ik niet hoe het allemaal precies in zijn werk was gegaan, het was duidelijk dat zijn opruimoperatie geslaagd was. En zoals hij me had verteld, zou de politie nooit meer te weten komen dan wat ze nu al wist. De feiten mochten dan verdraaid zijn, er mochten onderdelen ontbreken, maar zolang niemand er te goed naar keek, was het genoeg. Het zou standhouden.

Sarah en ik zouden er onder alle omstandigheden achter blijven staan en verborgen blijven.

Toch was er één ding dat ik niet uit mijn hoofd kon zetten. Garland had het huis aan Suncast Lane een van hun oude plaatsen genoemd. Ik wist niet precies wat hij daarmee had bedoeld: dat het huis nu leeg was of dat daar nog steeds iets of iemand was, vergeten en achtergebleven, niet meer van belang voor zijn klanten. Ik verzette me een tijdje tegen het idee – zei tegen mezelf dat ik ons beiden in gevaar zou brengen –, maar na een tijdje kon ik die mogelijkheid niet meer negeren, of misschien voelde ik me moreel verplicht er iets aan te doen.

Op een dag liet ik Sarah in onze hotelkamer achter en ging ik de straat op. Er was een internetcafé om de hoek. Ik betaalde voor een uur en ging achterin zitten, waar niemand kon zien wat ik deed.

Nadat ik een anoniem e-mailaccount had aangemaakt, vond ik online een e-mailadres van de politie van Whitrow en ik stuurde een bericht ter attentie van Todd Dennis. Ik noemde Kearneys naam en zei tegen Todd dat hij op 10 Suncast Lane zou moeten kijken. Voor het geval ik het huisnummer verkeerd had onthouden, zei ik dat hij het huis aan bepaalde graffiti op de luiken zou herkennen.

Voordat ik er nog langer over kon twijfelen, verzond ik het bericht.

Ik wilde al opstaan en weggaan, maar plotseling kwam ik op een vreemd idee. In plaats van uit te loggen en te verdwijnen opende ik een nieuw venster in de browser. Ik navigeerde naar doyouwanttosee.co.uk en logde in met Sarahs oude gegevens.

Toen ik op zoek ging naar Ellis' posts, kreeg ik dezelfde lijst als vroeger. Nadat ik de titels een tijdje over het scherm had laten gaan, kwam ik bij de pagina waarop de beelden van Marie waren gezet.

'Brugzelfmoord – bitch aan flarden'.

Ik klikte erop, en de beelden waren weg.

Ik had net bedacht dat toen Garland de foto van Emily Price verwijderde, hij misschien gemakshalve alle opgeslagen bestanden van Ellis had gewist. En dat had hij inderdaad gedaan. De video was dus voorgoed verdwenen.

Ik knikte. Dat was ook een van die dingen die er niet echt toe deden, niet nu, maar tegelijk was ik blij. Niemand zou daar ooit nog naar kijken. Als Marie nog ergens bestond, zou het in mijn hoofd zijn, en ik zou mijn best doen goede herinneringen aan haar te bewaren.

Ten slotte logde ik uit en verliet het internetcafé.

Die middag gingen we voor alle zekerheid weg uit Venetië.

Ik doe nog steeds mijn best om op die manier aan Marie te denken. Ik probeer me haar in Coniston te herinneren, zoals ze toen mijn hand had vastgehouden, of op andere mooie dagen, toen mijn aanwezigheid in haar leven misschien niet helemaal genoeg was geweest, maar toch wel iets had betekend. En ik doe erg mijn best het mezelf niet kwalijk te nemen wat ze heeft gedaan, want dat was in elk geval niet mijn schuld.

Toch kan ik 's nachts de slaap soms niet vatten en denk ik aan de laatste keer dat ik haar zag – haar echt zag – op die dag in de keuken toen ze bij me wegging en niet terugkwam. En in die nachten denk ik:

Had ze maar kunnen zien hoe mooi ze was.

Had ze dat nou maar kunnen zien.

50

Suncast Lane.

Zelfs bij daglicht was de naam niet passend. Die naam deed denken aan velden met loom deinend gras, felwitte huisjes en riviertjes – niet aan deze platte, grauwe huizen met bleke, spookachtige gezichten. Alles om hem heen leek dood: tombes van baksteen en geperforeerd metaal. Suncast Lane stond midden in de wijk, en Todd had de indruk dat hier iets gestorven was en dat het gif en het verval zich vervolgens heel langzaam hadden verspreid en alles hadden vernietigd wat ze aanraakten.

Hij sloot het autoportier en luisterde: de klap galmde tegen de huizen en zakte weg, en toen was er niets meer. Er was hier helemaal geen geluid. Hij keek om zich heen en zag dat er in geen van de huizen licht brandde. Ze stonden natuurlijk allang leeg, bestemd om gesloopt te worden als daar geld mee te verdienen was, als het stoffige, oude gemeentedossier waarin ze begraven lagen eindelijk werd opgediept. Intussen lag de straat er vergeten bij, als een dichtgemetselde kamer in een oud huis dat allang van eigenaar was veranderd.

Johnson stond met een zaklantaarn bij de voorkant van het huis te wachten; Ross stond een eindje bij hem vandaan op het pad aan de zijkant. Ze waren nog niet helemaal bekomen van wat ze binnen hadden aangetroffen. Todd had niet te veel aandacht geschonken aan het mailtje dat hij had gekregen, maar de persoon die contact met hem had opgenomen had Paul genoemd, en dus had hij deze twee naar het huis gestuurd om er een kijkje te nemen. Zelfs nu ze binnen waren geweest, was het hem nog niet helemaal duidelijk wat ze hadden gevonden.

'Gaat het wel met jullie twee?'

Johnson knikte, maar was er blijkbaar niet zo zeker van.

'Ja,' zei Johnson. 'Maar je krijgt daarbinnen een slecht gevoel.'

'Ja, nou, dat krijg je hierbuiten ook.'

Todd liep om Johnson heen en keek naar het huis. Aan de voorkant zag het eruit alsof elke denkbare in- en uitgang was afgesloten met geperforeerde metaalplaten die stevig in de muren verankerd zaten. Het duurde even voor hij het witte teken zag dat daar met verf was aangebracht. Een kleine halvemaan. Het sprong niet echt in het oog, en hij zou het niet hebben opgemerkt als er in het mailtje geen sprake was geweest van graffiti. Nu zag hij het wel, maar wist hij niet wat het moest betekenen.

'Iets bekend over de laatste bewoner?' vroeg hij.

'Banyard,' zei Johnson. 'Francis Banyard. Maar dat was jaren geleden.'

Todd knikte. 'En wat moet ik hier gaan zien?'

'Aan de achterkant. Er is aan het raam geprutst.'

'Ik bedoelde binnen.'

'Nou, er is iets vreemds in een van de benedenkamers. Maar het belangrijkste is boven. De eerste deur rechts. Blijkbaar heeft die persoon daar geslapen. Er ligt overal rommel en het stinkt.'

Die persoon. Todd keek de straat weer door en dacht na. Hij ergerde zich een beetje aan Johnson, die zo bangelijk was uitgevallen. De twee agenten hadden alleen maar geconstateerd dat iemand in het leegstaande huis had gebivakkeerd. En toch voelde hij het zelf ook. Alles was hier verlaten en bijna dodelijk stil. Het was het huis dat in het mailtje werd genoemd. En voor zover hij kon zien was dit het enige huis met witte graffiti op de luiken.

Er stak een bries op. Ergens uit het zicht ratelde een blikje over het wegdek.

Hij draaide zich om en stak zijn hand uit voor de zaklantaarn.

'Ja,' zei hij. 'Dank je.'

'Wees voorzichtig,' zei Johnson. 'Die trap is halfverrot.'

Todd keek weer naar het huis. In het donker, met de luiken voor de ramen, deed het hem denken aan een lijk met muntjes op de ogen. Hij had nog steeds een hekel aan die zweverige manier van denken, maar Johnson had gelijk gehad. Je kreeg een slecht gevoel bij dit huis.

'Ik wil dat jullie goed opletten,' zei hij. 'We willen met degene praten die hier heeft geslapen. Wat dit ook is, we laten het niet los.'

'Goed.'

Todd deed de zaklantaarn aan en liep door het tuintje naar de voorkant van het huis. De stoeptegels waren allang gestolen, zag hij – het huis mocht dan vergeten zijn, eerst was het ontdaan van alles wat ingepikt en te gelde gemaakt kon worden. Hij liep naar de achterkant en keek daar rond. Algauw zag hij het raam waarover Johnson het had gehad. Hij stapte moeizaam over wat puin en scheen met de zaklantaarn langs het kozijn.

Todd fronste zijn wenkbrauwen.

Iemand had scharnieren op de buitenkant van de metaalplaat gezet.

Hij keek er even naar en constateerde niet alleen dat ze er echt zaten, maar ook dat het een heel werk was geweest ze erop te zetten. De scharnieren bestonden uit een ander metaal en waren erop gesoldeerd. De muren waren een beetje beschadigd op de plaatsen waar de oorspronkelijke bouten waren verwijderd; alleen die aan de rechterkant zaten er nog, en die waren afgezaagd. Ze waren net lang genoeg om de plaat tegen de muur gedrukt te houden, zodat je hem gemakkelijk kon lostrekken.

Dat betekende dat iemand de metaalplaat waarmee het raam was geblokkeerd, had weggehaald en er een zorgvuldig aan het oog onttrokken deur van had gemaakt.

Waarom zou iemand dat in godsnaam doen? .

Todd huiverde enigszins. Zijn borst trok zich samen. Toen hij de plaat naar zich toe trok en de muffe lucht uit de kamer erachter inademde, had hij diezelfde indruk weer: dat hier een weerzinwekkende persoon had verbleven, iemand die zich tot dit huis aangetrokken had gevoeld omdat het bij hem paste. Dat gevoel in zijn borst had hij omdat die persoon nu weg was – ergens door het donker sloop –, maar elk moment terug kon komen. Het was net of hij op het punt stond het huis van een monster in een sprookje binnen te gaan, een huis waar een pan zacht stond te pruttelen op het fornuis.

Kom op.

Hij klauterde een beetje onhandig naar binnen en scheen met de zaklantaarn op de vloer om er zeker van te zijn dat hij zijn voeten goed neerzette. De kamer was leeg en kaal, maar aan buizen met afbladderende verf langs een van de muren was te zien dat dit ooit een keuken was geweest. Nu was het hier koud en stonk het naar schimmel en aarde. Hij scheen met de zaklantaarn door een deuropening aan de andere kant. De lichtschakelaars in de gang waren weggehaald; er staken alleen nog draden uit gaten in de pleisterkalk.

Todd liep de gang in. Het licht van de zaklantaarn wierp een schaduw van ribben boven de trap, een schaduw die meedraaide toen hij door de gang liep en naar boven scheen. Toen ging hij de trap op. Johnson had ook gelijk wat dat rotten betrof. De treden waren te vochtig en te zacht om te kraken, maar ze gaven enigszins mee, als de rottende romp van een oud schip.

Er ligt overal rommel en het stinkt.

Het was de eerste deur rechts, zei hij tegen zichzelf, maar anders zou hij daar ook wel op af zijn gegaan, want de rommel lag daar tot op de gang. Omgekrulde, vergeelde stukken krant; opgezwollen vuilniszakken; oude, aangekoekte verpakkingen van afhaalvoedsel. Kleren met vlekken. Todd trok een vies gezicht toen hij het licht van de zaklantaarn door de ravage liet gaan.

En het stonk inderdaad, besefte hij. Het stonk verschrikkelijk. Een vieze stank. Als rotting, maar dan alsof er nog iets leefde. Hij dacht ook niet dat het van het afval op de vloer kwam – het was eerder blijven hangen van degene die in die troep had gewoond, alsof de persoon zoveel met bederf in aanraking was geweest dat het als een ziekte op hem was overgeslagen. Het was afschuwelijk, zoals het huis zelf besmet en afschuwelijk aanvoelde. De stank had iets onnatuurlijks waarvoor je terugdeinsde.

Tegelijk kwam die stank hem bekend voor.

Dat zat hem dwars. Hij dacht dat hij die lucht eerder had geroken, of misschien een zweem ervan, maar hij wist niet meer waar.

Todd stapte voorzichtig over de troep heen, op zoek naar kleine, vrije stukjes vloer waarop hij zijn voet kon zetten. De lichtbundel van de zaklantaarn sneed door de duisternis en viel op een blauwe slaapzak die met de rits open in de verste hoek lag, omringd door lege flessen en voedselverpakkingen. Daarnaast dikke stompen van kaarsen, de pitten zwartgeschroeid. Een rij oude boeken stond rechtop op de vloerplanken.

Wie woonde hier op deze manier? Het kon een zwerver zijn, nam hij aan, maar om de een of andere reden had hij het idee van niet. Alleen al omdat de graffiti op het luik hem dwarszat: die wees het huis als het ware aan. En hoe smerig deze kamer er ook uitzag, hij wekte toch de indruk dat iemand zich hier thuis voelde. Hij zou het niet kunnen uitleggen, maar het leek wel of degene die hier verbleef dit huis had uitgekozen omdat het een bijzondere betekenis voor hem had, of eens had gehad. Hij was niet zomaar ergens gaan slapen.

Hoe heette de laatste bewoner ook weer?

Todd scheen met de zaklantaarn langs de achtermuur en zag nog meer vuilniszakken, stapeltjes kleren, een sporttas; een tijdschrift met een lachend kindergezicht op het omslag; vuil serviesgoed, voor een deel gebroken...

Hij stopte met die beweging.

En bewoog de lichtstraal toen langzaam terug om hem weer op de sporttas te laten vallen. Die leek relatief nieuw in vergelijking met de andere dingen in de kamer, en blijkbaar was hij daar zorgvuldig neergezet, alsof de inhoud waardevoller voor de eigenaar was dan al zijn andere bezittingen bij elkaar.

Todd keek ernaar. De rits werd op zijn plaats gehouden met een dunne strook zwart plastic, net als de tas die ze in de kamer onder het huis van Arthur Hammond hadden gevonden. De tas die het stoffelijk overschot van Emily Price bleek te bevatten.

Melissa Noble, dacht hij. Haar lichaam was nog steeds niet gevonden.

Plotseling voelde de lucht tintelend aan.

Todd ging een stap terug, de kamer uit.

Toen hij die tas zag, wist hij weer waar hij die stank eerder had geroken. Hij was toen afgeleid geweest en had zich kwaad gemaakt – staand bij Pauls lijk, omringd door Hammonds verzameling van dode dingen –, maar het was daarbeneden geweest: een heel zwakke zweem ervan, daar in de lucht in de kelder van die oude man. En toen was het weg geweest. Alsof er daarbeneden enkele minuten voor hun komst iets nog afschuwelijkers was geweest, iets wat nog net op tijd was weggeglipt.

Hij hield de lichtbundel op de tas gericht. Toen hij ernaar keek, schoot hem iets te binnen wat Paul had gezegd.

Als Ellis nu eens niet Mister X is?

Daar had hij natuurlijk gelijk in gehad. De vingerafdruk die ze op het voorhoofd van slachtoffers hadden gevonden, was van Hammond geweest, en het was in Hammonds kelder geweest dat ze zowel Rebecca als Emily Price hadden gevonden. Hammond had Paul doodgeschoten en daarna zelfmoord gepleegd. Maar... als Hammond nu eens ook niet hun Mister X was geweest? Als het nu eens heel iemand anders was geweest?

Iemand anders...

Dat herinnerde hem aan iets wat Rebecca Wingate had gezegd. Toen ze haar eindelijk konden ondervragen, had ze hun niet veel over die laatste ogenblikken kunnen vertellen, behalve dat ze zich vaag twee harde schoten herinnerde. Maar ze had ook iets anders gezegd. Iets wat Todd niet had begrepen en toegeschreven had aan het feit dat ze geblinddoekt was geweest en in een delirium had verkeerd, haar geest half weggebrand door koorts.

Ik denk dat er iemand anders bij me in die kist was.

Hij kreeg kippenvel.

Iemand anders. Hoe meer hij erover nadacht, des te meer raakte hij daarvan overtuigd. De man die hier had geslapen – naast die sporttas – was ook in Hammonds kelder geweest. Todd was nooit zo intuïtief geweest als Paul. Hij had de puzzelstukjes nooit zo snel en gemakkelijk aan elkaar kunnen leggen, maar die stukjes waren er wel en hij kon zich het beeld dat ze vormden al enigszins voor ogen stellen. En nu hij verbanden legde, kwam er een keiharde vastberadenheid bij hem op.

Banyard, dacht hij. Dat was de naam van de laatste persoon die in dit huis had gewoond. Francis Banyard. Had die hier gebivakkeerd? Was hij om de een of andere reden naar zijn oude huis teruggekomen? Nou, ze zouden hem wel opsporen, waar hij ook mocht zijn. Ze zouden dit huis in de gaten houden – desnoods de hele wijk – en ze zouden zien wie erheen ging.

We krijgen die man wel te pakken.

Hij liet het licht over de rommel gaan en dacht weer aan Paul. Eerst zag hij het lijk van zijn collega weer op de vloer van Hammonds kelder liggen... Maar toen schudde hij zijn hoofd om die herinnering te verdrijven. In plaats daarvan concentreerde hij zich op de intensiteit die altijd in Pauls ogen had gezeten. De vastberadenheid. De toezeggingen waarvan hij altijd vond dat hij ze moest doen. Het feit dat hij tegen alle verwachtingen in Rebecca Wingate had opgespoord. En toen de lichtstraal weer op de sporttas viel, dacht Todd:

Wie die man ook is, we krijgen hem te pakken.

Het klonk als een belofte, maar hij nam het zich toch voor.

Er is iets vreemds in een van de benedenkamers.

Hij moest de technische recherche laten komen om de kamer boven te doorzoeken, en hij moest ook de surveillance organiseren, maar op weg naar buiten besloot Todd eerst nog even te gaan kijken bij het andere dat Johnson en Ross hadden gevonden. Toen hij door de deuropening stapte van wat eens de huiskamer moest zijn geweest, was hij in gedachten al druk bezig met de logistiek van de lange nacht die hij voor de boeg had. Zodra hij zag wat daar in die kamer was, struikelden die gedachten enigszins.

Zoals de meeste andere kamers was deze helemaal leeggehaald. Maar niet wat ontbrak viel op. Wat opviel, was wat er later was toegevoegd. Aan één kant van de kamer lag een oud, vaal geworden matras op de vloer. Er zaten vlekken in alsof er koffie op was gemorst, en de springveren die tegen de dunne overtrekstof drukten, waren zichtbaar als halfgeplette colablikjes. De zijkanten waren bespikkeld met groene schimmel. Aan het tegenoverliggende eind van de kamer stond een hoge houten kruk, met daarbovenop een videocamera.

En dat was alles. Verder was er niets te zien: alleen een walgelijk, geïmproviseerd bed waarop een camera gericht was. Maar het tafereel was vreemd omdat het er gekunsteld uitzag. Het deed hem denken aan een opstelling in een museum – zo'n kamer waarin de oorspronkelijke tafels, stoelen en kleren bij elkaar gezocht en zorgvuldig neergezet waren om de slaapkamer of studeerkamer te reconstrueren van een beroemdheid uit vroeger tijden. Een kamer waar mensen kwamen kijken om een indruk te krijgen van het leven van die persoon in die tijd.

Een geconserveerd moment.

Todd dacht aan de graffiti buiten. En toen aan de man die op de bovenverdieping had geslapen.

Is dit de reden waarom je hier ging bivakkeren?

Hij liep naar de houten kruk. Het was geen videocamera, besefte hij. Het was veel ouder: mechanisch en log. De zijkanten waren van bobbelig zwart plastic, met ronde metalen lussen die als konijnenoren naar boven staken. Het hele ding zat onder een laagje stof, alsof het daar al een hele tijd had gestaan. Er zat geen complete band in de spoelen, maar er was een flard in de bovenkant van het apparaat achtergebleven.

Hij zocht in zijn zak.

Een pincet...

Hij pakte het stukje celluloidband op. Omdat in het donker niet te zien was wat erop stond, hield hij de zaklantaarn erachter om de minuscule beelden te verlichten, zodat de rest van de kamer in duisternis verdween. Toen hij zag wat er op de film stond, beefde zijn hand.

'O god,' zei hij.

Het eerste filmbeeld was een simpele, onschuldige opname van een straat. Het was een winterdag, de lucht wit van ijs en nevel. Midden in het beeld stond een jongen, dik ingepakt in een duffelse jas. Hij keek recht in de camera op enkele meters afstand. Hij was pas acht of negen, maar Paul

Kearneys trekken stonden al duidelijk op het gezicht van de jongen te lezen. Je zag de blauwdruk van de man die hij zou worden, alsof het belangrijkste aan hem – de essentie – op dat moment verstild was vastgelegd.

Vervolgens werden de jongens teruggebracht naar de omgeving van de plaats waar ze waren ontvoerd.

Todd scheen achter de strip langs en bracht de beelden schokkerig tot leven. De camera ging snel terug – iemand had dit vanuit een snel wegrijdende auto gefilmd. De jongen stond stil in het midden en werd steeds kleiner, alsof hij achterwaarts de mist in was getrokken. Hij keek nog recht voor zich uit, zijn gezicht een vraagteken, tot hij helemaal verdwenen was.

De camera had dat ook vastgelegd, dacht Todd wezenloos.

Ze lieten het zien in plaats van aftiteling.